## 에듀윌과 함께 시작하면,
## 당신도 합격할 수 있습니다!

대학 진학 후 진로를 고민하다 1년 만에
서울시 행정직 9급, 7급에 모두 합격한 대학생

다니던 직장을 그만두고
어릴 적 꿈이었던 경찰공무원에 합격한 30세 퇴직자

용기를 내 계리직공무원에 도전해
4개월 만에 합격한 40대 주부

직장생활과 병행하며 7개월간 공부해
국가공무원 세무직에 당당히 합격한 51세 직장인까지

누구나 합격할 수 있습니다.
시작하겠다는 '다짐' 하나면 충분합니다.

마지막 페이지를 덮으면,

**에듀윌과 함께**
**공무원 합격이 시작됩니다.**

2019
에듀윌
합격자 모임
합격자 수 1위
에듀윌
기적에서 전설로
합격자 모임 실제 현장 (서울 강남 코엑스)

공인중개사 최다 합격자 배출 공식 인증
(KRI 한국기록원 / 2019년 인증, 2021년 현재까지 업계 최고 기록)

에듀윌
합격자 모임
기적에서 전설로
합격자 수가
선택의 기준!

에듀윌
에듀윌과 함께하면 꿈은 현실이 됩니다
기적에서 전설로

# 에듀윌을 선택한 이유는 분명합니다

합격자 수 수직 상승

**1,495%**

명품 강의 만족도

**99%**

베스트셀러 1위

**33개월 (2년 9개월)**

3년 연속 소방공무원 교육

**1위**

**에듀윌 소방공무원을 선택하면**
**합격은 현실이 됩니다.**

* 2017/2020 공무원 온라인 과정 환급자 수 비교
* 소방공무원 대표 교수진 2020년 12월 강의 만족도 평균
* YES24 수험서 자격증 공무원 베스트셀러 1위 (2017년 3월, 2018년 4월~6월, 8월, 2019년 4월, 6월~12월, 2020년 1월~12월, 2021년 1월~8월 월별 베스트, 매월 1위 교재는 다름)
* 2021 대한민국 브랜드만족도 소방공무원 교육 1위 (한경비즈니스) / 2020, 2019 한국브랜드만족지수 소방공무원 교육 1위 (주간동아, G밸리뉴스)

# 합격자 수 1,495%* 수직 상승! 매년 놀라운 성장

에듀윌 공무원은 '합격자 수'라는 확실한 결과로 증명하며
지금도 기록을 만들어 가고 있습니다.

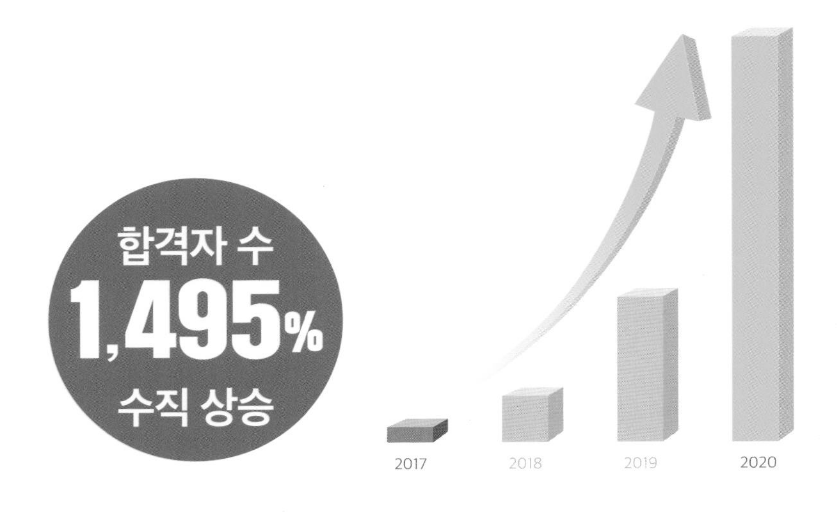


## 합격자 수를 폭발적으로 증가시킨 독한 소방 평생패스

합격 시 0원
최대 100% 환급

+

합격할 때까지
전 강좌 무제한 수강

+

전문 학습매니저의
1:1 코칭 시스템

※ 환급내용은 상품페이지 참고. 상품은 변경될 수 있음.

상품
페이지

* 2017/2020 공무원 온라인 과정 환급자 수 비교

# 에듀윌에서 꿈을 이룬 합격생들의 진짜 합격스토리

### 에듀윌 커리큘럼을 따라가며 기출 분석을 반복한 결과 7.5개월 만에 합격

권○혁 지방직 9급 일반행정직 최종 합격

샘플 강의를 듣고 맘에 들었는데, 가성비도 좋아 에듀윌을 선택하게 되었습니다. 특히, 공부에 집중하기 좋은 깔끔한 시설과 교수님께 바로 질문할 수 있는 환경이 좋았습니다. 학원을 다니면서 에듀윌에서 무료로 제공하는 온라인 강의를 많이 활용했습니다. 늦게 시작했기 때문에 처음에는 진도를 따라가기 위해서 활용했고, 그 후에는 기출 분석을 복습하기 위해 활용했습니다. 마지막에 반복했던 기출 분석은 합격에 중요한 영향을 미쳤던 것 같습니다.

### 고민없이 에듀윌을 선택, 온라인 강의 반복 수강으로 합격 완성

박○은 국가직 9급 일반농업직 최종 합격

공무원 시험은 빨리 준비할수록 더 좋다고 생각해서 상담 후 바로 고민 없이 에듀윌을 선택했습니다. 과목별 교재가 동일하기 때문에 한 과목당 세 교수님의 강의를 모두 들었습니다. 심지어 전년도 강의까지 포함하여 강의를 무제한으로 들었습니다. 덕분에 중요한 부분을 알게 되었고 그 부분을 집중적으로 먼저 외우며 공부할 수 있었습니다. 우울할 때에는 내용을 아는 활기찬 드라마를 틀어놓고 공부하며 위로를 받았는데 집중도 잘되어 좋았습니다.

### 체계가 잘 짜여진 에듀윌은 합격으로 가는 최고의 동반자

김○욱 국가직 9급 출입국관리직 최종 합격

에듀윌은 체계가 굉장히 잘 짜여져 있습니다. 만약, 공무원이 되고 싶은데 아무것도 모르는 초시생이라면 묻지 말고 에듀윌을 선택하시면 됩니다. 에듀윌은 기초·기본이론부터 심화이론, 기출문제, 단원별 문제, 모의고사, 그리고 면접까지 다 챙겨주는, 시작부터 필기합격 후 끝까지 전부 관리해 주는 최고의 동반자입니다. 저는 체계적인 에듀윌의 커리큘럼과 하루에 한 페이지라도 집중해서 디테일을 외우려고 노력하는 습관 덕분에 합격할 수 있었습니다.

## 다음 합격의 주인공은 당신입니다!

# 1초 합격예측
# 모바일 성적분석표

1초 안에 '클릭' 한 번으로 성적을 확인하실 수 있습니다!

STEP 1

**QR 코드 스캔**

- 교재의 QR 코드를 모바일로 스캔 후 에듀윌 회원 로그인
- QR 코드 하단의 바로가기 주소로도 접속 가능

STEP 2

**모바일 OMR 입력**

- 회차 확인 후 '응시하기' 클릭
- 모바일 OMR에 답안 입력
- 문제풀이 시간까지 측정 가능

STEP 3

**자동채점 & 성적분석표 확인**

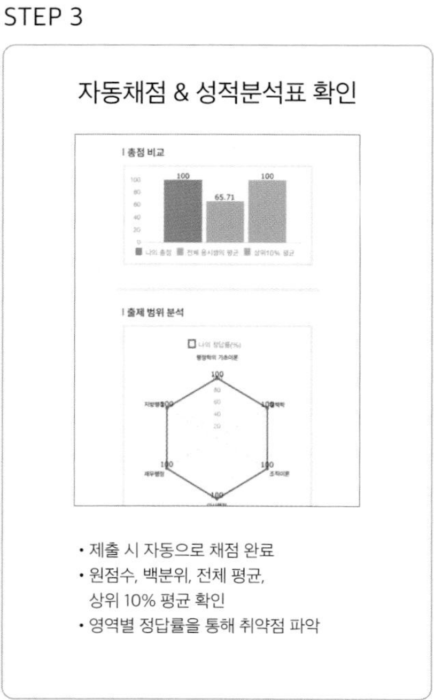


- 제출 시 자동으로 채점 완료
- 원점수, 백분위, 전체 평균, 상위 10% 평균 확인
- 영역별 정답률을 통해 취약점 파악

※ 본 서비스는 에듀윌 공무원 교재(연도별, 회차별 문항이 수록된 교재)를 구입하는 분에게 제공됨.

3회독 완성 회독 플래너로 학습 계획을 수립하고 학습 결과를 기록해보세요.

# 소방공무원 기출문제집 3회독 플래너

## 1회독

| 회차 | 기출문제편 | 정답과 해설편 | 기출문제 | 날짜 | 점수 | 적정 풀이시간 |
|---|---|---|---|---|---|---|
| 1 | 16-21p | 4-12p | 2021 행정법총론 | □ 월 일 | 점 | 19분/ 분 초 |
| 2 | 22-27p | 13-20p | 2020 행정법총론 | □ 월 일 | 점 | 18분/ 분 초 |
| 3 | 28-31p | 21-29p | 2019 행정법총론 | □ 월 일 | 점 | 16분/ 분 초 |
| 4 | 32-35p | 30-37p | 2018 하반기 행정법총론 | □ 월 일 | 점 | 16분/ 분 초 |
| 5 | 38-43p | 40-49p | 2020 소방위 행정법 | □ 월 일 | 점 | 18분/ 분 초 |
| 6 | 44-48p | 50-58p | 2019 소방위 행정법 | □ 월 일 | 점 | 18분/ 분 초 |
| 7 | 49-54p | 59-67p | 2018 소방위 행정법 | □ 월 일 | 점 | 17분/ 분 초 |
| 8 | 55-59p | 68-75p | 2017 소방위 행정법 | □ 월 일 | 점 | 17분/ 분 초 |

## 2회독

| 회차 | 기출문제편 | 정답과 해설편 | 기출문제 | 날짜 | 점수 | 적정 풀이시간 |
|---|---|---|---|---|---|---|
| 1 | 16-21p | 4-12p | 2021 행정법총론 | □ 월 일 | 점 | 19분/ 분 초 |
| 2 | 22-27p | 13-20p | 2020 행정법총론 | □ 월 일 | 점 | 18분/ 분 초 |
| 3 | 28-31p | 21-29p | 2019 행정법총론 | □ 월 일 | 점 | 16분/ 분 초 |
| 4 | 32-35p | 30-37p | 2018 하반기 행정법총론 | □ 월 일 | 점 | 16분/ 분 초 |
| 5 | 38-43p | 40-49p | 2020 소방위 행정법 | □ 월 일 | 점 | 18분/ 분 초 |
| 6 | 44-48p | 50-58p | 2019 소방위 행정법 | □ 월 일 | 점 | 18분/ 분 초 |
| 7 | 49-54p | 59-67p | 2018 소방위 행정법 | □ 월 일 | 점 | 17분/ 분 초 |
| 8 | 55-59p | 68-75p | 2017 소방위 행정법 | □ 월 일 | 점 | 17분/ 분 초 |

## 3회독

| 회차 | 기출문제편 | 정답과 해설편 | 기출문제 | 날짜 | 점수 | 적정 풀이시간 |
|---|---|---|---|---|---|---|
| 1 | 16-21p | 4-12p | 2021 행정법총론 | □ 월 일 | 점 | 19분/ 분 초 |
| 2 | 22-27p | 13-20p | 2020 행정법총론 | □ 월 일 | 점 | 18분/ 분 초 |
| 3 | 28-31p | 21-29p | 2019 행정법총론 | □ 월 일 | 점 | 16분/ 분 초 |
| 4 | 32-35p | 30-37p | 2018 하반기 행정법총론 | □ 월 일 | 점 | 16분/ 분 초 |
| 5 | 38-43p | 40-49p | 2020 소방위 행정법 | □ 월 일 | 점 | 18분/ 분 초 |
| 6 | 44-48p | 50-58p | 2019 소방위 행정법 | □ 월 일 | 점 | 18분/ 분 초 |
| 7 | 49-54p | 59-67p | 2018 소방위 행정법 | □ 월 일 | 점 | 17분/ 분 초 |
| 8 | 55-59p | 68-75p | 2017 소방위 행정법 | □ 월 일 | 점 | 17분/ 분 초 |

3회독 완성 회독 플래너로 학습 계획을 수립하고 학습 결과를 기록해보세요.

# 소방공무원 기출문제집 취약문제 체크

| 회차 | 기출문제편 | 정답과 해설편 | 기출문제 | 취약문제 |
|---|---|---|---|---|
| 1 | 16-21p | 4-12p | 2021 행정법총론 | |
| 2 | 22-27p | 13-20p | 2020 행정법총론 | |
| 3 | 28-31p | 21-29p | 2019 행정법총론 | |
| 4 | 32-35p | 30-37p | 2018 하반기 행정법총론 | |
| 5 | 38-43p | 40-49p | 2020 소방위 행정법 | |
| 6 | 44-48p | 50-58p | 2019 소방위 행정법 | |
| 7 | 49-54p | 59-67p | 2018 소방위 행정법 | |
| 8 | 55-59p | 68-75p | 2017 소방위 행정법 | |

## 취약문제 체크표 활용 TIP

1. 문제풀이 후 복습이 필요한 문항의 번호와 핵심개념을 기록해보세요.
2. 반복학습을 통해 완벽히 숙지한 개념은 삭제해가며 복습문항의 수를 줄여보세요.

**예시**

| 1 | 16-21p | 4-12p | 2021 행정법총론 | ~~06 비상임위 포함 9명~~<br>14 다수설과 판례 → 재량행위<br>~~18 부동산매매계약 해제 → 무효~~ |
|---|---|---|---|---|

세상을 움직이려면

먼저 나 자신을 움직여야 한다.

– 소크라테스(Socrates)

2022

# 에듀윌 소방공무원

4개년 연도별 기출문제집

# 기출문제편

행정법총론

## 기본부터 실전까지 **학습 효과를 극대화**하는 기출문제집 200% **활용법**

### 1 오직 소방직만을 담은 **소방전용 기출문제집**

소방직 시험은 소방직만의 출제 특성이 있습니다. 본 교재는 학습의 부담만 늘리는 타 직렬의 기출문제는 싹 제외하고, 오직 소방직 기출만을 수록하여 소방공무원 시험 대비에 최적화하였습니다. 특히, 완성도 높은 복원 기출문제를 같이 수록하여 최근 4개년의 기출문제를 풀어볼 수 있도록 구성하였습니다. 기출문제를 순서대로 풀이하면서 소방직 시험에 대한 감각을 높여보시기 바랍니다.

### 2 실전 감각을 키우는 **연도별 기출문제집**

단원별 기출문제집이 기본 개념을 진도별로 정리하는 데 유리하다면, 연도별 기출문제집은 해마다 달라지는 시험의 난도와 미묘하게 달라지는 출제의 흐름을 파악할 수 있습니다. 기출문제의 본질적인 출제의 핵심은 같지만, 매회 출제되는 빈출 개념과 문제 배열의 습득 등 세부적인 시험 대비를 위해서는 연도별 기출문제집 풀이가 효과적입니다. 실제 시험처럼 풀어보면서 실전 감각을 키우시기 바랍니다.

### 3 전략적 풀이가 가능한 **다각도 기출 분석**

기출문제는 출제 예상문제를 예측하고 대비할 수 있는 가장 확실한 이정표입니다. 즉, 출제의 기준이 되는 객관적 데이터로서, 본 교재는 '출제자 – 학습자'의 관점에서 기출문제를 다각도로 분석하였습니다. 출제자의 관점에서 모든 문항의 출제영역을 분석하고, 문항별 오답률을 통해 학습자의 풀이 패턴을 분석하였습니다. 또한 정 · 오답 포인트를 담은 상세한 해설과 회독 플래너 구성으로 효율적인 학습을 도모하였습니다. 단순히 기출문제를 풀고 정답을 체크하는 데 그치는 것이 아니라, 기출 분석 데이터를 기반으로 전략적인 기출 풀이 훈련을 하시기 바랍니다.

### 4 이해를 극대화 해줄 **무료 해설강의**

전 과목 최근 3개년(2021~2019) 무료 해설강의를 통해 보다 정확한 이해 학습이 가능합니다. 소방 전문 교수진의 명쾌한 해설강의로 출제의 핵심을 스피드하게 정리하고 틀린 문제는 왜 틀렸는지 확인하고 정확하게 이해하시기 바랍니다.

# 저자의 말

국민의 생명과 재산을 지키기 위한
여러분의 **꿈**을 **응원**합니다.

소방공무원 시험에 행정법이 왜 필수가 되었는지에 대해 질문이 많습니다. 영어처럼 변별력을 확보하는데 취지를 둔 과목도 아니고, 소방학개론이나 소방관계법규처럼 실무와 관련이 있는 과목이 아니라는 것이 질문의 이유입니다. 하지만 국민의 생명과 신체, 재산 보호를 기본으로 하는 국가 행정작용의 최일선을 담당하는 소방행정은 행정법의 첨병입니다. 소방공무원은 소방점검(행정조사)을 통해 미리 재난을 예방하고, 소방시설을 갖추도록 행정처분을 행하며, 소방에 장해가 되는 시설을 철거(행정대집행)하는 등 많은 행정업무를 담당하고 있습니다. 따라서 행정법은 소방행정에 필수적인 실무과목이라고 할 수 있습니다.

행정법이 필수과목이 됨에 따라 우리는 먼저 기출문제에 주목해야 합니다. 기출문제 분석과 풀이를 통해 다음 두 가지를 얻을 수 있습니다.
첫 번째는 출제경향을 파악할 수 있습니다. 행정법은 출제되었던 지문이 다시 출제되어 빈출지문이 명확합니다. 동일한 취지의 판례, 유사한 출제유형 등 반복 출제되는 빈출 영역을 파악하고 이를 집중적으로 학습할 수 있습니다.
두 번째는 자신의 실력에 대한 평가입니다. 기본 이론 학습이 어느 정도 다져져 있는 수험생이라면 자신이 어느 정도 수준까지 학습이 되어 있는지 궁금하지 않을 수 없습니다. 이러한 실력 평가는 기출문제 풀이로 정확하게 판단할 수 있습니다. 실력 평가가 이루어지면 그것을 토대로 이후의 수험계획도 설정할 수 있습니다.

'온고이지신(溫故而知新)', 시험을 앞둔 수험생에게 이처럼 딱 들어맞는 지언(至言)도 몇 없을 것입니다. 기존의 기출문제를 통찰하여 출제될 문제를 예측하고 준비하는 자세가 필요합니다.

본 교재는 다음과 같은 부분에 노력을 기울였습니다.
첫째, 적정한 해설을 수록하고자 하였습니다. 수험생이 혼란을 겪을 만한 문제의 경우 상세한 설명으로 이해도를 높이고, 단순한 문제의 경우 장황한 해설을 자제하여 완급 조절을 꾀하였습니다.
둘째, 출제 카테고리와 난이도를 표기하였습니다. 이는 핵심 영역을 가시적으로 확인하고, 틀린 문제의 난이도를 판단할 수 있도록 한 배려입니다.
셋째, 선택지와 관련된 판례와 법령을 가급적 모두 수록하였습니다. 같이 보아야 할 내용을 기본이론 교재에서 찾지 않더라도 본 교재를 통해 모두 해결할 수 있도록 신경 썼습니다. 다만 소방위 기출복원은 수험생들이 복원한 문제나 키워드를 근간으로 일부 변형되었음을 미리 밝힙니다.

기출문제집만으로 행정법을 완성할 순 없지만 학습의 방향을 잡고, 약점을 찾을 수 있을 것입니다. 본 교재가 앞으로 정진할 수 있는 좋은 인연과 계기가 되기를 진심으로 바랍니다.

저자 김용철

# 소방공무원 시험 정보

## 시험 전형

■ 시험일정

매년 4월 초 연 1회 진행

※ 추가채용이 있을 경우 하반기에 시행

■ 응시 연령

| 구분 | 계급 | 연령 | 생년월일 |
|---|---|---|---|
| 공채 | 소방사 | 18세 이상 40세 이하 | 1981.1.1.~2004.12.31. |
| 경채 | 소방사·교·장 | 20세 이상 40세 이하 | 1981.1.1.~2002.12.31. |
|  | 소방위·경 | 23세 이상 40세 이하 | 1981.1.1.~1999.12.31. |

■ 1종 대형면허 또는 보통면허 필요

「도로교통법」 제80조 제2항 제1호의 규정에 의한 1종 운전면허 중 대형면허 또는 보통면허 소지자(대상자: 공채 소방사, 경채 소방장 이하)

※ 모든 자격(면허)은 합격일이 아닌, 발급(취득)일을 기준으로 함

※ 최종합격자는 발표일까지 응시자격으로서의 운전면허·자격보유의 효력이 유효하여야 하며, 그 효력이 정지되거나 소멸할 경우 응시자격은 박탈되고 합격 결정을 취소함

■ 거주지 제한 폐지

원서접수 시 응시자 희망근무지역(시·도)에 응시

※ 거주지(주민등록상)에 제한 없으나, 응시지역·분야 중복접수 불가

## 시험 과목

■ 과목당 20문제 4지 1선택형

| 구분 | 시험 과목 | 시험 시간 |
|---|---|---|
| 공채 | 필수(5): 영어, 한국사, 소방학개론, 소방관계법규, 행정법총론 | 10:00~11:40(100분) |
| 경채 | 소방사(3): 국어, 생활영어, 소방학개론<br>소방교·장(3): 국어, 영어, 소방학개론 | 10:00~11:00(60분) |
|  | 소방 관련 학과(3): 국어, 소방학개론, 소방관계법규 |  |

※ 2022년부터 공채시험은 필수 5과목으로 변경 및 조정점수 적용 폐지

## 시험 절차

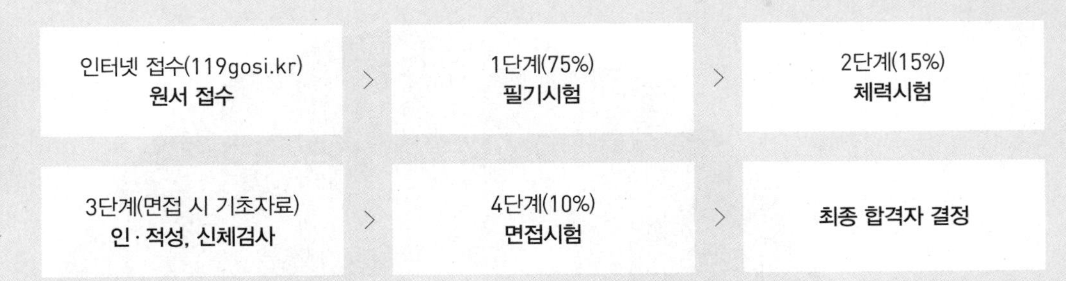


※ 필기 · 체력 · 서류전형(인성 또는 적성검사) · 면접시험은 각 시 · 도 소방본부에서 공고 및 운영

※ 시 · 도 소방본부별로 탄력적으로 운영될 수 있으니, 단계별 세부사항은 시 · 도 공고문 참고

## 합격자 전형

■ 필기시험(1단계)

매 과목 40% 이상, 전 과목 총점의 60% 이상 득점한 자 중에서 고득점자 순으로 선발예정인원의 아래 범위에서 합격한 자

<table>
<tr><th>분야</th><th colspan="2">공채</th><th colspan="2">경채</th></tr>
<tr><td rowspan="6">필기시험<br>합격자 배수<br>(소수점 반올림)</td><td>1~50명</td><td>3배수</td><td rowspan="2">1~5명</td><td rowspan="2">3배수</td></tr>
<tr><td>51~100명</td><td>2.8배수</td></tr>
<tr><td>101~150명</td><td>2.6배수</td><td rowspan="2">6~10명</td><td rowspan="2">2.5배수</td></tr>
<tr><td>151~200명</td><td>2.4배수</td></tr>
<tr><td>201~250명</td><td>2.2배수</td><td rowspan="2">11명 이상</td><td rowspan="2">2배수</td></tr>
<tr><td>251명 이상</td><td>2배수</td></tr>
</table>

■ 체력시험(2단계)

6종목 점수 합산하여 총점(60점)의 50%(30점) 이상을 득점한 자

■ 인 · 적성, 신체검사(3단계)

– 인 · 적성: 체력시험 합격자 대상으로 실시하며 검사결과는 면접시험 시 기초자료로 제공

– 신체검사: 소방공무원 채용시험 신체조건표(「소방공무원임용령 시행규칙」 별표 5)와 소방공무원 신체검사의 불합격 판정기준(「소방공무원 채용시험 시행규칙」 별표 3)에 따라 합격 여부 결정

■ 면접시험(4단계)

제1단계 집단면접과 제2단계 개별면접의 평정요소에 대한 시험위원의 점수를 합산하여 총점(60점)의 50%(30점) 이상을 득점한 사람을 합격자로 결정

■ 최종 합격자 결정

필기 75%+체력 15%+면접 10%의 비율로 합산한 성적(소수점 이하 둘째자리까지 계산)의 고득점자 순으로 선발예정인원 범위 안에서 결정하며, 선발예정인원을 초과하는 동점자는 모두 합격처리

# 행정법총론 기출 분석

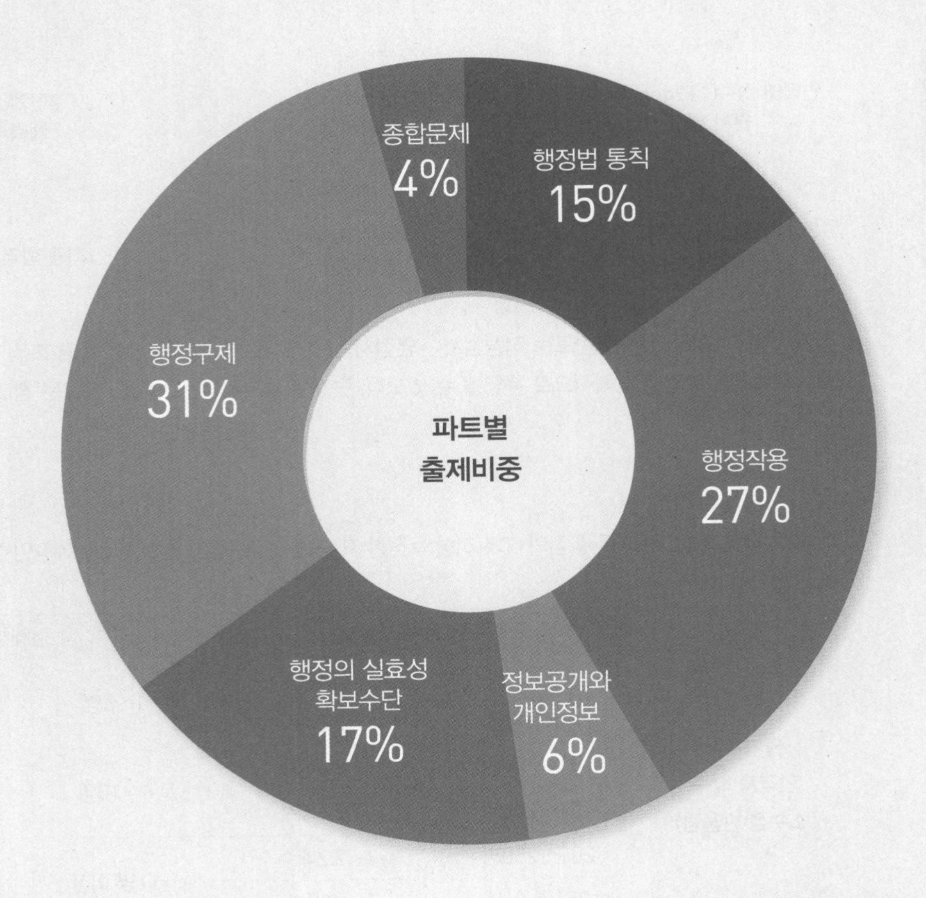


*공채 4개년(2021~2018 하반기) + 소방위 4개년(2020~2017),
8회차 시험 기준

소방 공채시험과 소방위 행정법 승진시험의 난이도는 점점 올라가고 있는 추세입니다. 기존의 문제들과 달리 최근 2개년의 기출문제는 단순 암기로 해결할 수 없고, 충분한 이해와 관련 판례를 숙지해야만 풀 수 있는 문제들이 대부분이었습니다. 특히 소방 공채와 소방위, 두 시험 모두 법령문제의 출제가 많고 특정 영역에 편향되어 출제되는 경향이 있어, 빈출영역(행정행위, 의무이행확보수단, 국가배상)에 대한 대비가 매우 중요합니다. 따라서 각 영역의 전체적인 내용의 흐름을 이해하고, 관련 이론과 대법원의 입장을 정확하게 정리해야 할 필요가 있습니다. 또한 공공기관의 정보공개법을 포함한 법령도 1~2문제씩 출제되기 때문에 소홀함이 없어야 합니다.

# 행정법총론 학습 전략

**행정법 통칙**

빈출키워드 ▶ 법치행정, 행정법의 일반원칙, 개인적 공권

행정법의 일반원칙은 매년 출제되는 영역으로 '비례원칙', '자기구속법리', '신뢰보호원칙'과 관련된 대법원 판례는 반드시 숙지하고 있어야 합니다. '법률유보원칙'과 관련된 대법원 판례와 헌법재판소 결정례 역시 중요사항과 관련하여 암기가 필요한 부분이며, '개인적 공권의 성립'과 '제3자 보호규범'과 관련한 인인관계, '경업자관계', '경원자관계'에서의 대법원 입장을 잘 정리해야 합니다.

**행정작용**

빈출키워드 ▶ 행정입법, 행정행위, 그 밖의 비권력적 행정작용

재량과 기속, 행정행위의 내용, 부관, 공정력과 선결문제, 무효와 취소의 구분실익은 출제빈도가 매우 높은 영역으로 꼼꼼한 정리가 필요합니다. 또한 '행정입법'에서는 법규명령의 한계와 법규명령의 대법원 통제방식, 헌법재판소의 개입 여부를 이해하고 충분히 숙지하고 있어야 하며, 그 밖의 행정작용은 공법상 계약에서의 분쟁방식, 행정지도의 원칙과 방식, 행정계획의 특징을 정확히 파악하고 있어야 헷갈리지 않고 문제를 풀이할 수 있습니다.

**정보공개와 개인정보**

빈출키워드 ▶ 공공기관의 정보공개에 관한 법률, 개인정보 보호법

이 영역은 법령문제가 출제되는 영역입니다. 즉, 법령의 내용을 정확하게 숙지하고 있어야 하며, 정보공개제도는 비공개대상정보에 해당하는 경우와 공개대상정보에 해당하는 경우를 비교하여 파악하고 있어야 합니다. 또한 법령만 단독으로 출제되지 않고 판례와 같이 구성하여 출제되기 때문에 관련 판례 내용도 연결하여 학습하면 좋습니다. 특히 본 영역은 개정이 잦기 때문에 개정 및 신규 규정에 대한 대비가 필요합니다.

**행정의 실효성 확보수단**

빈출키워드 ▶ 행정대집행, 이행강제금, 즉시강제

행정강제에서 매년 출제되는 영역은 '행정대집행'입니다. 따라서 대집행의 요건과 대집행의 절차, 하자의 승계 및 구제는 처음부터 끝까지 완벽하게 정리하고 암기해야 합니다. 또한 최근 출제빈도가 높아지고 있는 '이행강제금'은 그 특징과 관련 판례가 중요한 포인트라고 할 수 있고, 즉시강제는 소방직 업무와의 관련성이 높아 개념정리가 반드시 필요합니다.

**행정구제**

빈출키워드 ▶ 행정절차, 손해배상, 행정소송

행정법의 핵심영역 중 하나로, 출제 문항수가 많은 영역입니다. '행정소송'에서 처분 여부에 대한 판례는 반드시 구분해야 하며, 원고적격과 피고적격, 협의의 소 이익은 암기를, 집행정지와 판결의 효력은 개념정리와 이해를 요구합니다. '국가배상'에서는 「국가배상법」 제2조의 요건충족과 관련된 판례 및 「국가배상법」 제5조에서의 면책요건, 국가와 지방자치단체 등과의 선택적 청구에 대한 정리가 필요합니다. '행정절차'에서는 사전통지와 의견청취가 배제될 수 있는 경우와 이유제시에 대한 생략사유가 필수적 암기사항이라고 할 수 있습니다.

**종합문제**

최근 1~2문제씩 출제되고 있는 종합문제는 행정법의 전반적인 흐름과 대략을 파악하고 있는지를 묻는 문제나 특정한 주제 없이 각 영역의 핵심사항을 묻는 경우로 나뉩니다. 이는 단순한 암기보다는 이해력을 요하는 문제 유형이며, 각 영역에 대한 본질을 파악하고 있어야 합니다.

## 플래너

3회독 완성 회독 플래너로 학습 계획을 수립하고 학습 결과를 기록해보세요.

### 소방공무원 기출문제집 3회독 플래너

1회독

| 회차 | 기출문제편 | 정답과 해설편 | 기출문제 | 날짜 | 점수 | 적정 풀이시간 |
|---|---|---|---|---|---|---|
| 1 | 16-21p | 4-12p | 2021 행정법총론 | □ 월 일 | 점 | 19분/ 분 초 |
| 2 | 22-27p | 13-20p | 2020 행정법총론 | □ 월 일 | 점 | 18분/ 분 초 |
| 3 | 28-31p | 21-29p | 2019 행정법총론 | □ 월 일 | 점 | 16분/ 분 초 |
| 4 | 32-35p | 30-37p | 2018 하반기 행정법총론 | □ 월 일 | 점 | 16분/ 분 초 |
| 5 | 38-43p | 40-49p | 2020 소방위 행정법 | □ 월 일 | 점 | 18분/ 분 초 |
| 6 | 44-48p | 50-58p | 2019 소방위 행정법 | □ 월 일 | 점 | 18분/ 분 초 |
| 7 | 49-54p | 59-67p | 2018 소방위 행정법 | □ 월 일 | 점 | 17분/ 분 초 |
| 8 | 55-59p | 68-75p | 2017 소방위 행정법 | □ 월 일 | 점 | 17분/ 분 초 |

3회독 완성 회독 플래너로 학습 계획을 수립하고 학습 결과를 기록해보세요.

### 소방공무원 기출문제집 취약문제 체크

| 회차 | 기출문제 | | | 취약문제 |
|---|---|---|---|---|
| 1 | 16-21p | 4-12p | 2021 행정법총론 | |
| 2 | 22-27p | 13-20p | 2020 행정법총론 | |
| 3 | 28-31p | 21-29p | 2019 행정법총론 | |
| 4 | 32-35p | 30-37p | 2018 하반기 행정법총론 | |

## 기출문제편

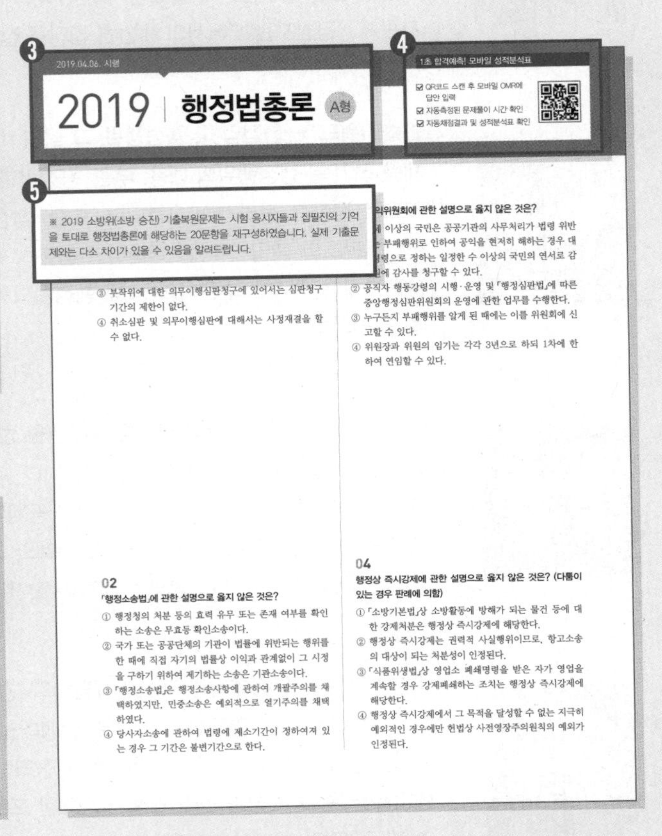

2019.04.06. 시행

2019 | 행정법총론 A형

1초 합격예측! 모바일 성적분석표

☑ QR코드 스캔 후 모바일 OMR에 답안 입력
☑ 자동측정된 문제풀이 시간 확인
☑ 자동채점결과 및 성적분석표 확인

※ 2019 소방위(소방 승진) 기출복원문제는 시험 응시자들과 집필진의 기억을 토대로 행정법총론에 해당하는 20문항을 재구성하였습니다. 실제 기출문제와는 다소 차이가 있을 수 있음을 알려드립니다.

③ 부작위에 대한 의무이행심판청구에 있어서는 심판청구기간의 제한이 없다.
④ 취소심판 및 의무이행심판에 대해서는 사정재결을 할 수 없다.

의위원회에 관한 설명으로 옳지 않은 것은?

세 이상의 국민은 공공기관의 사무처리가 법령 위반 는 부패행위로 인하여 공익을 현저히 해하는 경우 대 령령으로 정하는 일정한 수 이상의 국민의 연서로 감 관에 감사를 청구할 수 있다.
② 공직자 행동강령의 시행·운영 및 「행정심판법」에 따른 중앙행정심판위원회의 운영에 관한 업무를 수행한다.
③ 누구든지 부패행위를 알게 된 때에는 이를 위원회에 신고할 수 있다.
④ 위원장과 위원의 임기는 각각 3년으로 하되 1차에 한하여 연임할 수 있다.

02
「행정소송법」에 관한 설명으로 옳지 않은 것은?
① 행정청의 처분 등의 효력 유무 또는 존재 여부를 확인하는 소송은 무효등 확인소송이다.
② 국가 또는 공공단체의 기관이 법률에 위반되는 행위를 한 때에 직접 자기의 법률상 이익과 관계없이 그 시정을 구하기 위하여 제기하는 소송은 기관소송이다.
③ 「행정소송법」은 행정소송사항에 관하여 개괄주의를 채택하였지만, 민중소송은 예외적으로 열기주의를 채택하였다.
④ 당사자소송에 관하여 법령에 제소기간이 정하여져 있는 경우 그 기간은 불변기간으로 한다.

04
행정상 즉시강제에 관한 설명으로 옳지 않은 것은? (다툼이 있는 경우 판례에 의함)
① 「소방기본법」상 소방활동에 방해가 되는 물건 등에 대한 강제처분은 행정상 즉시강제에 해당한다.
② 행정상 즉시강제는 권력적 사실행위이므로, 항고소송의 대상이 되는 처분성이 인정된다.
③ 「식품위생법」상 영업소 폐쇄명령을 받은 자가 영업을 계속할 경우 강제폐쇄하는 조치는 행정상 즉시강제에 해당한다.
④ 행정상 즉시강제에서 그 목적을 달성할 수 없는 지극히 예외적인 경우에만 헌법상 사전영장주의원칙의 예외가 인정된다.

**❶ 3회독 플래너**

문제풀이 전 학습 계획을 세우고, 계획한 날짜에 맞춰 학습 진행 및 학습 결과를 기록할 수 있습니다.

**❷ 취약문제 체크**

문제풀이 후 복습이 필요한 문항은 따로 기록하여 헷갈리는 개념을 정확히 숙지할 수 있습니다.

**❸ 연도별 기출문제 수록**

최신 기출문제 순으로 총 4개년 기출문제(2021~2018 하반기)를 수록하였습니다.

**❹ 1초 합격예측! 모바일 성적분석표**

QR코드 스캔 후 모바일 OMR에 답안을 입력하면, 자동측정된 문제풀이 시간과 자동채점결과를 편리하게 확인할 수 있습니다.

**❺ 소방위 복원 기출문제 수록**

소방위(소방 승진) 4개년(2020~2017) 기출문제는 소방 전문 집필진이 실제 기출문제와 최대한 비슷하게 복원하여 수록하였습니다.

## 정답과 해설편

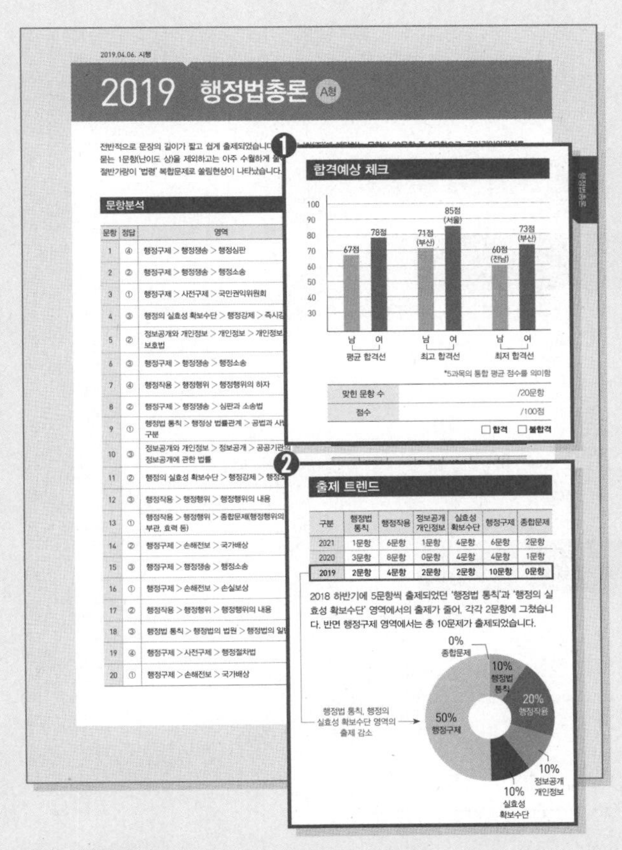


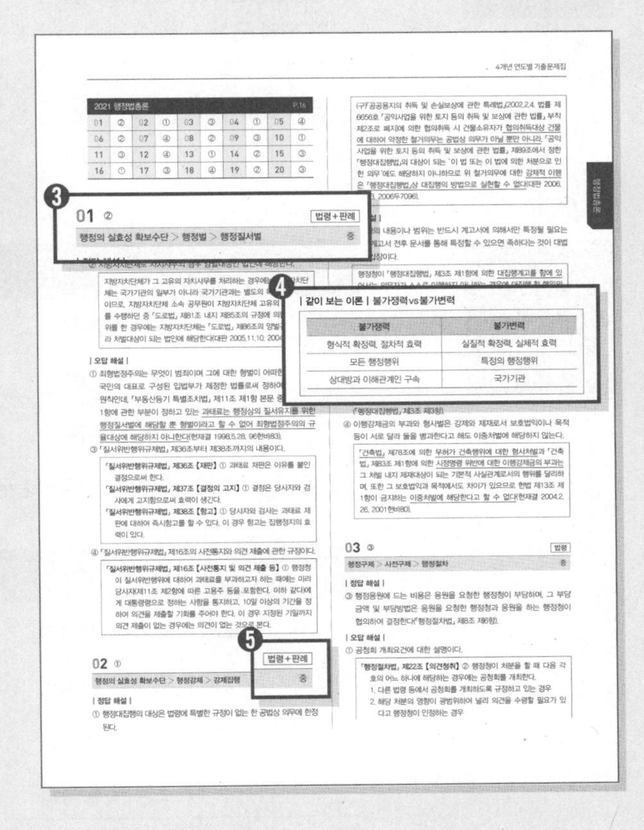


### ❶ 합격예상 체크

실제 시험의 합격선을 확인하고 과목별 합격점수를 통해 합격을 예측해볼 수 있습니다.

### ❷ 출제 트렌드 분석

최근 3개년(2021~2019) 기출 분석을 기준으로 변화하는 출제경향을 파악할 수 있습니다.

### ❸ 개념 카테고리

풀이 과정에서 모르는 개념이나 헷갈리는 개념은 개념 카테고리를 통해 빠른 연계학습이 가능합니다.

### ❹ 같이 보는 이론

개념 확인이 필요한 문항은 같이 보는 이론으로 정리하였습니다. 비교가 필요한 부분은 표로, 이해가 필요한 부분은 보충자료를 수록하여 개념을 정확하게 짚어갈 수 있습니다.

### ❺ 출제유형

전 문항에 출제유형을 수록하여 소방행정법의 출제특징을 살피고 매년 변화하는 출제유형을 확인할 수 있습니다.

# 이 책의 차례

Intro



기출 문제편

☑☐☐
다음 순서로 풀이하고,
회독 횟수를 스스로 체크해 보세요.

## 정답과 해설편

### 행정법총론



### 소방위 행정법

## 기출OX 문제풀이APP

### 1 에듀윌 합격앱 접속하기

QR코드 스캔하기

또는



에듀윌 합격앱 다운받기

### 2 기출OX 퀴즈 무료로 이용하기

하단 딱풀 메뉴에서 기출OX 선택 ▶ 과목과 PART 선택 ▶ 퀴즈 풀기

- 틀린 문제는 기출오답노트(기출 OX)에서 다시 확인할 수 있습니다.

### 3 교재 구매 인증하기

- 무료이용 후 7일이 지나면 교재 구매 인증을 해야 합니다(최초 1회 인증 필요).
- 교재 구매 인증화면에서 정답을 입력하면 기간 제한 없이 기출OX 퀴즈를 무료로 이용할 수 있습니다(정답은 교재에서 찾을 수 있음).

※에듀윌 합격앱 어플에서 회원 가입 후 이용하실 수 있는 서비스입니다.
※스마트폰에서만 이용 가능하며, 일부 단말기에서는 서비스가 지원되지 않을 수 있습니다.
※해당 서비스는 추후 다른 서비스로 변경될 수 있습니다.

## 전 과목 3회차 무료 해설강의 제공

수강방법

에듀윌 도서몰(book.eduwill.net) ▶ 동영상 강의실 ▶ 공무원 ▶ 에듀윌 소방공무원 기출해설 특강 ※에듀윌 회원 가입 후 이용 가능

영어

한국사

소방학개론+소방관계법규

행정법총론

FIRE FIGHTER

# 행정법총론

# 2021 | 행정법총론 A형

## 01

**행정벌에 대한 설명으로 옳지 않은 것은? (다툼이 있는 경우 판례에 의함)**

① 과태료는 행정상의 질서유지를 위한 행정질서벌에 해당할 뿐 형벌이라 할 수 없어 죄형법정주의의 규율대상에 해당하지 않는다.

② 행정형벌은 행정법상 의무위반에 대한 제재로 과하는 처벌로 법인이 법인으로서 행정법상 의무자인 경우 그 의무위반에 대하여 형벌의 성질이 허용하는 한도 내에서 그 법인을 처벌하는 것은 당연하며, 행정범에 관한 한 법인의 범죄능력을 인정함이 일반적이나, 지방자치단체와 같은 공법인의 경우는 범죄능력 및 형벌능력 모두 부정된다.

③ 과태료 재판은 이유를 붙인 결정으로써 하며, 결정은 당사자와 검사에게 고지함으로써 효력이 발생하고, 당사자와 검사는 과태료 재판에 대하여 즉시항고할 수 있으며 이 경우 항고는 집행정지의 효력이 있다.

④ 행정청이 질서위반행위에 대하여 과태료를 부과하고자 하는 때에는 미리 당사자에게 과태료 부과의 원인이 되는 사실, 과태료 금액 및 적용법령 등을 통지하고 10일 이상의 기간을 정하여 의견을 제출할 기회를 주어야 한다.

## 02

**행정상 강제집행에 대한 설명으로 옳지 않은 것은? (다툼이 있는 경우 판례에 의함)**

① 대집행은 비금전적인 대체적 작위의무를 의무자가 이행하지 않는 경우 행정청이 스스로 의무자가 행하여야 할 행위를 하거나 제3자로 하여금 행하게 하는 것으로, 그 대집행의 대상은 공법상 의무에만 한정하지 않는다.

② 행정청이 대집행에 대한 계고를 함에 있어서 의무자가 스스로 이행하지 아니하는 경우 대집행할 행위의 내용과 범위가 구체적으로 특정되어야 하지만, 그 내용 및 범위는 대집행계고서에 의해서만 특정되어야 하는 것은 아니고 그 처분 전후에 송달된 문서나 기타 사정을 종합하여 이를 특정할 수 있으면 족하다.

③ 비상 시 또는 위험이 절박한 경우에 있어 당해 행위의 급속한 실시를 요하여 대집행영장에 의한 통지절차를 취할 여유가 없을 때에는 이 절차를 거치지 아니하고 대집행할 수 있다.

④ 개발제한구역 내의 건축물에 대하여 허가를 받지 않고 한 용도변경행위에 대한 형사처벌과 「건축법」 제83조 제1항에 의한 시정명령 위반에 대한 이행강제금 부과는 이중처벌에 해당하지 아니한다.

## 03

**「행정절차법」에 대한 설명으로 옳지 않은 것은?**

① 공청회는 다른 법령 등에서 공청회를 개최하도록 규정하고 있는 경우 또는 당해 처분의 영향이 광범위하여 널리 의견을 수렴할 필요가 있다고 행정청이 인정하는 경우에 개최된다.
② 행정응원을 위하여 파견된 직원은 당해 직원의 복무에 관하여 다른 법령 등에 특별한 규정이 없는 한, 응원을 요청한 행정청의 지휘·감독을 받는다.
③ 행정응원에 소요되는 비용은 응원을 요청한 행정청이 부담하며, 그 부담금액 및 부담방법은 응원을 행하는 행정청의 결정에 의한다.
④ 송달이 불가능하여 관보, 공보 등에 공고한 경우에는 다른 법령 등에 특별한 규정이 있는 경우를 제외하고 공고일부터 14일이 경과한 때에 그 효력이 발생한다. 다만, 긴급히 시행하여야 할 특별한 사유가 있어 효력 발생 시기를 달리 정해 공고한 경우에는 그에 따른다.

## 04

**행정행위에 대한 설명으로 옳지 않은 것은? (다툼이 있는 경우 판례에 의함)**

① 개발제한구역 내의 건축물의 용도변경에 대한 예외적 허가는 그 상대방에게 제한적이므로 기속행위에 속하는 것이다.
② 농지처분의무통지는 단순한 관념의 통지에 불과하다고 볼 수 없고, 상대방인 농지소유자의 의무에 직접 관계되는 독립한 행정처분으로서 항고소송의 대상이 된다.
③ 행정청이 (구)「식품위생법」 규정에 의하여 영업자지위승계신고를 수리하는 처분은 종전의 영업자의 권익을 제한하는 처분에 해당하므로, 행정청은 이를 처리함에 있어 종전의 영업자에 대하여 처분의 사전통지, 의견청취 등 「행정절차법」상의 처분절차를 거쳐야 한다.
④ 부담은 행정청이 행정행위를 하면서 일방적으로 부가할 수도 있지만 부담을 부가하기 이전에 상대방과 협의하여 부담의 내용을 협약의 형식으로 미리 정한 다음 행정행위를 하면서 부가할 수도 있다.

## 05

**행정행위의 존속력에 관한 설명으로 옳지 않은 것은? (다툼이 있는 경우 판례에 의함)**

① 불가변력은 처분청에 미치는 효력이고, 불가쟁력은 상대방 및 이해관계인에게 미치는 효력이다.
② 불가쟁력이 생긴 경우에도 국가배상청구를 할 수 있다.
③ 불가변력이 있는 행위가 당연히 불가쟁력을 발생시키는 것은 아니다.
④ 불가쟁력은 실체법적 효력만 있고, 절차법적 효력은 전혀 가지고 있지 않다.

## 06

**「행정심판법」상 위원회에 대한 설명으로 옳지 않은 것은?**

① 중앙행정심판위원회의 비상임위원은 일정한 요건을 갖춘 사람 중에서 중앙행정심판위원회 위원장의 제청으로 국무총리가 성별을 고려하여 위촉한다.
② 중앙행정심판위원회의 회의는 위원장, 상임위원 및 위원장이 회의마다 지정하는 비상임위원을 포함하여 총 15명으로 구성한다.
③ 「행정심판법」 제10조에 의하면, 위원장은 제척신청이나 기피신청을 받으면 제척 또는 기피 여부에 대한 결정을 한다.
④ 중앙행정심판위원회는 위원장 1명을 포함하여 70명 이내의 위원으로 구성한다.

## 07

**다음 설명 중 옳지 않은 것은? (다툼이 있는 경우 판례에 의함)**

① 건설부장관(현 국토교통부장관)이 행한 국립공원지정처분에 따른 경계측량 및 표지의 설치 등은 처분이 아니다.

② 행정지도가 구술로 이루어지는 경우 상대방이 행정지도의 취지·내용 및 신분을 기재한 서면의 교부를 요구하면 당해 행정지도를 행하는 자는 직무수행에 특별한 지장이 없는 한 이를 교부하여야 한다.

③ 조례가 집행행위의 개입 없이도 그 자체로서 직접 국민의 구체적인 권리·의무나 법적 이익에 영향을 미치는 등의 법률상 효과를 발생하는 경우 그 조례는 항고소송의 대상이 되는 행정처분에 해당한다.

④ 행정계획은 현재의 사회·경제적 모든 상황의 조사를 바탕으로 장래를 예측하여 수립되고 장기간에 걸쳐있으므로, 행정계획의 변경은 인정되지 않는다.

## 08

**다음 설명 중 옳지 않은 것은? (다툼이 있는 경우 판례에 의함)**

① 원고가 단지 1회 훈령에 위반하여 요정출입을 하다가 적발된 정도라면, 면직처분보다 가벼운 징계처분으로서도 능히 위 훈령의 목적을 달성할 수 있다고 볼 수 있는 점에서 이 사건 파면처분은 이른바 비례의 원칙에 어긋난 것으로 위법하다고 판시하였다.

② 수입 녹용 중 일정성분이 기준치를 0.5% 초과하였다는 이유로 수입 녹용 전부에 대하여 전량 폐기 또는 반송처리를 지시한 처분은 재량권을 일탈·남용한 경우에 해당한다고 판시하였다.

③ 청소년유해매체물로 결정·고시된 만화인 사실을 모르고 있던 도서대여업자가 그 고시일로부터 8일 후에 청소년에게 그 만화를 대여한 것을 사유로 그 도서대여업자에게 금 700만 원의 과징금이 부과된 경우, 그 과징금부과처분은 재량권을 일탈·남용한 것으로서 위법하다고 판시하였다.

④ 사법시험 제2차 시험에 과락제도를 적용하고 있는 (구) 사법시험령 제15조 제2항은 비례의 원칙, 과잉금지의 원칙, 평등의 원칙에 위반되지 않는다고 판시하였다.

## 09

**「개인정보 보호법」상 개인정보 단체소송에 대한 설명으로 옳지 않은 것은?**

① 단체소송의 원고는 변호사를 소송대리인으로 선임하여야 한다.

② 단체소송에 관하여 「개인정보 보호법」에 특별한 규정이 없는 경우에는 「민사소송법」을 적용한다.

③ 법원은 개인정보처리자가 분쟁조정위원회의 조정을 거부하지 않을 경우에만, 결정으로 단체소송을 허가한다.

④ 단체소송의 절차에 관하여 필요한 사항은 대법원규칙으로 정한다.

## 10

**「행정소송법」에 대한 설명으로 옳은 것은? (다툼이 있는 경우 판례에 의함)**

① 민중소송 및 기관소송은 법률이 정한 자에 한하여 제기할 수 있다.

② 판례는 「행정소송법」상 행정청의 부작위에 대하여 부작위위법확인소송과 작위의무이행소송을 인정하고 있다.

③ 「행정소송법」상 항고소송은 취소소송·무효등 확인소송·부작위위법확인소송·당사자소송으로 구분한다.

④ 국가 또는 공공단체의 기관이 법률에 위반되는 행위를 한 때에 직접 자기의 법률상 이익과 관계없이 그 시정을 구하기 위하여 제기하는 소송을 기관소송이라 한다.

## 11

**「국가배상법」에 대한 설명으로 옳지 않은 것은? (다툼이 있는 경우 판례에 의함)**

① 판례는 「자동차손해배상 보장법」은 배상책임의 성립요건에 관하여는 「국가배상법」에 우선하여 적용된다고 판시하였다.
② 헌법재판소는 「국가배상법」 제2조 제1항 단서 이중배상금지규정에 대하여 헌법에 위반되지 아니한다고 판시하였다.
③ 생명·신체의 침해로 인한 국가배상을 받을 권리는 양도는 가능하지만, 압류는 하지 못한다.
④ 판례는 「국가배상법」 제5조의 영조물의 설치·관리상의 하자로 인한 손해가 발생한 경우, 피해자의 위자료 청구권이 배제되지 아니한다고 판시하였다.

## 12

**행정상의 법률관계와 소송형태 등에 관한 설명으로 옳지 않은 것은? (다툼이 있는 경우 판례에 의함)**

① 「도시 및 주거환경정비법」상의 주택재건축정비사업조합을 상대로 관리처분계획안에 대한 조합 총회결의의 무효확인을 구하는 소는 공법관계이므로 당사자소송을 제기하여야 한다.
② 「국가를 당사자로 하는 계약에 관한 법률」에 따라 국가가 당사자로 되는 입찰방식에 의한 사인과 체결하는 이른바 공공계약은 국가가 사경제의 주체로서 상대방과 대등한 위치에서 체결하는 사법상의 계약이다.
③ 「국유재산법」에 따른 국유재산의 무단점유자에 대한 변상금 부과·징수권은 민사상 부당이득반환청구권과 법적 성질을 달리하므로, 국가는 무단점유자를 상대로 변상금 부과·징수권의 행사와 별개로 국유재산의 소유자로서 민사상 부당이득반환청구의 소를 제기할 수 있다.
④ 2020년 4월 1일부터 시행되는 전부개정 「소방공무원법」 이전의 경우, 지방소방공무원의 보수에 관한 법률관계는 사법상의 법률관계이므로 지방소방공무원이 소속 지방자치단체를 상대로 초과근무수당의 지급을 구하는 소송은 행정소송상 당사자소송이 아닌 민사소송 절차에 따라야 했다.

## 13

**행정행위의 성립과 효력에 관한 설명으로 옳은 것은? (다툼이 있는 경우 판례에 의함)**

① 일반적으로 행정행위가 주체·내용·절차와 형식의 요건을 모두 갖추고 외부에 표시된 경우에 행정행위의 존재가 인정된다.
② 행정청의 의사가 외부에 표시되어 행정청이 자유롭게 취소·철회할 수 없는 구속을 받게 되는 시점에 행정행위가 성립하는 것은 아니며, 행정행위의 성립 여부는 행정청의 의사를 공식적인 방법으로 외부에 표시하였는지 여부를 기준으로 판단해야 한다.
③ 「행정절차법」은 행정행위 상대방에 대한 송달받을 자의 주소 등을 통상적인 방법으로 확인할 수 없는 경우에 한하여, 공고의 방법에 의한 송달이 가능하도록 규정하고 있다.
④ 상대방 있는 행정처분이 상대방에게 고지되지 아니한 경우에도 상대방이 다른 경로를 통해 행정처분의 내용을 알게 된다면 그 행정처분의 효력이 발생한다.

## 14

**행정대집행에 관한 설명으로 옳지 않은 것은? (다툼이 있는 경우 판례에 의함)**

① 대집행의 근거법으로는 대집행에 관한 일반법인 「행정대집행법」과 대집행에 관한 개별법 규정이 있다.
② 대집행의 요건을 충족한 경우에 행정청이 대집행을 할 것인지 여부에 관해서 소수설은 재량행위로 보나, 다수설과 판례는 기속행위로 본다.
③ 대집행의 절차인 '대집행의 계고'의 법적 성질은 준법률행위적 행정행위이므로 계고 그 자체가 독립하여 항고소송의 대상이나, 2차 계고는 새로운 철거의무를 부과하는 것이 아니고 대집행기한의 연기 통지에 불과하므로 행정처분으로 볼 수 없다는 판례가 있다.
④ 계고처분의 후속절차인 대집행에 위법이 있다고 하여 그와 같은 후속절차에 위법성이 있다는 점을 들어 선행절차인 계고처분이 부적법하다는 사유로 삼을 수는 없다.

## 15

**행정지도에 관한 설명으로 옳지 않은 것은? (다툼이 있는 경우 판례에 의함)**

① 행정지도란 행정기관이 그 소관 사무의 범위에서 일정한 행정목적을 실현하기 위하여 특정인에게 일정한 행위를 하거나 하지 아니하도록 지도, 권고, 조언 등을 하는 행정작용을 말한다.

② 행정지도 중 규제적·구속적 행정지도의 경우에는 법적 근거가 필요하다는 견해가 있다.

③ 교육인적자원부장관(현 교육부장관)의 (구)공립대학 총장들에 대한 학칙시정요구는 고등교육법령에 따른 것으로, 그 법적 성격은 대학총장의 임의적인 협력을 통하여 사실상의 효과를 발생시키는 행정지도의 일종으로 헌법소원의 대상이 되는 공권력의 행사로 볼 수 없다.

④ 행정지도가 강제성을 띠지 않은 비권력적 작용으로서 행정지도의 한계를 일탈하지 아니하였다면, 그로 인해 상대방에게 어떤 손해가 발생하였다고 해도 행정기관은 그에 대한 손해배상책임이 없다.

## 16

**행정조사에 관한 설명으로 옳은 것(○)과 옳지 않은 것(×)을 바르게 표기한 것은? (다툼이 있는 경우 판례에 의함)**

ㄱ. 행정조사는 그 실효성 확보를 위해 수시조사를 원칙으로 한다.
ㄴ. 「행정절차법」은 행정조사절차에 관한 명문의 규정을 일부 두고 있다.
ㄷ. (구)「국세기본법」에 따른 금지되는 재조사에 기초한 과세처분은 특별한 사정이 없는 한 위법하다.
ㄹ. 우편물 통관검사절차에서 이루어지는 우편물의 개봉, 시료채취, 성분분석 등의 검사는 행정조사의 성격을 가지는 것으로 압수·수색영장 없이 진행되었다고 해도 특별한 사정이 없는 한 위법하다고 볼 수 없다.

| | ㄱ | ㄴ | ㄷ | ㄹ |
|---|---|---|---|---|
| ① | × | × | ○ | ○ |
| ② | × | ○ | × | ○ |
| ③ | ○ | × | ○ | × |
| ④ | × | ○ | ○ | ○ |

## 17

**행정행위에 관한 설명으로 옳지 않은 것은? (다툼이 있는 경우 판례에 의함)**

① 행정행위의 부관 중 행정행위에 부수하여 그 상대방에게 일정한 의무를 부과하는 행정청의 의사표시인 부담은 그 자체만으로 행정소송의 대상이 될 수 있다.

② 현역입영대상자는 현역병입영통지처분에 따라 현실적으로 입영을 하였다 할지라도, 입영 이후의 법률관계에 영향을 미치고 있는 현역병입영통지처분을 한 관할 지방병무청장을 상대로 위법을 주장하여 그 취소를 구할 수 있다.

③ 재량행위가 법령이나 평등원칙을 위반한 경우뿐만 아니라 합목적성의 판단을 그르친 경우에도 위법한 처분으로서 행정소송의 대상이 된다.

④ 허가의 신청 후 법령의 개정으로 허가기준이 변경된 경우에는 신청할 당시의 법령이 아닌 행정행위 발령 당시의 법령을 기준으로 허가 여부를 판단하는 것이 원칙이다.

## 18

**행정행위의 하자에 관한 설명으로 옳지 않은 것은? (다툼이 있는 경우 판례에 의함)**

① 행정처분의 대상이 되는 법률관계나 사실관계가 있는 것으로 오인할 만한 객관적인 사정이 있고 사실관계를 정확히 조사하여야만 그 대상이 되는지 여부가 밝혀질 수 있는 경우에는 비록 그 하자가 중대하더라도 명백하지 않아 무효로 볼 수 없다.

② 조례 제정권의 범위를 벗어나 국가사무를 대상으로 한 무효인 조례의 규정에 근거하여 지방자치단체의 장이 행정처분을 한 경우 그 행정처분은 하자가 중대하나, 명백하지는 아니하므로 당연무효에 해당하지 아니한다.

③ 보충역편입처분에 하자가 있다고 할지라도 그것이 중대하고 명백하지 않는 한, 그 하자를 이유로 공익근무요원소집처분의 효력을 다툴 수 없다.

④ 부동산에 관한 취득세를 신고하였으나 부동산매매계약이 해제됨에 따라 소유권 취득의 요건을 갖추지 못한 경우에는 그 하자가 중대하지만 외관상 명백하지 않아 무효는 아니며 취소할 수 있는 데 그친다.

## 19

**국가배상책임에 관한 설명으로 옳지 않은 것은? (다툼이 있는 경우 판례에 의함)**

① 「국가배상법」에서는 공무원 개인의 피해자에 대한 배상책임을 인정하는 명시적인 규정을 두고 있지 않다.

② 공무원증 발급업무를 담당하는 공무원이 대출을 받을 목적으로 다른 공무원의 공무원증을 위조하는 행위는 「국가배상법」 제2조 제1항의 직무집행관련성이 인정되지 않는다.

③ 군교도소 수용자들이 탈주하여 일반 국민에게 손해를 입혔다면 국가는 그로 인하여 피해자들이 입은 손해를 배상할 책임이 있다.

④ 「국가배상법」 제2조 제1항 단서에 의해 군인 등의 국가배상청구권이 제한되는 경우, 공동불법행위자인 민간인은 피해를 입은 군인 등에게 그 손해 전부에 대하여 배상하여야 하는 것은 아니며 자신의 부담 부분에 한하여 손해배상의무를 부담한다.

## 20

**다음 설명 중 옳지 않은 것은? (다툼이 있는 경우 판례에 의함)**

① 지방자치단체가 옹벽시설공사를 업체에게 주어 공사를 시행하다가 사고가 일어난 경우, 옹벽이 공사 중이고 아직 완성되지 아니하여 일반 공중의 이용에 제공되지 않았다면 「국가배상법」 제5조 소정의 영조물에 해당한다고 할 수 없다.

② 김포공항을 설치·관리함에 있어 항공법령에 따른 항공기 소음기준 및 소음대책을 준수하려는 노력을 하였더라도, 공항이 항공기 운항이라는 공공의 목적에 이용됨에 있어 그와 관련하여 배출하는 소음 등의 침해가 인근 주민들에게 통상의 수인한도를 넘는 피해를 발생하게 하였다면 공항의 설치·관리상에 하자가 있다고 보아야 한다.

③ 가변차로에 설치된 두 개의 신호기에서 서로 모순되는 신호가 들어오는 고장으로 인하여 사고가 발생한 경우, 그 고장이 현재의 기술 수준상 부득이한 것으로 예방할 방법이 없는 것이라면 손해발생의 예견가능성이나 회피 가능성이 없어 영조물의 하자를 인정할 수 없다.

④ 영조물 설치자의 재정사정이나 영조물의 사용목적에 의한 사정은, 안전성을 요구하는 데 대한 참작사유는 될지언정 안전성을 결정지을 절대적 요건은 아니다.

정답과 해설편 ▶ P.4

1초 합격예측! 모바일 성적분석표

☑ QR코드 스캔 후 모바일 OMR에 답안 입력
☑ 자동측정된 문제풀이 시간 확인
☑ 자동채점결과 및 성적분석표 확인

# 2020 행정법총론 A형

## 01

**기속행위와 재량행위에 대한 설명으로 옳은 것은? (다툼이 있는 경우 판례에 의함)**

① 법원은 최근 기존의 입장을 변경하여 재량행위 외에 기속행위나 기속적 재량행위에도 부관을 붙일 수 있는 것으로 보고 있고, 이러한 부관이 있는 경우 특별한 사정이 없는 한 당사자는 부관의 내용을 이행하여야 할 의무를 진다.
② 건축허가를 하면서 일정 토지를 기부채납하도록 하는 내용의 허가조건을 붙였다면 원칙상 취소사유로 보아야 한다.
③ 「건축법」상 건축허가신청의 경우 심사 결과 그 신청이 법정요건에 합치하는 경우라 할지라도 소음공해, 먼지 발생, 주변인 집단 민원 등의 사유가 있는 경우 이를 불허가 사유로 삼을 수 있고, 그러한 불허가처분이 비례원칙 등을 준수하였다면 처분 자체의 위법성은 인정될 수 없다.
④ 법이 과징금 부과처분에 대한 임의적 감경규정을 두었다면 감경 여부는 행정청의 재량에 속한다고 할 것이나, 행정청이 감경사유가 있음에도 이를 전혀 고려하지 않았거나 감경사유에 해당하지 않는다고 오인한 나머지 과징금을 감경하지 않았다면 그 과징금 부과처분은 재량을 일탈하거나 남용한 위법한 처분으로 보아야 한다.

## 02

**「행정절차법」상 행정절차에 대한 설명으로 옳은 것은?**

① 행정청은 처분을 할 때 필요하다고 인정하는 경우에 청문을 할 수 있다.
② 행정청은 해당 처분의 영향이 광범위하여 널리 의견을 수렴할 필요가 있다고 인정하는 경우에 청문을 실시할 수 있다.
③ 행정청이 당사자에게 의무를 부과하거나 권익을 제한하는 처분을 함에 있어 청문이나 공청회를 거치지 않은 경우에는 당사자에게 의견제출의 기회를 주어야 한다.
④ 행정청이 처분을 할 때에는 긴급히 처분을 할 경우를 제외하고는 모든 경우에 있어 당사자에게 그 근거와 이유를 제시하여야 한다.

## 03

**사정판결에 대한 설명으로 옳은 것은? (다툼이 있는 경우 판례에 의함)**

① 행정청의 재량에 속하는 처분이라도 재량권의 한계를 넘거나 그 남용이 있는 때에는 법원은 이를 취소할 수 있고, 재량권 일탈·남용에 관하여는 피고인 행정청이 증명책임을 부담한다.
② 법원은 사정판결을 하기 전에 원고가 그로 인하여 입게 될 손해의 정도와 배상방법, 그 밖의 사정을 조사하여야 한다.
③ 사정판결을 하는 경우 법원은 처분의 위법함을 판결의 주문에 표기할 수 없으므로 판결의 내용에서 그 처분 등이 위법함을 명시함으로써 원고에 대한 실질적 구제가 이루어지도록 하여야 한다.
④ 원고는 취소소송이 계속된 법원에 당해 행정청에 대한 손해배상 청구 등을 병합하여 제기할 수 없으므로, 손해배상 청구를 담당하는 민사법원의 판결이 먼저 내려진 경우라 할지라도 이 판결의 내용은 취소소송에 영향을 미치지 아니한다.

## 04

**취소소송에 대한 설명으로 옳은 것은?**

① 취소소송은 처분 등을 대상으로 하나, 재결취소소송은 처분 및 재결 자체에 고유한 위법이 있음을 이유로 하는 경우에 한한다.
② 「행정소송법」 제23조 제2항 소정의 행정처분 등의 효력이나 집행을 정지하기 위한 요건으로서의 '회복하기 어려운 손해'라 함은 특별한 사정이 없는 한 금전적 보상을 과도하게 요하는 경우, 금전보상이 불가능한 경우, 그 밖에 금전보상으로는 사회관념상 행정처분을 받은 당사자가 참고 견딜 수 없거나 또는 참고 견디기가 현저히 곤란한 경우의 유형, 무형의 손해를 일컫는다.
③ 취소소송은 처분 등이 있음을 안 날부터 90일 이내에, 처분 등이 있은 날부터 1년 이내에 제기할 수 있고, 다만 처분 등이 있은 날부터 1년이 경과하여도 정당한 사유가 있다면 취소소송을 제기할 수 있다.
④ 집행정지의 결정을 신청함에 있어서는 그 이유에 대한 소명을 반드시 필요로 하는 것은 아니므로 정당한 사유 등 특별한 사정이 있다면 재판부는 그 소명 없이 직권으로 집행정지에 대한 결정을 하여야 한다.

## 05

**행정행위의 하자에 대한 설명으로 옳은 것은? (다툼이 있는 경우 판례에 의함)**

① 하자 있는 행정행위의 치유는 원칙적으로 허용되나, 국민의 권리나 이익을 침해하지 않는 범위 내에서 인정된다.
② 행정소송에서 행정처분의 위법 여부는 행정처분이 있을 때의 법령과 사실상태를 기준으로 하여 판단하여야 하고 처분 후 법령의 개폐나 사실상태의 변동이 있다면 그러한 법령의 개폐나 사실상태의 변동에 의하여 처분의 위법성이 치유될 수 있다.
③ 법률관계나 사실관계에 대하여 그 법률의 규정을 적용할 수 없다는 법리가 명백히 밝혀지지 아니하여 그 해석에 다툼의 여지가 있는 경우에, 행정관청이 이를 잘못 해석하여 행정처분을 하였다면 그 처분의 하자는 객관적으로 명백하다고 볼 것이나, 중대한 것은 아니므로 이를 이유로 무효를 주장할 수는 없다.
④ 「도시 및 주거환경정비법」상 주택재건축사업의 추진위원회가 조합을 설립하고자 하는 때에는 토지소유자 등이 일정 수 이상 동의하여야 하는데, 조합설립인가처분이 이러한 요건을 충족하지 못한 상태에서 이루어졌다면 그러한 처분은 위법하고, 토지소유자 등의 추가동의서가 추후에 제출되어 법정요건을 갖추었다 할지라도 설립인가처분의 위법성이 치유되는 것은 아니다.

## 06

**행정조사에 대한 설명으로 옳지 않은 것은?**

① 행정조사는 법령 등의 준수를 유도하기보다는 법령 등의 위반에 대한 처벌에 중점을 두어야 한다.
② 행정조사는 조사대상자의 자발적 협조를 얻어서 실시하는 경우에는 개별 법령의 근거규정이 없어도 할 수 있다.
③ 행정기관의 장은 법령 등에서 규정하고 있는 조사사항을 조사대상자로 하여금 스스로 신고하도록 하는 자율신고제도를 운영할 수 있다.
④ 조사원이 조사목적을 달성하기 위하여 시료채취를 하는 경우에는 그 시료의 소유자 및 관리자의 정상적인 경제활동을 방해하지 아니하는 범위 안에서 최소한도로 하여야 한다.

## 07

**공법상 계약에 대한 설명으로 옳은 것은? (다툼이 있는 경우 판례에 의함)**

① 중소기업기술정보진흥원장과 '갑' 주식회사가 체결한 중소기업 정보화지원사업을 위한 협약의 해지 및 그에 따른 환수통보는 공법상 당사자소송에 의한다.
② 계약의 해지의사표시를 하기 위해서는 「행정절차법」에 따라 근거와 이유를 제시하여야 한다.
③ 계약에 의한 의무불이행에 대해서는 원칙적으로 「행정대집행법」이 적용된다.
④ 계약에 관하여는 「행정절차법」에 명문의 규정을 두고 있다.

## 08

**행정입법에 대한 설명으로 옳은 내용만을 모두 고른 것은? (다툼이 있는 경우 판례에 의함)**

ㄱ. 위임명령이 위임 내용을 구체화하는 단계를 벗어나 새로운 입법을 한 것으로 평가할 수 있다면, 위임의 한계를 벗어난 것으로서 허용되지 않는다.
ㄴ. 법률이 공법적 단체 등의 정관에 자치법적인 사항을 위임한 경우, 포괄적 위임입법 금지가 원칙적으로 적용된다.
ㄷ. 상급행정기관이 하급행정기관에 대하여 업무처리지침이나 법령의 해석적용에 관한 기준을 정하여 발하는 이른바 행정규칙은 일반적으로 대외적 구속력을 갖는다.

① ㄱ　② ㄱ, ㄴ
③ ㄱ, ㄷ　④ ㄴ, ㄷ

## 09

**행정의 실효성 확보수단에 대한 설명으로 옳은 것은? (다툼이 있는 경우 판례에 의함)**

① 「건축법」상 이행강제금은 형벌에 해당하므로 이중처벌금지의 원칙이 적용된다.
② 양벌규정에 의한 영업주의 처벌은 금지위반행위자인 종업원의 처벌에 종속되는 것이다.
③ 「도로교통법」상 경찰서장의 통고처분은 항고소송의 대상이 되는 처분이다.
④ 건물철거의무에 퇴거의무도 포함되어 있어 건물철거대집행 과정에서 부수적으로 건물의 점유자들에 대한 퇴거조치를 할 수 있다.

## 10

**행정법의 일반원칙에 대한 설명으로 옳지 않은 것은? (다툼이 있는 경우 판례에 의함)**

① 신뢰보호원칙에 위반하는 경우 그 행정행위는 위법하며, 판례는 이 경우 취소사유로 보지 않고 무효로만 보았다.
② 행정주체가 행정작용을 함에 있어서 상대방에게 이와 실질적 관련이 없는 의무를 부과하거나 그 이행을 강제하여서는 아니 된다.
③ 「행정절차법」상 규정이 없는 경우에도 행정권 행사가 적정한 절차에 따라 행해지지 아니하면 그 행정권 행사는 적법절차의 원칙에 반한다.
④ 자기구속의 원칙이 인정되는 경우 행정관행과 다른 처분은 특별한 사정이 없는 한 위법하다.

## 11

**다음 설명 중 옳은 내용만을 모두 고른 것은? (다툼이 있는 경우 판례에 의함)**

ㄱ. 국가기관인 소방청장은 국민권익위원회를 상대로 조치요구의 취소를 구할 당사자능력이 없기 때문에 항고소송의 원고적격이 인정되지 않는다.
ㄴ. 기속행위나 기속적 재량행위인 건축허가에 붙인 부관은 무효이다.
ㄷ. 행정심판을 거친 경우에 취소소송의 제소기간은 재결서의 정본을 송달받은 날부터 90일 이내이다.
ㄹ. 과태료는 행정벌의 일종으로 형벌과 마찬가지로 형법총칙이 적용된다.

① ㄱ, ㄴ　② ㄱ, ㄹ
③ ㄴ, ㄷ　④ ㄷ, ㄹ

## 12

**공법상 시효에 대한 설명으로 옳지 않은 것은?**

① 「관세법」상 납세자의 과오납금 또는 그 밖의 관세의 환급청구권은 그 권리를 행사할 수 있는 날부터 5년간 행사하지 아니하면 소멸시효가 완성된다.
② 판례는 공법상 부당이득반환청구권은 사권(私權)에 해당되며, 그에 관한 소송은 민사소송절차에 따라야 한다고 보고 있다.
③ 소멸시효에 대해 「국가재정법」은 국가의 국민에 대한 금전채권은 물론이고 국민의 국가에 대한 금전채권에도 적용된다.
④ 공법의 특수성으로 인해 소멸시효의 중단·정지에 관한 「민법」 규정은 적용되지 않는다.

## 13

**행정지도에 대한 내용으로 옳지 않은 것은?**

① 행정기관은 상대방이 행정지도에 따르지 아니하였다는 이유로 불이익 조치를 하여서는 아니 된다.
② 행정절차에 소요되는 비용은 원칙적으로 행정청이 부담하도록 규정되어 있다.
③ 행정지도의 상대방은 당해 행정지도의 방식·내용 등에 관하여 행정기관에 의견을 제출할 수 없다.
④ 행정지도는 그 목적달성에 필요한 최소한도에 그쳐야 한다.

## 14

**다음 설명 중 옳지 않은 것은? (다툼이 있는 경우 판례에 의함)**

① 「질서위반행위규제법」상의 질서위반행위는 고의 또는 과실이 있는 경우에 과태료를 부과할 수 있다.
② 질서위반행위의 성립은 행위 시의 법률을 따르고 과태료 처분은 판결 시의 법률에 따른다.
③ 행정청은 질서위반행위가 발생하였다는 합리적 의심이 있어 그에 대한 조사가 필요하다고 인정하는 경우에 법정조사권을 행사할 수 있다.
④ 행정질서벌인 과태료는 형벌이 아니므로 행정질서벌에는 형법총칙이 적용되지 않는다.

## 15

**다음 중 특허에 해당하지 않는 것은? (다툼이 있는 경우 판례에 의함)**

① 귀화허가
② 공무원임명
③ 개인택시운송사업면허
④ 사립학교 법인이사의 선임행위

## 16

**다음 설명 중 옳지 않은 것은? (다툼이 있는 경우 판례에 의함)**

① 일정한 행정목적을 실현하기 위하여 상대방인 국민에게 임의적인 협력을 요청하는 비권력적 사실행위를 행정지도라 한다.
② 행정지도를 하는 자는 그 상대방에게 그 행정지도의 취지 및 내용을 밝혀야 하지만 신분은 생략할 수 있다.
③ 상대방의 의사에 반하여 부당하게 강요하는 행정지도는 위법하다.
④ 행정지도에는 법률의 근거가 필요하지 않다는 것이 판례의 태도이다.

## 17

**행정법의 일반원칙과 관련한 판례의 태도로 옳은 것은?**

① 연구단지 내 녹지구역에 위험물저장시설인 주유소와 LPG충전소 중에서 주유소는 허용하면서 LPG충전소를 금지하는 시행령 규정은 LPG충전소 영업을 하려는 국민을 합리적 이유 없이 자의적으로 차별하여 결과적으로 평등원칙에 위배된다는 것이 헌법재판소의 태도이다.
② 하자 있는 처분이 국민에게 권리나 이익을 부여하는 이른바 수익적 행정행위인 때에는 취소하여야 할 공익상 필요와 취소로 인하여 당사자가 입게 될 기득권과 신뢰보호 및 법률생활안정의 침해 등 불이익을 비교·교량한 후 공익상 필요가 당사자가 입을 불이익을 정당화할 만큼 강하지 않아도 이를 취소할 수 있다는 것이 판례의 태도이다.
③ 숙박시설 건축허가 신청을 반려한 처분에 관해 학생들의 교육환경과 인근 주민들의 주거환경 보호라는 공익이 그 신청인이 잃게 되는 이익의 침해를 정당화 할 수 있을 정도로 크므로, 위 반려처분은 신뢰보호의 원칙에 위배되지 않는다는 것이 판례의 태도이다.
④ 옥외집회의 사전신고의무를 규정한 (구)「집회 및 시위에 관한 법률」 제6조 제1항 중 '옥외집회'에 관한 부분은 과잉금지원칙에 위배하여 집회의 자유를 침해하는 것으로 볼 수 있다는 것이 헌법재판소의 태도이다.

## 18

**행정행위의 부관에 대한 설명으로 옳지 않은 것은? (다툼이 있는 경우 판례에 의함)**

① 사정변경으로 인하여 당초에 부담을 부가한 목적을 달성할 수 없게 된 경우에도 부관의 사후변경은 그 목적달성에 필요한 범위 내에서 예외적으로 허용된다는 것이 판례의 태도이다.
② 행정행위의 부관의 유형 중에서 장래의 불확실한 사실에 의해서 행정행위의 효력을 소멸시키는 것은 해제조건이다.
③ 지방국토관리청장이 일부 공유수면매립지에 대하여 한국가 또는 직할시(현 광역시) 귀속처분은 법률효과의 일부배제에 해당하는 것으로 행정행위의 부관의 유형으로 볼 수 없다는 것이 판례의 태도이다.
④ 부담과 조건의 구별이 명확하지 않은 경우에는 부담으로 보는 것이 행정행위의 상대방에게 유리하다고 본다.

## 19

**행정강제수단에 대한 설명으로 옳지 않은 것은? (다툼이 있는 경우 판례에 의함)**

① 행정기관은 법령 등에서 행정조사를 규정하고 있는 경우에 한하여 행정조사를 실시할 수 있지만 조사대상자의 자발적인 협조를 얻어 실시하는 경우에는 그러하지 아니하다.
② 화재진압작업을 위해서 화재발생현장에 불법주차차량을 제거하는 것은 급박성을 이유로 법적 근거가 없더라도 최후수단으로서 실행이 가능하다.
③ 해가 지기 전에 대집행을 착수한 경우에는 야간에 대집행 실행이 가능하다.
④ 「건축법」상 이행강제금 납부의 최초 독촉은 항고소송의 대상이 되는 행정처분에 해당한다는 것이 판례의 태도이다.

## 20

**국가배상에 대한 판례의 태도로 옳지 않은 것은?**

① 성폭력범죄의 수사를 담당하거나 수사에 관여하는 경찰관이 피해자의 인적사항 등을 공개 또는 누설함으로써 피해자가 손해를 입은 경우, 국가의 배상책임이 인정된다는 것이 판례의 태도이다.

② 음주운전으로 적발된 주취운전자가 도로 밖으로 차량을 이동하겠다며 단속 경찰관으로부터 보관 중이던 차량열쇠를 반환받아 몰래 차량을 운전하여 가던 중 사고를 일으킨 경우, 국가배상책임이 인정되지 않는다는 것이 판례의 태도이다.

③ 지방자치단체장이 설치하여 관할 지방경찰청장에게 관리권한이 위임된 교통신호기의 고장으로 인하여 교통사고가 발생한 경우, 지방자치단체뿐만 아니라 국가도 손해배상책임을 부담한다는 것이 판례의 태도이다.

④ 군수 또는 그 보조 공무원이 농수산부장관으로부터 도지사를 거쳐 군수에게 재위임된 국가사무(기관위임사무)인 개간허가 및 그 취소사무를 처리함에 있어 고의 또는 과실로 타인에게 손해를 가한 경우, 「국가배상법」 제6조에 의하여 지방자치단체인 군이 비용을 부담한다고 볼 수 있는 경우에 한하여 국가와 함께 손해배상책임을 부담한다.

정답과 해설편 ▶ P.13

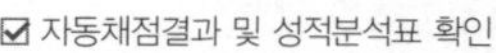


# 2019 | 행정법총론 A형

## 01

「행정심판법」에 관한 설명으로 옳지 않은 것은?

① 중앙행정심판위원회는 위원장 1명을 포함하여 70명 이내의 위원으로 구성한다.
② 행정심판의 대상에는 처분 또는 부작위의 위법성뿐만 아니라 부당성도 포함된다.
③ 부작위에 대한 의무이행심판청구에 있어서는 심판청구기간의 제한이 없다.
④ 취소심판 및 의무이행심판에 대해서는 사정재결을 할 수 없다.

## 02

「행정소송법」에 관한 설명으로 옳지 않은 것은?

① 행정청의 처분 등의 효력 유무 또는 존재 여부를 확인하는 소송은 무효등 확인소송이다.
② 국가 또는 공공단체의 기관이 법률에 위반되는 행위를 한 때에 직접 자기의 법률상 이익과 관계없이 그 시정을 구하기 위하여 제기하는 소송은 기관소송이다.
③ 「행정소송법」은 행정소송사항에 관하여 개괄주의를 채택하였지만, 민중소송은 예외적으로 열기주의를 채택하였다.
④ 당사자소송에 관하여 법령에 제소기간이 정하여져 있는 경우 그 기간은 불변기간으로 한다.

## 03

국민권익위원회에 관한 설명으로 옳지 않은 것은?

① 18세 이상의 국민은 공공기관의 사무처리가 법령 위반 또는 부패행위로 인하여 공익을 현저히 해하는 경우 대통령령으로 정하는 일정한 수 이상의 국민의 연서로 감사원에 감사를 청구할 수 있다.
② 공직자 행동강령의 시행·운영 및 「행정심판법」에 따른 중앙행정심판위원회의 운영에 관한 업무를 수행한다.
③ 누구든지 부패행위를 알게 된 때에는 이를 위원회에 신고할 수 있다.
④ 위원장과 위원의 임기는 각각 3년으로 하되 1차에 한하여 연임할 수 있다.

## 04

행정상 즉시강제에 관한 설명으로 옳지 않은 것은? (다툼이 있는 경우 판례에 의함)

① 「소방기본법」상 소방활동에 방해가 되는 물건 등에 대한 강제처분은 행정상 즉시강제에 해당한다.
② 행정상 즉시강제는 권력적 사실행위이므로, 항고소송의 대상이 되는 처분성이 인정된다.
③ 「식품위생법」상 영업소 폐쇄명령을 받은 자가 영업을 계속할 경우 강제폐쇄하는 조치는 행정상 즉시강제에 해당한다.
④ 행정상 즉시강제에서 그 목적을 달성할 수 없는 지극히 예외적인 경우에만 헌법상 사전영장주의원칙의 예외가 인정된다.

## 05

**「개인정보 보호법」에 관한 설명으로 옳지 않은 것은? (다툼이 있는 경우 판례에 의함)**

① 개인정보자기결정권의 보호대상이 되는 개인정보는 공적 생활에서 형성되었거나 이미 공개된 개인정보까지도 포함한다.
② 개인정보 분쟁조정위원회는 집단분쟁조정의 당사자인 다수의 정보주체 중 일부의 정보주체가 법원에 소를 제기한 경우에는 그 조정절차를 중지하고, 이를 당사자에게 알려야 한다.
③ 개인정보 분쟁조정위원회 위원장은 위원 중에서 공무원이 아닌 사람으로 개인정보 보호위원회 위원장이 위촉한다.
④ 개인정보를 처리하거나 처리하였던 자로부터 직접 개인정보를 제공받지 아니하더라도, 개인정보를 처리하거나 처리하였던 자가 업무상 알게 된 개인정보를 누설하거나 권한 없이 다른 사람이 이용하도록 제공한 것이라는 사정을 알면서도 영리 또는 부정한 목적으로 개인정보를 제공받은 자라면, 「개인정보 보호법」상 벌칙의 대상자가 된다.

## 06

**항고소송의 대상에 관한 설명으로 옳지 않은 것은? (다툼이 있는 경우 판례에 의함)**

① 행정행위의 부관은 부담의 경우를 제외하고는 독립하여 항고소송의 대상이 아니다.
② 교도소장이 수형자를 '접견 내용 녹음·녹화 및 접견 시 교도관 참여대상자'로 지정한 행위는 항고소송의 대상이 된다.
③ 「병역법」상 신체등위판정은 항고소송의 대상이 된다.
④ 건축물대장 소관청의 건축물대장 작성신청 반려행위는 항고소송의 대상이 된다.

## 07

**행정행위의 하자에 관한 설명으로 옳지 않은 것은?**

① 무효인 행정행위에는 공정력, 불가쟁력이 인정되지 않는다.
② 처분의 근거가 되었던 법률규정에 대하여 위헌결정이 내려진 후 행한 처분의 집행행위는 당연무효이다.
③ 선행행위가 무효인 경우에는 후행행위도 당연히 무효이다.
④ 하자 있는 행정행위의 치유는 행정경제를 도모하기 위하여 원칙적으로 허용된다.

## 08

**다음은 「행정소송법」과 「행정심판법」의 내용이다. (　　) 안에 들어갈 내용으로 옳은 것은?**

- 행정소송에 관하여 「행정소송법」에 특별한 규정이 없는 사항에 대하여는 「법원조직법」과 「민사소송법」 및 ( 가 )의 규정을 준용한다.
- 취소소송은 처분 등이 있은 날부터 ( 나 )을 경과하면 이를 제기하지 못한다. 다만, 정당한 사유가 있는 때에는 그러하지 아니하다.
- 행정심판은 처분이 있었던 날부터 ( 다 )이 지나면 청구하지 못한다. 다만, 정당한 사유가 있는 경우에는 그러하지 아니하다.

| | (가) | (나) | (다) |
|---|---|---|---|
| ① | 「형사소송법」 | 1년 | 90일 |
| ② | 「민사집행법」 | 1년 | 180일 |
| ③ | 「형사소송법」 | 180일 | 90일 |
| ④ | 「민사집행법」 | 180일 | 180일 |

## 09

**다음 중 공법관계에 해당하지 않는 것은? (다툼이 있는 경우 판례에 의함)**

① 「공익사업을 위한 토지 등의 취득 및 보상에 관한 법률」에 따른 협의취득
② 공공하수도의 이용관계
③ 시립합창단원의 위촉
④ 미지급된 공무원 퇴직연금의 지급청구

## 10

「공공기관의 정보공개에 관한 법률」에 관한 설명으로 옳지 않은 것은? (다툼이 있는 경우 판례에 의함)

① 국가안전보장·국방·통일·외교관계 분야 업무를 주로 하는 국가기관의 정보공개심의회 구성 시 최소한 3분의 1 이상은 외부전문가로 위촉하여야 한다.
② 공개될 경우 부동산 투기로 특정인에게 이익 또는 불이익을 줄 우려가 있다고 인정되는 정보는 비공개 대상에 해당한다.
③ 학교폭력대책자치위원회의 회의록은 「공공기관의 정보공개에 관한 법률」 제9조 제1항 제1호의 '다른 법률 또는 법률이 위임한 명령에 의하여 비밀 또는 비공개사항으로 규정된 정보'에 해당하지 않는다.
④ 정보공개청구에 대하여 공공기관이 비공개결정을 한 경우, 청구인이 이에 불복한다면 이의신청절차를 거치지 않고 행정심판을 청구할 수 있다.

## 11

행정조사에 관한 설명으로 옳지 않은 것은? (다툼이 있는 경우 판례에 의함)

① 세무조사결정은 항고소송의 대상이 된다.
② 「행정조사기본법」에 의하면, 조사목적달성을 위한 시료채취로 조사대상자에게 손실이 발생하였더라도 행정기관의 장은 이에 대한 보상책임을 지지 않는다.
③ 「행정절차법」은 행정조사에 관한 명문의 규정을 두고 있지 않다.
④ 우편물 통관검사절차에서 이루어지는 성분분석 등의 검사가 압수·수색영장 없이 이루어졌다 하더라도 특별한 사정이 없는 한 위법하지 않다.

## 12

다음 설명으로 옳지 않은 것은? (다툼이 있는 경우 판례에 의함)

- A: 사립학교법인 임원의 선임에 대한 승인
- B: 정비조합 정관변경에 대한 인가
- C: 공유수면사용에 대한 허가

① A 행위는 기본행위의 효력을 완성시켜 주는 형성적 행위이다.
② B 행위는 기본행위의 효력을 완성시켜 주는 보충적 행위이다.
③ C 행위는 법률관계의 존부를 확인하는 행위이다.
④ 기본행위가 무효이면 A 행위는 무효가 된다.

## 13

다음 설명 중 옳은 것만을 모두 고른 것은? (다툼이 있는 경우 판례에 의함)

ㄱ. 건축허가는 대물적 허가의 성질을 가진다.
ㄴ. 지방경찰청이 횡단보도를 설치하여 보행자 통행방법 등을 규제하는 것은 행정처분이다.
ㄷ. 「행정절차법」은 불가쟁력이 발생한 행정행위에 대한 재심사청구를 규정하고 있다.
ㄹ. 철회권이 유보된 경우의 철회에는 이익형량의 원칙이 적용되지 않는다.

① ㄱ, ㄴ　　② ㄱ, ㄹ
③ ㄴ, ㄷ　　④ ㄷ, ㄹ

## 14

「국가배상법」에 관한 설명으로 옳지 않은 것은? (다툼이 있는 경우 판례에 의함)

① 외국인이 피해자인 경우 해당 국가와 상호보증이 있을 때에만 「국가배상법」을 적용한다.
② 가해 공무원에게 경과실이 있는 경우 공무원 개인은 손해배상책임을 부담한다.
③ 배상심의회에 대한 배상신청은 임의절차이다.
④ 국가·지방자치단체의 구상권은 가해 공무원에게 고의 또는 중과실이 있는 경우에 한하여 인정된다.

## 15

**판례상 행정처분으로 인정되는 것은?**

① 어업권면허에 선행하는 우선순위결정
② 계약직 공무원 채용계약해지의 의사표시
③ 행정규칙에 의한 불문경고조치
④ 국가공무원 당연퇴직의 인사발령

## 16

**행정상 손실보상에 관한 설명으로 옳지 않은 것은? (다툼이 있는 경우 판례에 의함)**

① 헌법 제23조 제3항에 규정된 '정당한 보상'은 상당보상을 의미한다는 것이 헌법재판소의 입장이다.
② 토지수용으로 인한 보상액을 산정함에 있어서 당해 공공사업과 관계없는 다른 사업의 시행으로 인한 개발이익은 이를 배제하지 아니한 가격으로 평가하여야 한다.
③ 「공익사업을 위한 토지 등의 취득 및 보상에 관한 법률」상의 잔여지수용청구는 매수에 관한 협의가 성립되지 아니한 경우에만 할 수 있으며, 그 사업의 공사완료일까지 하여야 한다.
④ 사업시행자의 이주대책 수립·실시의무를 정하고 있는 「공익사업을 위한 토지 등의 취득 및 보상에 관한 법률」상 규정은 당사자의 합의에 의하여 적용을 배제할 수 없는 강행법규이다.

## 17

**판례상 행정행위에 관한 설명으로 옳지 않은 것은?**

① 「출입국관리법」상 체류자격 변경허가는 설권적 처분의 성격을 가지므로, 허가권자는 허가 여부를 결정할 수 있는 재량을 가진다.
② 유기장영업허가는 유기장영업권을 설정하는 설권행위이다.
③ 한의사면허는 경찰금지를 해제하는 명령적 행위에 해당한다.
④ 개인택시운송사업면허는 특정인에게 권리나 이익을 부여하는 재량행위이다.

## 18

**신뢰보호원칙에 관한 설명으로 옳지 않은 것은? (다툼이 있는 경우 판례에 의함)**

① 신뢰보호원칙은 판례뿐만 아니라 실정법상의 근거를 가지고 있다.
② 수익적 행정행위가 수익자의 귀책사유가 있는 신청에 의해 행하여졌다면 그 신뢰의 보호가치성은 인정되지 않는다.
③ 행정기관의 선행조치로서의 공적인 견해 표명은 반드시 명시적인 언동이어야 한다.
④ 처분청 자신의 공적 견해 표명이 있어야만 하는 것은 아니며, 경우에 따라서는 보조기관인 담당 공무원의 공적인 견해 표명도 신뢰의 대상이 될 수 있다.

## 19

**「행정절차법」의 적용이 배제되는 경우가 아닌 것은? (다툼이 있는 경우 판례에 의함)**

① 헌법재판소의 심판을 거쳐 행하는 사항
② 지방의회의 의결을 거치거나 동의 또는 승인을 받아 행하는 사항
③ 감사원이 감사위원회의의 결정을 거쳐 행하는 사항
④ 육군3사관학교의 사관생도에 대한 퇴학처분

## 20

**「국가배상법」 제2조에서 규정하는 '공무원'으로 볼 수 없는 것은? (다툼이 있는 경우 판례에 의함)**

① 「의용소방대 설치 및 운영에 관한 법률」에 따라 소방서장이 임명한 의용소방대원
② 구청 소속 청소차량 운전원
③ 지방자치단체에 근무하는 청원경찰
④ 지방자치단체로부터 어린이보호 등의 공무를 위탁받아 집행하는 교통할아버지

정답과 해설편 ▶ P.21

1초 합격예측! 모바일 성적분석표

# 2018 | 하반기 행정법총론 A형

☑ QR코드 스캔 후 모바일 OMR에 답안 입력
☑ 자동측정된 문제풀이 시간 확인
☑ 자동채점결과 및 성적분석표 확인

## 01

**행정쟁송법상의 처분에 관한 설명으로 옳지 않은 것은? (다툼이 있는 경우 판례에 의함)**

① 공무수탁사인의 공무를 수행하는 공권력 행사도 처분에 해당한다.
② 처분성이 있는 법규명령의 효력이 있는 행정규칙은 항고소송의 대상이 된다.
③ (구)「청소년 보호법」에 따른 청소년유해매체물 결정 및 고시처분은 당해 유해매체물의 소유자 등 특정인만을 대상으로 한 행정처분이 아니라 일반 불특정 다수인을 상대방으로 하여 일률적으로 각종 의무를 발생시키는 행정처분이다.
④ 국가인권위원회의 성희롱결정과 이에 따른 시정조치의 권고는 불가분의 일체로 행하여지는 것인데, 이는 비권력적 사실행위로서 행정소송의 대상이 되는 행정처분이 아니다.

## 02

**행정질서벌에 관한 설명으로 옳지 않은 것은?**

① 「질서위반행위규제법」은 고의 또는 과실이 없는 질서위반행위는 과태료를 부과하지 않는다고 규정한다.
② 당사자와 검사는 과태료 재판에 대하여 즉시항고를 할 수 있다. 이 경우 항고는 집행정지의 효력이 있다.
③ 신분에 의하여 성립하는 질서위반행위에 신분이 없는 자가 가담한 때에는 신분이 없는 자에 대하여는 질서위반행위가 성립하지 않는다.
④ 신분에 의하여 과태료를 감경 또는 가중하거나 과태료를 부과하지 아니하는 때에는, 그 신분의 효과는 신분이 없는 자에게는 미치지 아니한다.

## 03

**행정상 강제징수에 관한 설명으로 옳지 않은 것은?**

① 국세납부의무의 불이행에 대하여는 「국세징수법」에서 강제징수를 인정하고 있다.
② 독촉은 이후에 행해지는 압류의 적법요건이 되며 최고기간 동안 조세채권의 소멸시효를 중단시키는 법적 효과를 갖는다.
③ 「국세징수법」상의 독촉, 압류, 압류해제 거부 및 공매처분에 대하여는 이의신청을 제기할 수 있고, 심사청구와 심판청구의 결정을 모두 거친 후에 행정소송을 제기할 수 있다.
④ 과세관청이 체납처분으로서 행하는 공매는 우월한 공권력의 행사로서 행정소송의 대상이 되는 공법상의 행정처분이며 공매에 의하여 재산을 매수한 자는 그 공매처분이 취소된 경우에 그 취소처분의 위법을 주장하여 행정소송을 제기할 법률상 이익이 있다.

## 04

**행정조사에 관한 설명으로 옳지 않은 것은? (다툼이 있는 경우 판례에 의함)**

① 시료채취로 조사대상자에게 손실을 입힌 경우 그 손실보상에 관한 명문규정이 있다.
② 「행정절차법」은 행정조사에 관한 명문의 규정을 마련하고 있다.
③ 행정조사의 성격을 가지는 우편물의 개봉, 시료채취, 성분분석 등의 검사는 압수, 수색영장 없이 가능하다.
④ 세무조사결정은 납세의무자의 권리, 의무에 직접 영향을 미치는 공권력의 행사에 따른 행정작용으로서 항고소송의 대상이 된다.

## 05

**국가배상책임의 성립요건에 관한 설명 중 옳지 않은 것은?**

① 공무수탁사인도 「국가배상법」 제2조의 공무원으로 보아야 한다.
② 판례는 행정기관이 실질적으로 공무를 수행하는 경우에도 「국가배상법」상의 공무원으로 보지 않는다.
③ 판례는 입법 내용이 헌법의 문언에 명백히 위배됨에도 불구하고 국회가 굳이 당해 입법을 한 것과 같은 특수한 경우에 한하여 위법 및 과실을 인정하고 있다.
④ 판례는 기판력이 재판행위로 인한 국가배상책임의 인정을 배제하지 않는다고 본다.

## 06

**행정계획의 사법적 통제에 관한 설명으로 옳지 않은 것은?**

① 행정계획에 대한 사법적 통제와 관련하여서는 계획재량이 중요한 의미를 가진다.
② 계획재량은 재량행위의 일종이므로 일정한 법치국가적 한계가 있다.
③ 형량명령은 계획을 수립함에 있어 관계되는 모든 이익을 정당하게 형량하여야 한다는 행정법의 일반원칙이다.
④ 계획재량, 형량명령 및 형량명령의 하자에 관한 이론은 판례에는 반영되고 있지 아니하다.

## 07

**통고처분에 관한 설명으로 옳지 않은 것은?**

① 통고처분은 현행법상 조세범, 관세범, 출입국관리사범, 교통사범 등에 대하여 인정되고 있다.
② 통고처분에 의해 부과된 금액(범칙금)은 벌금이다.
③ 판례는 통고처분을 행정소송의 대상이 되는 행정처분이 아니라고 보고 있다.
④ 판례는 통고처분에 의해 부과된 범칙금을 납부한 경우 다시 처벌받지 아니한다고 규정하고 있는 것은 범칙금의 납부에 확정재판의 효력에 준하는 효력을 인정하는 취지로 해석하고 있다.

## 08

**「행정절차법」상 행정상 입법예고를 하지 않아도 되는 사유에 해당하지 않는 것은?**

① 법령 등을 제정·개정 또는 폐지하려는 경우
② 상위 법령 등의 단순한 집행을 위한 경우
③ 입법 내용이 국민의 권리·의무 또는 일상생활과 관련이 없는 경우
④ 신속한 국민의 권리 보호 또는 예측 곤란한 특별한 사정의 발생 등으로 입법이 긴급을 요하는 경우

## 09

**「공공기관의 정보공개에 관한 법률」상 정보공개에 관한 설명으로 옳지 않은 것은?**

① 공공기관은 제10조에 따라 정보공개의 청구를 받으면 그 청구를 받은 날부터 30일 이내에 공개 여부를 결정하여야 한다.
② 정보의 공개 및 우송 등에 드는 비용은 실비(實費)의 범위에서 청구인이 부담한다.
③ 행정안전부장관은 전년도의 정보공개 운영에 관한 보고서를 매년 정기국회 개회 전까지 국회에 제출하여야 한다.
④ 지방자치단체는 그 소관 사무에 관하여 법령의 범위에서 정보공개에 관한 조례를 정할 수 있다.

## 10

**통치행위에 관한 설명으로 옳지 않은 것은? (다툼이 있는 경우 판례에 의함)**

① 통치행위는 정부에 의해 이루어지는 것이 일반적이며, 국회에 의해 이루어질 수도 있다.
② 일반사병의 이라크 파견 결정은 성격상 국방 및 외교에 관련된 고도의 정치적 결단을 요하는 문제이다.
③ 판례는 대통령의 금융실명거래 및 비밀보장에 관한 긴급재정경제명령의 발령을 통치행위로 보았다.
④ 통치행위를 포함하여 모든 국가작용은 국민의 기본권적 가치를 실현하기 위한 수단이라는 한계를 반드시 지켜야 하는 것은 아니다.

## 11

**사인의 공법행위에 관한 설명으로 옳지 않은 것은? (다툼이 있는 경우 판례에 의함)**

① 적법한 사인의 공법행위가 있는 경우에 발생하는 효과는 개별법규가 정한 바에 따르며, 행정청에 가해지는 기본적인 효과는 처리기간 내에 특별한 사유가 없는 한 처리하여야 할 의무가 발생한다.
② 수리를 요하지 아니하는 신고의 경우에 신고에 하자가 있다면 보정되기까지는 신고의 효과가 발생하지 않는다.
③ 사인의 공법행위로서 신고는 사인이 공법적 효과의 발생을 목적으로 행정주체에 대하여 일정한 사실을 알리는 행위로서 행정청에 의한 실질적 심사가 요구되는 행위를 말한다.
④ 판례는 대물적 영업의 양도의 경우 명시적인 규정이 없는 경우에도 양도 전에 존재하는 영업정지사유를 이유로 양수인에 대해서도 영업정지처분을 할 수 있다고 보고 있다.

## 12

**행정소송에 관한 설명으로 옳지 않은 것은? (다툼이 있는 경우 판례에 의함)**

① 행정처분에 대한 무효확인과 취소청구는 서로 양립할 수 없는 청구로서 주위적·예비적 청구로서만 병합이 가능하고 선택적 청구로서의 병합이나 단순병합은 허용되지 않는다.
② 판례는 항고소송에 있어서 행정청은 피고적격이 인정되며, 국가기관인 시·도 선거관리위원회 위원장과 충북대학교 총장의 당사자 능력을 인정하였다.
③ 지방의회가 의결한 조례가 그 자체로서 직접 주민의 권리·의무에 영향을 미쳐 항고소송의 대상이 되는 경우에도 그 피고는 조례를 공포한 지방자치단체의 장이 된다.
④ 처분은 행정청이 행한 구체적 사실에 관한 법집행행위이므로 일반적·추상적 행위는 처분이 아니나, 그 효력이 다른 집행행위의 매개 없이 그 자체로서 직접 국민의 구체적인 권리와 의무나 법률관계를 규율하는 성격을 가지는 처분법규는 처분이 된다.

## 13

**〈보기〉에서 판례가 취소소송의 원고적격을 부정한 것을 모두 고른 것은?**

〈보 기〉

ㄱ. 목욕탕영업허가에 대하여 기존 목욕탕업자
ㄴ. 부교수임용처분에 대하여 같은 학과의 기존 교수
ㄷ. 당초 병원설치가 불가능한 용도에서 병원설치가 가능한 용도로 건축물 용도를 변경하여 준 처분에 대하여 인근의 기존 병원경영자
ㄹ. 교도소장의 접견허가거부처분에 대하여 그 접견신청의 대상자였던 미결수

① ㄱ, ㄷ ② ㄱ, ㄴ, ㄷ
③ ㄴ, ㄷ, ㄹ ④ ㄱ, ㄴ, ㄷ, ㄹ

## 14

**행정의 실효성 확보수단에 관한 설명으로 옳지 않은 것은? (다툼이 있는 경우 판례에 의함)**

① 건물의 명도의무는 대집행의 대상이 될 수 없다.
② 위법건축물에 대한 철거 대집행계고처분에 불응하여 제2차 계고를 한 경우 제2차 계고는 행정처분이 아니므로 행정쟁송의 대상이 될 수 없다.
③ 이행강제금은 대체적 작위의무에 대해서도 부과할 수 있다.
④ 이행강제금은 형벌과 병과할 수 없다.

## 15

**행정행위의 효력에 관한 설명으로 옳지 않은 것은?**

① 행정행위의 불가쟁력은 형식적 존속력이라고도 한다.
② 행정심판위원회의 재결에는 불가변력이 인정된다.
③ 불가변력은 행정행위의 상대방 및 이해관계인에 대한 구속력이고, 불가쟁력은 처분청 등 행정기관에 대한 구속력이다.
④ 불가쟁력이 발생한 행정행위일지라도 불가변력이 없는 경우에는 행정청 등 권한 있는 기관은 이를 직권으로 취소할 수 있다.

## 16

**행정법의 일반원칙에 관한 설명으로 옳지 않은 것은? (다툼이 있는 경우 판례에 의함)**

① 비례의 원칙에 의할 때 공무원이 단지 1회 훈령에 위반하여 요정 출입을 하였다는 사유만으로 한 파면처분은 위법하다.
② 행정의 자기구속의 원칙은 평등원칙 및 신뢰보호의 원칙과 밀접한 관련을 지니고 있다.
③ 부당결부금지의 원칙은 행정작용을 함에 있어서 그와 실체적 관련이 없는 상대방의 반대급부를 조건으로 하여서는 안 된다는 원칙을 말한다.
④ 신뢰보호의 원칙에서 행정기관의 공적인 견해표명은 명시적이어야 하고 묵시적인 경우에는 인정되지 아니한다.

## 17

**신청에 관한 기술 중 옳은 것은? (다툼이 있는 경우 판례에 의함)**

① 행정청에 대하여 처분을 구하는 신청은 문서로 하여야 하지만, 일반민원의 신청은 구술이나 전화로 할 수 있다.
② 신청에 대해 서류 등이 미비할 경우, 바로 접수를 거부할 수 있다.
③ 흠결된 서류의 보완이 주요 서류의 대부분을 새로 작성함이 불가피하게 되어 사실상 새로운 신청으로 보아야 할 경우, 접수를 거부하거나 반려할 수 있다.
④ 신청인은 신청서가 일단 접수되면, 신청한 내용을 보완하거나 변경 또는 취하할 수 없다.

## 18

**법령 등에서 행정청에 일정한 사항을 통지함으로써 의무가 끝나는 신고를 규정하고 있는 경우에 행정청이 신고인에게 보완을 요구하고 상당한 기간 내에 보완을 하지 않을 경우 되돌려 보낼 수 있는 경우가 아닌 것은?**

① 신고서의 기재사항에 흠이 있는 경우
② 신고의 내용이 현저히 공익을 해친다고 판단되는 경우
③ 필요한 구비서류가 첨부되어 있지 아니한 경우
④ 그 밖에 법령 등에 규정된 형식상의 요건에 부합하지 아니한 경우

## 19

**행정법의 법원(法源)으로서 헌법이 직접 규정하고 있지 않은 것은?**

① 감사원규칙
② 중앙선거관리위원회규칙
③ 지방자치단체의 자치에 관한 규정
④ 대통령령, 총리령, 부령

## 20

**법규명령의 통제에 관한 기술 중 옳지 않은 것은? (다툼이 있는 경우 판례에 의함)**

① 헌법은 대법원이 명령에 대한 심사권한이 있음을 직접 규정하고 있다.
② 대법원은 유신헌법상 긴급조치가 법률이 아니므로 대법원이 심사권을 가진다고 판시하였다.
③ 명령 등이 헌법이나 법률에 위반되어 대법원에서 무효라고 선언하여도 당해 사건에만 적용이 배제될 뿐 형식적으로는 존재하므로 판결확정 후 대법원은 행정안전부장관에게 통보하도록 하고 있다.
④ 행정처분 후, 대법원에서 처분의 근거 명령 등이 무효라고 선언된 경우 당해 행정처분은 무효사유에 해당한다.

정답과 해설편 ▶ P.30

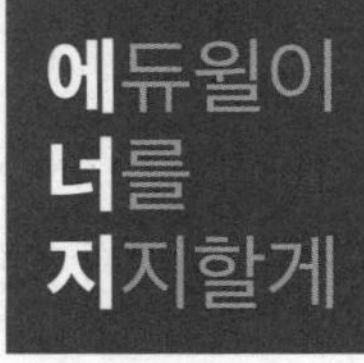

다 알고 가는 사람은 없습니다.
굳게 믿고 가는 사람이 있을 뿐입니다.

– 조정민, 『고난이 선물이다』, 두란노

# 소방위 행정법

2020 소방위 행정법

2019 소방위 행정법

2018 소방위 행정법

2017 소방위 행정법

1초 합격예측! 모바일 성적분석표

# 2020 소방위 행정법

☑ QR코드 스캔 후 모바일 OMR에 답안 입력
☑ 자동측정된 문제풀이 시간 확인
☑ 자동채점결과 및 성적분석표 확인

※ 2020 소방위(소방 승진) 기출복원문제는 시험 응시자들과 집필진의 기억을 토대로 행정법총론에 해당하는 20문항을 재구성하였습니다. 실제 기출문제와는 다소 차이가 있을 수 있음을 알려드립니다.

## 01

**신고에 대한 설명으로 옳지 않은 것은? (다툼이 있는 경우 판례에 의함)**

① 「건축법」상의 착공신고를 행정청이 반려했다고 해도, 「건축법」상의 신고는 수리를 요하지 않는 신고로서 이는 항고소송 대상이 되는 처분이라 할 수 없고 당사자는 반려행위에 대해 취소를 구할 법률상 이익이 없다.
② 「유통산업발전법」상 대규모 점포의 개설 등록은 이른바 '수리를 요하는 신고'로서 행정처분에 해당한다.
③ 전입신고자가 거주의 목적 이외에 다른 이해관계에 관한 의도를 가지고 있는지 여부는 주민등록전입신고의 수리단계에서는 심사할 수 없다.
④ 「건축법」상 인·허가의제 효과를 수반하는 건축신고는 실체적 심사를 통한 수리를 요하는 신고에 해당한다.

## 02

**행정규칙에 대한 설명으로 옳지 않은 것은? (다툼이 있는 경우 판례에 의함)**

① 시외버스운송사업의 사업계획변경 기준 등에 관한 (구) 「여객자동차 운수사업법 시행규칙」은 부령에 규정된 처분기준으로서 대외적 구속력이 없는 행정규칙에 해당된다.
② 「자동차 운수사업법」 제31조 제2항의 규정에 따라 자동차운수사업면허의 취소처분 등에 관한 사무처리기준과 처분절차 등을 정한 「자동차 운수사업법」 제31조 등의 규정에 의한 사업면허의 취소 등의 처분에 관한 규칙은 행정내부 사무처리에 관한 행정규칙이다.
③ 재산권 등의 기본권을 제한하는 작용을 하는 법률이 구체적으로 범위를 정하여 고시와 같은 형식으로 입법위임을 할 수 있는 사항은 전문적·기술적 사항이나 경미한 사항으로서 업무의 성질상 위임이 불가피한 사항에 한정된다.
④ (구)「청소년 보호법」에 따른 같은 법 시행령 제40조 [별표 6]의 위반행위의 종별에 따른 과징금 처분기준은 법규명령이기는 하나 그 수액은 정액이 아니라 최고한도액이다.

## 03

**공법관계와 사법관계에 대한 설명으로 옳지 않은 것은? (다툼이 있는 경우 판례에 의함)**

① 국유재산 무단 점유자에 대한 행정기관의 변상금부과는 항고소송 대상인 처분이다.
② 공용수용의 목적물이 불필요하게 된 경우 피수용자가 다시 수용된 토지의 소유권을 회복할 수 있도록 하는 환매권은 일종의 사권이다.
③ (구)「예산회계법」에 의한 입찰보증금의 국고귀속조치는 공법관계로서 당사자소송에 의한다.
④ 행정재산을 원래의 목적 외로 사용할 경우 그에 대한 사용·수익허가는 행정처분으로서 항고소송의 대상이 된다.

## 04

**행정심판에 대한 내용으로 옳지 않은 것은? (다툼이 있는 경우 판례에 의함)**

① 의무이행심판의 재결에서 처분재결은 형성재결의 성질을, 처분명령재결은 이행재결의 성격을 가지고 있다.
② 재결에 의하여 취소되거나 무효 또는 부존재로 확인되는 처분이 당사자의 신청을 거부하는 것을 내용으로 하는 경우에는 그 처분을 한 행정청은 재결의 취지에 따라 다시 이전의 신청에 대한 처분을 하여야 한다.
③ 행정심판청구에 대한 재결이 있으면 그 재결 및 같은 처분 또는 부작위에 대하여 다시 행정심판을 청구할 수 없다.
④ 재결청의 처분 이행명령재결에 대해 행정청이 어떠한 처분을 하였다고 해도 처분의 내용이 재결의 취지에 반하는 것이라면 재결청은 청구인의 신청에 따라 직접처분을 할 수 있다.

## 05

**행정의 실효성을 확보하기 위한 수단의 내용으로 옳지 않은 것은? (다툼이 있는 경우 판례에 의함)**

① 「공익사업을 위한 토지 등의 취득 및 보상에 관한 법률」상의 협의취득 시에 매매대상 건물에 대한 철거의무를 부담하겠다는 취지의 약정을 건물소유자가 하였다고 하더라도, 그 철거의무는 대집행의 대상이 되지 않는다.
② 도시공원시설 점유자의 퇴거 및 명도의무는 「행정대집행법」에 의한 대집행의 대상일 뿐, 직접강제의 대상이 될 수는 없다.
③ 철거대상건물의 점유자들이 적법한 행정대집행을 위력을 행사하여 방해하는 경우, 행정청은 필요하다면 「경찰관 직무집행법」에 근거한 위험발생 방지조치 차원에서 경찰의 도움을 받을 수 있다.
④ 공유수면에 설치한 건물을 철거하여 공유수면을 원상회복하여야 할 의무는 대체적 작위의무에 해당하므로 행정대집행의 대상이 된다.

## 06

**행정소송에 대한 내용으로 옳지 않은 것은? (다툼이 있는 경우 판례에 의함)**

① 어떤 행위가 상대방의 권리를 제한하는 행위라 하더라도 행정청 또는 그 소속 기관이나 권한을 위임받은 공공단체 등의 행위가 아닌 한 이를 행정처분이라고 할 수 없다.
② 국가인권위원회의 각하 및 기각결정을 할 경우 피해자인 진정인은 인권침해 등에 대한 구제조치를 받을 권리를 박탈당하게 되므로, 국가인권위원회의 진정에 대한 각하 및 기각결정은 처분에 해당한다.
③ 관할청이 「농지법」상의 이행강제금 부과처분을 하면서 재결청에 행정심판을 청구하거나 관할 행정법원에 행정소송을 할 수 있다고 잘못 안내한 경우에 항고소송의 대상인 처분이라 할 수 있다.
④ 취소소송의 대상인 처분은 행정청이 행하는 구체적 사실에 관한 법집행행위이므로 불특정 다수인을 대상으로 하여 반복적으로 적용되는 일반적·추상적 규율은 원칙적으로 처분이 아니다.

## 07

**행정법의 일반원칙에 대한 내용으로 옳지 않은 것은? (다툼이 있는 경우 판례에 의함)**

① 플라스틱이나 합성수지의 사용과 관련하여 1회용품과 포장재 등을 서로 차별적으로 취급하는 것은 합리적인 이유라 할 수 없어 평등원칙에 반한다.
② 채석허가기준에 관한 관계 법령의 규정이 개정된 경우, 새로이 개정된 법령의 경과규정에서 달리 정함이 없는 한 처분 당시에 시행되는 개정 법령과 그에서 정한 기준에 의하여 채석허가 여부를 결정하는 것은 신뢰보호에 반하지 않는다.
③ 재량권 행사의 준칙인 행정규칙이 그 정한 바에 따라 되풀이 시행되어 행정관행이 이루어지게 되면 평등의 원칙이나 신뢰보호의 원칙에 따라 행정기관은 그 상대방에 대한 관계에서 그 규칙에 따라야 할 자기구속을 받게 된다.
④ 청원경찰의 인원감축을 위하여 초등학교 졸업 이하 학력소지자 집단과 중학교 중퇴 이상 학력 소지자 집단으로 나누어 각 집단별로 같은 감원비율의 인원을 선정한 것은 위법한 재량권 행사이다.

## 08

**항고소송의 대상적격에 대한 내용으로 옳지 않은 것은? (다툼이 있는 경우 판례에 의함)**

① (구)부당한 공동행위 자진신고자 등에 대한 시정조치 등 감면제도 운영고시에 따른 시정조치 등 감면신청에 대한 감면불인정 통지는 항고소송의 대상이 되는 행정처분에 해당한다.
② 행정규칙에 의한 불문경고조치는 징계처분은 아니라도 항고소송의 대상이 되는 행정처분에 해당한다.
③ 공무원에 대한 당연퇴직 통보는 공무원의 신분을 상실시키는 형성적 행위로서 항고소송 대상인 처분이다.
④ 병무청장의 병역의무 기피자의 인적사항 등의 공개결정은 항고소송 대상이 되는 행정처분이다.

## 09

**행정행위의 부관에 대한 설명으로 옳은 것은? (다툼이 있는 경우 판례에 의함)**

① 부관이 처분 당시의 법령으로는 적법하였으나 처분 후 근거법령이 개정되어 더 이상 부관을 붙일 수 없게 되었다면 당초의 부관도 소급하여 효력이 소멸한다.
② 부관이 붙은 법률행위에 있어서 부관에 표시된 사실이 발생하지 아니하면 채무를 이행하지 아니하여도 된다고 보는 것이 상당한 경우에는 조건으로 보아야 하고, 표시된 사실이 발생한 때에는 물론이고 반대로 발생하지 아니하는 것이 확정된 때에도 그 채무를 이행하여야 한다고 보는 것이 상당한 경우에는 표시된 사실의 발생 여부가 확정되는 것을 불확정기한으로 정한 것으로 보아야 한다.
③ 공유수면매립준공인가처분을 하면서 매립지 일부에 대하여 한 국가 및 지방자치단체에의 귀속처분은 부관 중 부담에 해당하므로 독립하여 행정소송 대상이 될 수 있다.
④ 허가에 붙은 기한이 그 허가된 사업의 성질상 부당하게 짧은 경우에 그 기한은 허가조건의 존속기간이 아니라 허가 자체의 존속기간으로 보아야 한다.

## 10

**행정소송의 원고적격에 대한 설명으로 옳지 않은 것은? (다툼이 있는 경우 판례에 의함)**

① 권한의 위임에는 법률의 근거가 있어야 하나 행정 내부에서 이루어지는 내부위임의 경우에는 법률의 근거 없이 가능하며 다만 내부위임을 받은 행정기관이 자신의 명의로 처분을 하였다면 소송을 청구하는 원고로서는 수임기관을 피고로 소를 구하여야 한다.
② 후속처분의 내용이 종전처분의 유효를 전제로 내용 중 일부만을 추가·철회·변경하는 것이고 추가·철회·변경된 부분이 내용과 성질상 나머지 부분과 불가분적인 것이 아닌 경우에, 후속처분이 있다면 종전처분에 대해 소송을 청구할 법률상 이익이 없다.
③ 원천징수의무자에 대한 소득금액변동통지는 원천납세의무의 존부나 범위와 같은 원천납세의무자의 권리나 법률상 지위에 어떠한 영향을 준다고 할 수 없으므로 소득처분에 따른 소득의 귀속자는 법인에 대한 소득금액변동통지의 취소를 구할 법률상 이익이 없다.
④ 국민권익위원회가 소방청장에게 인사와 관련하여 부당한 지시를 한 사실이 인정된다며 이를 취소할 것을 요구하기로 의결하고 내용을 통지하자 그 국민권익위원회 조치요구의 취소를 구하는 경우, 소방청장은 당사자능력과 원고적격을 가지게 된다.

## 11

**행정계획에 대한 설명으로 옳지 않은 것은? (다툼이 있는 경우 판례에 의함)**

① 일정한 기간 내에 요건을 갖추어 일정한 행정처분을 신청할 수 있는 법률상 지위에 있는 자에 대해 국토 이용계획변경신청을 거부하는 것이 실질적으로 당해 행정처분 자체를 거부하는 결과가 되는 경우에는 그 신청인은 계획변경을 신청할 권리가 있다.
② 비구속적 행정계획안이나 행정지침이라도 국민의 기본권에 직접적으로 영향을 끼치고, 앞으로 법령의 뒷받침에 의하여 그대로 실시될 것이 틀림없을 것으로 예상될 수 있을 때에는, 공권력행위로서 헌법소원의 대상이 될 수 있다.
③ 국가가 국토이용계획과 관련한 기관위임사무의 처리에 관하여 지방자치단체의 장을 상대로 취소소송을 제기할 수 있다.
④ 선행 도시계획의 결정·변경 등의 권한이 없는 행정청이 행한 선행 도시계획과 양립할 수 없는 새로운 내용의 후행 도시계획결정은 무효이다.

## 12

**행정행위의 하자에 대한 설명으로 옳지 않은 것은? (다툼이 있는 경우 판례에 의함)**

① 조세 부과의 근거가 되었던 법률규정이 위헌으로 선언된 이후, 조세채권의 집행을 위한 새로운 체납처분에 착수하거나 이를 속행하더라도 위법하지 않다.
② 절차상 하자로 인하여 무효인 행정처분이 있은 후 행정청이 관계 법령에서 정한 절차를 갖추어 다시 동일한 행정처분을 하였다면 당해 행정처분은 종전의 무효인 행정처분과 관계없이 새로운 행정처분이라고 보아야 한다.
③ 행정처분에 대하여 그 행정처분의 근거가 된 법률이 위헌이라는 이유로 무효확인청구의 소가 제기된 경우에는 다른 특별한 사정이 없는 한 법원으로서는 그 법률이 위헌인지 여부에 대하여는 판단할 필요 없이 그 무효확인청구를 기각하여야 한다.
④ 대법원은 처분이 있은 후에 근거법률이 위헌으로 결정된 경우, 그 처분은 특별한 사정이 없는 한 원칙적으로 취소할 수 있는 행위에 그친다고 보았다.

## 13

**행정법의 효력에 대한 설명으로 옳지 않은 것은? (다툼이 있는 경우 판례에 의함)**

① 법령이 변경된 경우 신 법령이 피적용자에게 유리하여 이를 적용하도록 하는 경과규정을 두는 등의 특별한 규정이 없는 한 그 변경 전에 발생한 사항에 대하여는 변경 후의 신 법령이 아니라 변경 전의 구 법령이 적용되어야 한다.
② 조세법령의 폐지 또는 개정 전에 종결된 과세요건사실에 대해 폐지 또는 개정 전의 조세법령을 적용하는 것은 조세법률주의에 위반되지 않는다.
③ 법령의 공포일에 관하여 공포일자와 시행일자가 다른 경우에는 공포일을 관보가 실제로 인쇄된 날로 본다.
④ 기간과세인 법인세에 있어 사업연도 진행 중 세법이 개정된 경우에 개정법을 적용하는 것은 진정소급에 해당되어 허용될 수 없다.

## 14

**국가배상과 관련된 설명으로 옳지 않은 것은? (다툼이 있는 경우 판례에 의함)**

① 영조물의 설치·관리상의 하자로 인한 손해의 원인에 대하여 책임을 질 사람이 따로 있는 경우에는 국가·지방자치단체는 그 사람에게 구상할 수 있다.
② 어떠한 행정처분이 후에 항고소송에서 취소되었다면 그 판결의 기판력에 의하여 당해 처분은 곧바로 공무원의 고의 또는 과실로 인한 것으로서 불법행위를 구성한다.
③ 공무원의 직무집행이 법령이 정한 요건과 절차에 따라 이루어진 것이라면 특별한 사정이 없는 한 이는 법령에 적합한 것이고, 그 과정에서 개인의 권리가 침해되는 일이 생긴다고 하여 그 법령 적합성이 곧바로 부정되는 것은 아니다.
④ 법관의 재판행위가 위법행위로서 국가배상책임이 인정되려면 당해 법관이 위법 또는 부당한 목적을 가지고 재판하는 등 법관에게 부여된 권한의 취지에 명백히 어긋나게 이를 행사하였다고 인정할 특별한 사정이 있어야 한다.

## 15

**「행정절차법」과 관련된 내용 중 옳지 않은 것은? (다툼이 있는 경우 판례에 의함)**

① 「병역법」에 따라 지방병무청장이 산업기능요원에 대하여 산업기능요원 편입취소처분을 할 때에는 「행정절차법」에 따라 처분의 사전통지를 하고 의견제출의 기회를 부여하여야 한다.
② 고시 등 불특정 다수인을 상대로 의무를 부과하거나 권익을 제한하는 처분에 있어서는 그 상대방에게 의견제출의 기회를 주어야 하는 것은 아니다.
③ 납세고지서에 세액산출근거 등의 이유가 제시되지 않았다고 해도, 납세자가 나름 세액산출근거를 알았다거나, 이를 알고서 납부를 하였다면 과세처분을 위법이라 할 수 없다.
④ 특별한 사정이 없는 한 신청에 대한 거부처분은 '당사자의 권익을 제한하는 처분'에 해당한다고 할 수 없는 것이어서 처분의 사전통지 대상이 된다고 할 수 없다.

## 16

**지위승계신고에 대한 행정작용의 내용으로 옳지 않은 것은? (다툼이 있는 경우 판례에 의함)**

ㄱ. 양도인이 자신의 의사에 따라 양수인에게 영업을 양도하면서 양수인으로 하여금 영업을 하도록 허락하였다면, 영업승계신고 및 수리처분이 있기 전에 발생한 양수인의 위반행위에 대한 행정적 책임은 양도인에게 귀속된다.
ㄴ. 양도양수계약에 의한 신고의 수리에서 양도양수계약이 무효라도 신고의 수리는 권한 있는 기관에 의해 취소되기 이전까지는 유효이다.
ㄷ. 「식품위생법」에 의한 영업양도에 따른 지위승계신고를 수리하는 허가관청의 행위는 단순히 양도·양수인 사이에 이미 발생한 사법상의 사업양도의 법률효과에 의하여 양수인이 그 영업을 승계하였다는 사실의 신고를 접수하는 행위에 그치는 것이 아니라, 영업허가자의 변경이라는 법률효과를 발생시키는 행위이다.
ㄹ. 양도양수에 의한 영업자지위승계신고가 수리되지 않았다면, 양도인이 법위반으로 허가 등이 취소된 경우, 이를 양수한 양수인은 취소소송을 청구할 법률상 이익이 없다.

① ㄱ, ㄴ ② ㄱ, ㄷ
③ ㄴ, ㄷ ④ ㄴ, ㄹ

## 17

**손실보상에 관한 내용으로 옳지 않은 것은? (다툼이 있는 경우 판례에 의함)**

① 도시계획사업허가의 공고 시에 토지세목의 고시를 누락하거나, 사업인정을 함에 있어 수용 또는 사용할 토지의 세목공시절차를 누락한 경우에 이를 이유로 수용재결처분의 취소를 구할 수 없다.
② 공익사업으로 인하여 영업을 폐지하거나 휴업하는 자는 (구)「공익사업을 위한 토지 등의 취득 및 보상에 관한 법률」에 규정된 재결절차를 거치지 않은 채 곧바로 사업시행자를 상대로 영업손실보상을 청구할 수 없다.
③ 공공용물에 대한 일반사용도 적법한 개발행위로 제한됨으로 인한 불이익이 발생한다면 손실보상의 대상이 된다.
④ (구)「하천법」의 시행으로 국유로 된 제외지 안의 토지에 대하여는 관리청이 그 손실을 보상하도록 규정하고 있는 동법 부칙 제2조 제1항에 의한 손실보상청구권은 공법상 권리이다.

## 18

**「공공기관의 정보공개에 관한 법률」에 대한 내용으로 옳지 않은 것은? (다툼이 있는 경우 판례에 의함)**

① 공무를 수행한 공무원의 성명이나 직위는 개인정보로서 정보공개 대상이 아니다.
② 정보공개신청에 대한 공공기관의 결정에 불복하는 경우 청구인은 이의신청 절차를 거치지 아니하고 행정심판을 청구할 수 있다.
③ 국민의 정보공개청구권은 법률상 보호되는 구체적인 권리이므로, 공공기관에 대하여 정보의 공개를 청구하였다가 공개거부처분을 받은 청구인은 행정소송을 통하여 그 공개거부처분의 취소를 구할 법률상의 이익이 있다.
④ 공개를 구하는 정보를 공공기관이 한때 보유·관리하였으나 후에 그 정보가 담긴 문서들이 폐기되어 존재하지 않게 된 것이라면 그 정보를 더 이상 보유·관리하고 있지 아니하다는 점에 대한 입증책임은 공공기관에 있다.

## 19

**행정조사에 대한 설명으로 옳지 않은 것은? (다툼이 있는 경우 판례에 의함)**

① 행정기관의 장이 조사대상자의 자발적인 협조를 얻어 행정조사를 실시하고자 하는 경우 조사대상자는 문서·전화·구두 등의 방법으로 당해 행정조사를 거부할 수 있다.

② 행정기관의 장은 법령 등에 특별한 규정이 있는 경우를 제외하고는 행정조사의 결과를 확정한 날로부터 7일 이내에 그 결과를 조사대상자에게 통지하여야 한다.

③ 우편물 통관검사절차에서 이루어지는 우편물 개봉 등의 검사는 행정조사의 성격을 가지는 것으로서, 압수·수색영장 없이 검사가 진행되었다면 특별한 사정이 없는 한 위법하다.

④ 위법한 세무조사를 통하여 수집된 과세자료에 기초하여 과세처분을 하였다면 그 과세처분은 위법하게 된다.

## 20

**행정작용 및 행정구제에 관한 판례의 내용으로 옳은 것은?**

ㄱ. 행정행위를 한 처분청은 별도의 법적 근거가 없다 하더라도 사정변경이 생겼거나 또는 중대한 공익상의 필요가 발생한 경우 그 효력을 상실케 하는 별개의 행정행위로 이를 철회할 수 있다.

ㄴ. 공중보건의사 채용계약 해지의 의사표시에 대하여는 대등한 당사자 간의 소송 형식인 공법상의 당사자소송으로 그 의사표시의 무효확인을 청구할 수 없고 행정처분을 전제한 항고소송을 제기하여야 한다.

ㄷ. 청구취지를 변경하여 종전의 소가 취하되고 새로운 소가 제기된 것으로 변경되었다면 새로운 소에 대한 제소기간 준수 여부는 원칙적으로 소의 변경이 있은 때를 기준으로 한다.

ㄹ. 재단법인의 정관변경 시 정관변경 결의의 하자가 있는 경우에 주무부장관의 인가가 있게 되면 정관변경 결의가 유효한 것으로 될 수 있다.

① ㄱ, ㄴ　　② ㄴ, ㄷ

③ ㄷ, ㄹ　　④ ㄱ, ㄷ

정답과 해설편 ▶ P.40

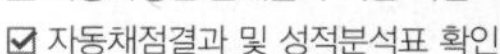


# 2019 | 소방위 행정법

☑ QR코드 스캔 후 모바일 OMR에 답안 입력
☑ 자동측정된 문제풀이 시간 확인
☑ 자동채점결과 및 성적분석표 확인

※ 2019 소방위(소방 승진) 기출복원문제는 시험 응시자들과 집필진의 기억을 토대로 행정법총론에 해당하는 20문항을 재구성하였습니다. 실제 기출문제와는 다소 차이가 있을 수 있음을 알려드립니다.

## 01

「행정절차법」의 내용으로 옳지 않은 것은?

① 행정청은 소속 직원 외의 자 또는 대통령령으로 정하는 자격을 가진 사람 중에서 청문 주재자를 공정하게 선정하여야 한다.
② 행정청은 청문이 시작되는 날부터 7일 전까지 청문 주재자에게 청문과 관련한 필요한 자료를 미리 통지하여야 한다.
③ 행정청은 처분을 할 때에 당사자 등이 제출한 의견이 상당한 이유가 있다고 인정하는 경우에는 이를 반영하여야 한다.
④ 청문 주재자는 직권으로 또는 당사자의 신청에 따라 필요한 조사를 할 수 있으며, 당사자 등이 주장하지 아니한 사실에 대하여도 조사할 수 있다.

## 02

「행정소송법」에 관한 내용으로 옳은 것은?

① 「행정소송법」상의 기간의 계산에 있어서 국외에서의 소송행위 추완에 있어서는 그 기간을 30일로, 제3자에 의한 재심청구에 있어서는 그 기간을 60일로, 소의 제기에 있어서는 그 기간을 90일로 한다.
② 토지의 수용 기타 부동산 또는 특정의 장소에 관계되는 처분 등에 대한 취소소송은 그 부동산 또는 장소의 소재지를 관할하는 행정법원에 이를 제기하여야 한다.
③ 법원은 직권으로 재결을 행한 행정청에 대하여 행정심판에 관한 기록의 제출을 명할 수 있다.
④ 법원은 당사자가 주장하지 아니한 사실에 대하여는 판단할 수 없다.

## 03

행정소송에서의 당사자와 관련된 내용으로 옳지 않은 것은? (다툼이 있는 경우 판례에 의함)

① 행정청이 영업허가신청 반려처분의 취소를 구하는 소의 계속 중 사정변경을 이유로 위 반려처분을 직권취소함과 동시에 위 신청을 재반려하는 내용의 재처분을 한 경우 당초의 반려처분의 취소를 구하는 경우에는 법률상 이익이 인정되지 않는다.
② 법인세 과세표준과 관련하여 과세관청이 법인의 소득처분 상대방에 대한 소득처분을 경정하면서 증액과 감액을 동시에 한 결과 전체로서 소득처분금액이 감소된 경우, 법인이 소득금액변동통지의 취소를 구할 소의 이익이 없다.
③ 우리 「출입국관리법」의 해석상 외국인에게는 상호주의 등을 고려하면 사증발급 거부처분의 취소를 구할 법률상 이익이 인정된다.
④ 처분의 근거 법규 또는 관련 법규에 그 처분으로써 이루어지는 행위 등 사업으로 인하여 환경상 침해를 받으리라고 예상되는 영향권의 범위가 구체적으로 규정되어 있는 경우, 그 영향권 내의 주민들에 대하여는 특단의 사정이 없는 한 환경상 이익에 대한 침해 또는 침해우려가 있는 것으로 사실상 추정된다.

## 04

**처분의 근거법이 헌법재판소에 의하여 위헌결정을 받은 경우에 대한 설명으로 옳지 않은 것은? (다툼이 있는 경우 판례에 의함)**

① 조세 부과의 근거가 되었던 법률규정이 위헌으로 선언된 이후, 조세채권의 집행을 위한 새로운 체납처분에 착수하거나 이를 속행한다면 위법하여 무효에 해당한다.

② 처분의 근거법이 헌법재판소에 의해 위헌결정을 받은 경우에 일정한 경우에는 처분을 무효로 볼 수 있다는 견해도 있다.

③ 헌법재판소의 위헌결정의 효력은 위헌제청을 한 당해 사건은 물론 위헌제청신청은 아니하였지만 당해 법률 또는 법률의 조항이 재판의 전제가 되어 법원에 계속 중인 사건에도 미친다.

④ 대법원은 행정처분이 발하여진 후에 그 행정처분의 근거가 된 법률이 위헌으로 결정된 경우, 그 행정처분의 근거가 되는 법률이 헌법에 위반된다는 사유는 특별한 사정이 없는 한 그 행정처분의 무효소송의 전제가 될 수 있다고 한다.

## 05

**행정행위의 효력의 흠결에 대한 설명으로 옳은 것은? (다툼이 있는 경우 판례에 의함)**

ㄱ. 권한의 내부위임의 경우에 수임관청은 위임관청의 이름으로만 그 권한을 행사할 수 있을 뿐 자기의 이름으로는 그 권한을 행사할 수 없고 자기의 명의로 처분을 하였다면 이는 무효에 해당된다.
ㄴ. 행정관청 내부의 사무처리규정에 불과한 전결규정에 위반하여 원래의 전결권자 아닌 보조기관 등이 처분권자인 행정관청의 이름으로 행정처분을 하였다고 하더라도 그 처분은 권한 없는 자에 의하여 행하여진 무효의 처분이다.
ㄷ. 5급 이상의 국가정보원 직원에 대한 의원면직처분이 임면권자인 대통령이 아닌 국가정보원장에 의해 행해진 것이라도 이를 무효라 할 수 없다.
ㄹ. 무효인 조례에 근거한 구청장의 관리처분계획인가 처분은 그 하자가 중대하고 명백하여 무효에 해당한다.

① ㄱ, ㄴ　　② ㄱ, ㄷ
③ ㄴ, ㄹ　　④ ㄷ, ㄹ

## 06

**「개인정보 보호법」에 대한 내용으로 옳지 않은 것은?**

① 개인정보보호위원회의 위원장의 임기는 3년이며 한 차례 연임할 수 있다.

② 개인정보보호위원회 위원에게 심의·의결의 공정을 기대하기 어려운 사정이 있는 경우 당사자는 기피 신청을 할 수 있고, 보호위원회는 의결로 이를 결정한다.

③ 개인정보처리자는 개인정보의 처리 목적에 필요한 범위에서 개인정보의 정확성, 완전성 및 최신성이 보장되도록 하여야 한다.

④ 법령에 별도의 규정이 있거나 제3자가 정보주체로부터의 동의를 별도로 받는 경우에는 개인정보처리자는 제3자에게 개인정보를 제공할 수 있다.

## 07

**「공공기관의 정보공개에 관한 법률」에 대한 설명으로 옳은 것은? (다툼이 있는 경우 판례에 의함)**

① 공개를 구하는 정보를 공공기관이 한때 보유·관리하였으나 후에 그 정보가 폐기되어 존재하지 않게 되었다면 그 정보를 보유·관리하고 있지 않다는 점에 대한 증명책임은 공공기관에 있다.

② 정보공개와 관련된 법률이 정보공개청구권의 행사와 관련하여 정보의 사용 목적 등에 제한을 두고 있지 아니하더라도, 국민의 정보공개청구는 원칙적으로 엄격하게 제한되어야 한다.

③ 판례에 따르면 자연인과 법인은 정보공개를 청구할 권리를 갖지만 권리능력 없는 사단은 그러하지 아니하다.

④ 지방자치단체의 업무추진비 세부항목별 집행내역 및 증빙서류에 포함된 개인에 관한 정보는 '공개하는 것이 공익을 위하여 필요하다고 인정되는 정보'에 해당된다.

## 08

**「행정소송법」상의 집행정지에 대한 설명으로 옳지 않은 것은? (다툼이 있는 경우 판례에 의함)**

① 집행정지는 본안소송이 계속진행 중이어야 한다.
② 「행정소송법」에 집행정지는 처분의 위법성이 명백한 경우에 가능하다는 규정을 명문으로 두고 있다.
③ 「행정소송법」에서 정하고 있는 집행정지 요건인 '회복하기 어려운 손해'란 특별한 사정이 없는 한 금전으로 보상할 수 없는 손해를 의미한다.
④ 집행정지의 결정 또는 기각의 결정에 대하여는 즉시항고할 수 있고 집행정지의 결정에 대한 즉시항고에는 결정의 집행을 정지하는 효력이 없다.

## 09

**준법률행위적 행정행위의 내용과 관련된 설명으로 옳지 않은 것은? (다툼이 있는 경우 판례에 의함)**

① 토지대장을 직권으로 말소한 행위는 국민의 권리관계에 영향을 미치는 행정처분에 해당한다.
② 무허가건물을 무허가건물관리대장에서 삭제하는 행위는 다른 특별한 사정이 없는 한 항고소송의 대상이 되는 행정처분이 아니다.
③ 지적공부 소관청의 지목변경신청 반려행위는 국민의 권리관계에 영향을 미치는 것으로서 항고소송의 대상이 되는 행정처분에 해당한다.
④ 당연퇴직의 통보는 퇴직사유를 공적으로 확인하여 알려 주는 사실의 통보에 불과한 것이 아니라 통보를 통해 신분에 변화가 발생하는 형성적 작용으로 독립된 소송대상인 처분이다.

## 10

**행정대집행에 대한 설명으로 옳지 않은 것은? (다툼이 있는 경우 판례에 의함)**

① 관계 법령상 행정대집행의 절차가 인정되어 행정청이 행정대집행의 방법으로 건물 철거 등 대체적 작위의무의 이행을 실현할 수 있는 경우에는 따로 민사소송의 방법으로 그 의무의 이행을 구할 수 없다.
② 위법건축물에 대한 철거명령 및 계고처분을 한 경우에 제2차, 제3차의 후행 계고처분은 행정처분에 해당하지 아니한다.
③ 철거대상 건물의 점유자들이 적법한 행정대집행을 위력을 행사하여 방해하더라도, 행정청은 개별적인 법적 근거가 없으면 경찰의 도움을 받을 수 없다.
④ 장례식장의 사용중지의무는 타인이 대신할 수도 없고 타인이 대신하여 행할 수 있는 행위라고도 할 수 없는 비대체적 부작위의무이기 때문에 대집행의 대상이 되지 않는다.

## 11

**「행정심판법」상의 내용으로 옳지 않은 것은?**

① 법인이 아닌 사단 또는 재단으로서 대표자나 관리인이 정하여져 있는 경우에는 그 사단이나 재단의 이름으로 심판청구를 할 수 있다.
② 위원회는 심판청구가 적법하지 아니하나 보정(補正)할 수 있다고 인정하면 기간을 정하여 청구인에게 보정할 것을 요구할 수 있다.
③ 행정심판에서의 임시처분은 집행정지로 목적을 달성할 수 있는 경우에도 허용될 수 있다.
④ 위원회는 필요하면 관련되는 심판청구를 병합하여 심리하거나 병합된 관련 청구를 분리하여 심리할 수 있다.

## 12

**신고에 대한 내용으로 옳지 않은 것은? (다툼이 있는 경우 판례에 의함)**

① 납골당설치 신고에서의 수리란 신고를 유효한 것으로 판단하고 법령에 의하여 처리할 의사로 이를 수령하는 수동적 행위이므로 수리행위에 신고필증 교부 등 행위가 반드시 필요하다.
② (구)「체육시설의 설치·이용에 관한 법률」에 의한 골프장이용료 변경신고서는 행정청에 제출하여 접수한 때에 신고가 있었다고 볼 것이고, 행정청의 수리행위가 있어야만 하는 것은 아니다.
③ 「유통산업발전법」상 대규모점포의 개설 등록은 이른바 '수리를 요하는 신고'로서 행정처분에 해당한다.
④ 「주민등록법」상의 전입신고를 받은 시장·군수 또는 구청장의 심사 대상은 전입신고자가 30일 이상 생활의 근거지로 거주할 목적으로 거주지를 옮기는지 여부만으로 제한된다.

## 13

**부관에 대한 설명으로 옳은 것은? (다툼이 있는 경우 판례에 의함)**

ㄱ. 공유수면매립준공인가 중 매립지 일부에 대하여 한 국가귀속처분에 대하여 독립하여 행정소송의 대상으로 삼을 수 없다.
ㄴ. 취소소송에 의하지 않으면 권리구제를 받을 수 없는 경우에는, 부담이 아닌 부관이라 하더라도 그 부관만을 대상으로 취소소송을 제기하는 것이 허용된다.
ㄷ. 행정처분과의 실제적 관련성이 없어 부관으로 붙일 수 없는 부담은 사법상 계약의 형식으로는 부과할 수 있다.
ㄹ. 행정처분에 붙인 부담이 무효가 되더라도 그 부담의 이행으로 한 사법상 법률행위가 항상 무효가 되는 것은 아니다.

① ㄱ, ㄴ
② ㄴ, ㄷ
③ ㄷ, ㄹ
④ ㄱ, ㄹ

## 14

**대법원의 판례에 의하여 하자의 승계가 인정된 것으로 옳은 것은?**

① 과세처분과 체납처분
② 개별공시지가결정과 양도소득세 부과처분
③ 표준공시지가와 개별공시지가
④ (구)「병역법」상 보충역편입처분과 공익근무요원소집처분

## 15

**행정심판과 관련된 설명으로 옳지 않은 것은?**

① 「행정심판법」에 행정심판의 종류로 당사자심판이 규정되어 있다.
② 행정심판의 결과에 이해관계가 있는 제3자나 행정청은 해당 심판청구에 대한 위원회나 소위원회의 의결이 있기 전까지 그 사건에 대하여 심판참가를 할 수 있다.
③ 심판청구는 서면으로 하여야 한다.
④ 청구인이 경제적 능력으로 인해 대리인을 선임할 수 없는 경우에는 위원회에 국선대리인을 선임하여 줄 것을 신청할 수 있다.

## 16

**「질서위반행위규제법」의 내용으로 옳지 않은 것은?**

① 신분에 의하여 성립하는 질서위반행위에 신분이 없는 자가 가담한 때에는 신분이 없는 자에 대하여도 질서위반행위가 성립한다.
② 행정질서벌인 과태료는 객관적인 사실에 대해 부과하는 제재로서 고의나 과실이 없어도 부과할 수 있다.
③ 행정청이 질서위반행위에 대하여 과태료를 부과하고자 하는 때에는 미리 당사자에게 대통령령으로 정하는 사항을 통지하고, 10일 이상의 기간을 정하여 의견을 제출할 기회를 주어야 한다.
④ 행정청의 과태료 부과에 불복하는 당사자는 과태료 부과 통지를 받은 날부터 60일 이내에 해당 행정청에 서면으로 이의제기를 할 수 있고 이에 행정청의 과태료 부과처분은 그 효력을 상실한다.

## 17

**통치행위에 대한 설명으로 옳지 않은 것은?**

① 대통령의 긴급재정경제명령은 고도의 정치적 결단에 의하여 발동되는 통치행위에 속하지만 그것이 국민의 기본권 침해와 직접 관련되는 경우에는 당연히 헌법재판소의 심판대상이 된다.
② 비상계엄의 선포와 그 확대행위가 국헌문란의 목적을 달성하기 위하여 행하여진 경우 법원은 그 자체가 범죄행위에 해당하는지 여부에 관하여 심사할 수 있다.
③ 남북정상회담의 개최는 고도의 정치적 성격을 지니고 있는 행위라 할 것이므로, 회담의 개최과정에서 (구)재정경제부장관에게 신고하지 아니하거나 통일부장관의 협력사업 승인을 얻지 아니한 채 북한 측에 사업권의 대가 명목으로 송금한 행위 자체는 사법심사의 대상이 되지 아니한다.
④ 대통령의 서훈취소는 통치행위로 인정될 수 없다.

## 18

**「국가배상법」 제5조와 관련된 설명으로 옳지 않은 것은? (다툼이 있는 경우 판례에 의함)**

① 영조물의 설치·관리와 이에 대한 비용을 부담하는 자가 동일하지 아니한 경우에 교통신호기를 관리하는 지방경찰청장 산하 경찰관들에 대한 봉급을 부담하는 국가는 「국가배상법」 제6조 제1항에 의한 배상책임을 부담하지 않는다.
② 사격장에서 발생하는 소음 등으로 지역주민들이 입은 피해가 수인한도를 넘는 경우 사격장의 설치 또는 관리에 하자가 있다.
③ 객관적으로 보아 시간적·장소적으로 영조물의 기능상 결함으로 인한 손해발생의 예견가능성과 회피가능성이 없는 경우에는 영조물의 설치·관리상의 하자를 인정할 수 없다.
④ 소음 등을 포함한 공해 등의 위험지역으로 이주하여 거주하는 것이 피해자가 위험의 존재를 인식하고 그로 인한 피해를 용인하면서 접근한 것이라고 볼 수 있는 경우 가해자의 면책이 인정될 수 있다.

## 19

**다음 중 판례의 입장과 일치하지 않는 것은?**

ㄱ. 구청장이 사회복지법인에 특별감사 결과 지적사항에 대한 시정지시와 그 결과를 관계서류와 함께 보고하도록 지시한 것은 항고소송 대상인 처분이라 할 수 없다.
ㄴ. 국세청이 국세체납을 이유로 토지를 압류하고 공매처분한 경우, 그 소유권자는 국가 또는 매수인을 상대로 부당이득반환청구의 소나 소유권이전등기말소청구의 소를 제기하여 직접 위법상태를 제거할 수 있는지 여부에 관계없이 압류처분 및 매각처분에 대한 무효확인을 구할 수 있다.
ㄷ. 행정청이 당사자와 사이에 도시계획사업의 시행과 관련한 협약을 체결하면서 관계 법령 및 「행정절차법」에 규정된 청문의 실시 등 의견청취절차를 배제하는 조항을 두었다면 청문을 실시하지 않아도 되는 예외적인 경우에 해당한다.
ㄹ. 법규명령의 일부가 상위법률에 위반되는 경우에 해당 법규명령은 무효가 된다.

① ㄱ, ㄴ
② ㄴ, ㄷ
③ ㄱ, ㄷ
④ ㄴ, ㄹ

## 20

**행정상 법률관계 중 공법관계에 해당되지 않는 것은? (다툼이 있는 경우 판례에 의함)**

① 국유재산 무단점유자에 대한 변상금부과처분
② 「하천구역편입토지보상에 관한 특별조치법」 제2조 제1항의 규정에 의한 손실보상금의 지급청구
③ 공유재산의 관리청이 행하는 행정재산의 사용·수익에 대한 허가
④ 조세과오납에 따른 부당이득반환청구

정답과 해설편 ▶ P.50

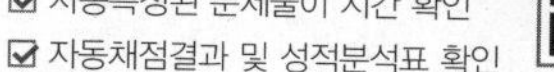


# 2018 | 소방위 행정법

☑ QR코드 스캔 후 모바일 OMR에 답안 입력
☑ 자동측정된 문제풀이 시간 확인
☑ 자동채점결과 및 성적분석표 확인

※ 2018 소방위(소방 승진) 기출복원문제는 시험 응시자들과 집필진의 기억을 토대로 행정법총론에 해당하는 20문항을 재구성하였습니다. 실제 기출문제와는 다소 차이가 있을 수 있음을 알려드립니다.

## 01

**재량과 기속에 대한 내용으로 옳지 않은 것은? (다툼이 있는 경우 판례에 의함)**

① 행정행위가 기속행위 내지 기속재량행위와 재량행위 내지 자유재량행위로 구분된다고 할 때, 그 구분은 당해 행위의 근거가 된 법규의 체재·형식과 문언, 당해 행위가 속하는 행정 분야의 주된 목적과 특성, 당해 행위 자체의 개별적 성질과 유형 등을 모두 고려하여 판단하여야 한다.

② (구)「문화재보호법」 제44조 제1항 단서 제3호의 규정에 의한 '건설공사를 계속하기 위한 고분발굴허가'는 기속이다.

③ (구)「도시계획법」상의 개발제한구역 내에서의 건축물 용도변경에 대한 허가는 예외적 허가로서 재량행위에 해당한다.

④ 의제되는 인·허가가 재량행위인 경우에는 주된 인·허가가 기속행위인 경우에도 인·허가가 의제되는 한도 내에서 재량행위로 보아야 한다.

## 02

**행정의 실효성 확보수단 중 이행강제금에 대한 설명으로 옳지 않은 것은? (다툼이 있는 경우 판례에 의함)**

① 이행강제금은 형벌과 병과된다고 해도 이중처벌금지원칙에 반하지 않는다.

② 이행강제금은 비대체적 작위의무 위반에만 부과되는 것은 아니고 대체적 작위의무의 위반에도 부과될 수 있다.

③ 「건축법」 제80조 제6항에 따르면 시정명령을 받은 자가 시정명령을 이행한 경우에는 더 이상 이행강제금을 부과하지 않지만, 이미 부과한 이행강제금은 징수한다.

④ 「건축법」상의 이행강제금은 간접강제의 일종으로서 그 이행강제금 납부의무는 상속될 수 있는 것이라서 이미 사망한 사람에게 이행강제금을 부과하는 내용의 처분을 위법이라 할 수 없다.

## 03

**행정작용에 대한 설명들 중 옳지 않은 것은? (다툼이 있는 경우 판례에 의함)**

① 실권리자명의 등기의무를 위반한 명의신탁자에 대하여 부과하는 과징금의 감경에 근거법령상에 임의적 감경에 대한 규정이 있다면 감경사유가 있음에도 이를 전혀 고려하지 않았거나 감경사유에 해당하지 않는다고 오인한 나머지 과징금을 감경하지 않았다면 그 과징금 부과처분은 재량권을 일탈·남용한 위법한 처분이다.

② (구)「영유아보육법」 제45조 제1항 각 호의 사유가 인정되는 경우, 행정청에 어린이집 운영정지 처분을 할 것인지 또는 이에 갈음하여 과징금을 부과할 것인지를 선택할 수 있는 재량이 인정될 수 없다.

③ 자동차운수사업면허조건 등을 위반한 사업자에 대한 과징금 부과처분이 법이 정한 한도액을 초과하여 위법한 경우 법원은 그 처분 전부를 취소하여야 한다.

④ 같은 위반행위에 대하여 과징금과 벌금은 동시에 부과할 수 있다.

## 04

**손실보상에 대한 내용으로 옳지 않은 것은? (다툼이 있는 경우 판례에 의함)**

① 주거용 건물의 거주자에 대하여는 주거 이전에 필요한 비용과 가재도구 등 동산의 운반에 필요한 비용과 정신적 피해까지 보상하여야 한다.
② 토지수용 보상액 산정 시 당해 공공사업의 시행을 직접 목적으로 하는 계획의 승인·고시로 인한 가격변동을 고려하지 않아야 한다.
③ (구)「하천법」상 하천구역 편입토지에 대한 손실보상청구는 공법상의 권리라고 보아 당사자소송에 의하여야 한다.
④ 표준지공시지가결정에 위법이 있는 경우 수용보상금의 증액을 구하는 소송에서 수용대상 토지가격 산정의 기초가 된 비교표준지공시지가결정의 위법을 독립된 사유로 주장할 수 있다.

## 05

**「행정심판법」의 내용으로 옳지 않은 것은?**

① 행정심판에서의 서류의 송달에 관하여는 「민사소송법」 중 송달에 관한 규정을 준용한다.
② 심판청구에 대한 재결이 있으면 그 재결 및 같은 처분 또는 부작위에 대하여 다시 행정심판을 청구할 수 없다.
③ 중앙행정심판위원회는 심판청구를 심리·재결할 때에 처분 또는 부작위의 근거가 되는 명령 등이 법령에 근거가 없는 경우에 법제처에 그 명령 등의 개정·폐지 등 적절한 시정조치를 요청할 수 있다.
④ 위원회는 심판청구의 대상이 되는 처분 또는 부작위 외의 사항에 대하여는 재결하지 못한다.

## 06

**정보공개제도와 관련된 설명으로 옳지 않은 것은? (다툼이 있는 경우 판례에 의함)**

① 다른 법률 또는 법률에서 위임한 부령에 따라 비밀이나 비공개 사항으로 규정된 정보는 비공개 대상에 해당한다.
② 사립대학교에 정보공개를 청구하였다가 거부되면 사립대학교 총장을 피고로 하여 취소소송을 제기할 수 있다.
③ 공공기관이 공개청구대상 정보를 신청한 공개방법 이외의 방법으로 공개하는 결정을 한 경우, 정보공개청구 중 정보공개방법 부분에 대하여 일부 거부처분을 한 것이다.
④ 정보공개청구권자에는 자연인은 물론 법인, 권리능력 없는 사단·재단도 포함되고, 법인, 권리능력 없는 사단·재단 등의 경우에는 설립목적을 불문한다.

## 07

**행정법의 법원(法源)에 대한 내용으로 옳지 않은 것은?**

① 「수산업법」은 민중적 관습법인 입어권의 존재를 명문으로 인정하고 있다.
② 일반적으로 헌법재판소의 위헌결정은 행정법의 법원성을 인정하지 않는다.
③ 행정법은 통일적인 법전이 없는 것이 특징이다.
④ 관습법의 효력에 대하여는 성문법이 없는 경우에 보충적 효력만을 인정하는 견해가 일반적이다.

## 08

**「행정절차법」과 관련된 내용으로 옳은 것은? (다툼이 있는 경우 판례에 의함)**

ㄱ. 신청한 내용을 그대로 모두 인정하는 처분의 경우에 당사자가 이유제시를 요청하여도 이유제시를 하지 않을 수 있다.
ㄴ. (구)「군인사법」상 보직해임처분에 처분의 근거와 이유제시 등에 관한 (구)「행정절차법」의 규정을 적용하지 않은 처분은 위법하다.
ㄷ. 상대방의 귀책사유로 야기된 처분의 하자를 이유로 수익적 행정행위를 취소하는 경우에는 특별한 규정이 없는 한 「행정절차법」상 사전통지의 대상이 되지 않는다.
ㄹ. 자격의 박탈을 내용으로 하는 처분의 상대방은 처분의 근거 법률에 청문을 하도록 규정되어 있지 않더라도 「행정절차법」에 따라 청문을 신청할 수 있다.

① ㄱ, ㄴ
② ㄴ, ㄷ
③ ㄷ, ㄹ
④ ㄱ, ㄹ

## 09

**다음의 제시된 내용에 해당되는 행정법의 일반원칙으로 옳은 것은?**

**「경찰관 직무집행법」 제1조【목적】** 이 법에 규정된 경찰관의 직권은 그 직무 수행에 필요한 최소한도에서 행사되어야 하며 남용되어서는 아니 된다.

① 신뢰보호의 원칙
② 비례원칙(과잉금지원칙)
③ 자기구속의 법리
④ 부당결부금지원칙

## 10

**행정지도에 대한 내용으로 옳지 않은 것은? (다툼이 있는 경우 판례에 의함)**

① 세무당국이 주류거래를 일정기간 중지하여 줄 것을 요청한 행위는 항고소송의 대상이 되지 않는다.
② 교육인적자원부장관의 대학총장들에 대한 학칙시정요구는 법령에 따른 것으로 행정지도의 일종이지만, 단순한 행정지도로서의 한계를 넘어 헌법소원의 대상이 되는 공권력의 행사라고 볼 수 있다.
③ 행정기관이 같은 행정목적을 실현하기 위하여 많은 상대방에게 행정지도를 하려는 경우에는 특별한 사정이 없으면 행정지도에 공통적인 내용이 되는 사항을 공표할 수 있다.
④ 행정기관은 행정지도의 상대방이 행정지도에 따르지 않았다는 것을 이유로 불이익한 조치를 하여서는 아니 된다.

## 11

**행정행위의 하자에 대한 설명으로 옳지 않은 것은? (다툼이 있는 경우 판례에 의함)**

① 행정처분을 한 처분청은 그 처분에 하자가 있는 경우에도 이해관계인에게는 처분청에 대하여 그 취소를 요구할 신청권이 부여된 것으로 볼 수 없다.
② 행정행위의 하자에 대한 치유는 적어도 사실심 변론종결 시까지는 인정될 수 있다.
③ 행정행위의 처분권자는 취소사유가 있는 경우 별도의 법적 근거가 없더라도 직권취소를 할 수 있다.
④ 행정청이 청문절차를 이행함에 있어 청문서 도달기간을 다소 어겼지만 영업자가 이의하지 아니한 채 청문일에 출석하여 의견을 진술하고 변명하는 등 방어의 기회를 충분히 가졌다면 청문서 도달기간을 준수하지 아니한 하자는 치유되었다고 본다.

## 12

**행정행위의 존속력(확정력)에 대한 설명으로 옳지 않은 것은?**

① 행정행위에 불가변력의 효력이 발생하는 경우에 처분의 상대방은 쟁송을 제기할 수 없다.
② 불가쟁력이 발생한 행위라도 행정청은 직권으로 취소할 수 있다.
③ 처분의 불복기간이 도과된 경우에 처분의 기초가 된 사실관계나 법률적 판단이 확정되는 것은 아니다.
④ 과세처분에 대해 이의신청을 하고 이에 따라 직권취소가 이루어졌다면 특별한 사정이 없는 한 불가변력이 발생한다.

## 13

**행정벌에 대한 내용으로 옳지 않은 것은? (다툼이 있는 경우 판례에 의함)**

① 영업주에 대한 양벌규정이 존재하는 경우, 영업주의 처벌은 금지위반 행위자인 종업원의 범죄성립이나 처벌을 전제로 하지 않는다.
② 행정청의 과태료 부과에 불복하는 당사자는 과태료 부과 통지를 받은 날부터 60일 이내에 해당 행정청에 서면으로 이의제기를 할 수 있다.
③ 통고처분도 행정청의 공권력 행사로서 헌법소원대상이 된다.
④ (구)「대기환경보전법」에 따라 배출허용기준을 초과하는 배출가스를 배출하는 자동차를 운행하는 행위를 처벌하는 규정은 과실범의 경우에도 적용된다.

## 14

**부당결부금지원칙과 관련된 내용으로 옳지 않은 것은? (다툼이 있는 경우 판례에 의함)**

① 지방자치단체장이 사업자에게 주택사업계획승인을 하면서 그 주택사업과는 아무런 관련이 없는 토지를 기부채납하도록 하는 부관을 주택사업계획승인에 붙인 경우, 그 부관은 부당결부금지의 원칙에 위반되어 위법하다.
② 행정처분과 부관 사이에 실제적 관련성이 있다고 볼 수 없는 경우 공무원이 위와 같은 공법상의 제한을 회피할 목적으로 행정처분의 상대방과 사이에 사법상 계약을 체결하는 형식을 취하였다면 이는 법치행정의 원리에 반하는 것으로서 위법하다.
③ 고속국도 관리청이 고속도로 부지와 접도구역에 송유관 매설을 허가하면서 상대방과의 협약에 따라 시설을 이전하게 될 경우 그 비용을 상대방에게 부담하도록 하였는데, 그 후 법령이 개정되어 관리청의 허가 없이도 송유관을 매설할 수 있게 되었다면 협약에 포함된 부관은 부당결부금지의 원칙에도 반하게 된다.
④ 부당결부금지의 원칙이란 행정주체가 행정작용을 함에 있어 실질적인 관련이 없는 공권력을 행사할 수 없다는 것을 말한다.

## 15

**「공공기관의 정보공개에 관한 법률」에 대한 내용으로 옳지 않은 것은? (다툼이 있는 경우 판례에 의함)**

① 청구대상 정보를 기재할 때에는 사회일반인의 관점에서 청구대상 정보의 내용과 범위를 확정할 수 있을 정도로 공공기관이 특정하여야 한다.
② 국민의 정보공개청구권은 법률상 보호되는 구체적인 권리이므로, 공공기관에 대하여 정보의 공개를 청구하였다가 공개거부처분을 받은 청구인은 행정소송을 통하여 그 공개거부처분의 취소를 구할 법률상의 이익이 있다.
③ 정보공개법상 공개청구의 대상이 되는 정보에 해당하는 문서가 원본이어야 할 필요는 없다.
④ 공공기관은 전자적 형태로 보유·관리하는 정보에 대하여 청구인이 전자적 형태로 공개를 요청하는 경우에는 원칙적으로 이에 응하여야 한다.

## 16

**국가배상과 관련된 내용으로 옳지 않은 것은? (다툼이 있는 경우 판례에 의함)**

① 재판에 대하여 불복절차 내지 시정절차 자체가 없는 경우, 부당한 재판으로 인하여 불이익 내지 손해를 입은 사람에게는 배상책임의 요건이 충족되는 한 국가배상책임이 인정될 수 있다.
② 특별한 사정이 없는 한 일반적으로 공무원이 관계 법규를 알지 못하거나 필요한 지식을 갖추지 못하고 법규의 해석을 그르쳐 행정처분을 하였다면 그가 법률전문가가 아닌 행정직 공무원이라도 과실이 있다.
③ 인사업무담당 공무원이 다른 공무원의 공무원증 등을 위조한 행위는 실질적으로 직무행위에 속하지 아니한다 할지라도 외관상으로는 「국가배상법」상의 직무집행에 해당한다.
④ 공무원에는 널리 공무를 위탁받아 실질적으로 공무에 종사하고 있는 일체의 자가 포함되지만, 공무의 위탁이 일시적이고 한정적인 사항에 관한 활동을 위한 것인 경우에는 공무원에 해당하지 않는다.

## 17

**다음 제시된 것들 중 처분성이 인정된 것은?**

ㄱ. 「국가균형발전 특별법」에 따른 혁신도시 최종입지 선정행위
ㄴ. 교도소장이 수형자 갑을 '접견 내용 녹음·녹화 및 접견 시 교도관 참여대상자'로 지정
ㄷ. 토지대장상의 소유자명의변경신청의 거부
ㄹ. 검사의 불기소결정

① ㄱ　② ㄴ
③ ㄱ, ㄷ　④ ㄴ, ㄹ

## 18

**행정강제와 관련된 내용으로 옳지 않은 것은? (다툼이 있는 경우 판례에 의함)**

① 행정대집행의 실행은 해가 지기 전 상태에서 대집행이 시행되었으면, 해가 진 뒤에도 대집행의 실행이 가능하다.
② 공법인이 대집행권한을 위탁받아 공무인 대집행 실시에 지출한 비용을 「행정대집행법」에 따라 강제징수할 수 있음에도 민사소송절차에 의하여 상환을 청구하는 것은 허용되지 않는다.
③ 즉시강제의 집행은 즉시강제의 특성상 엄격한 법적 근거를 요하지 않는다.
④ 하나의 납세고지서에 의하여 본세와 가산세를 함께 부과할 때 납세고지서에 본세와 가산세 각각의 세액과 산출근거 등을 구분하여 기재하여야 한다.

## 19

**「질서위반행위규제법」에 대한 내용으로 옳지 않은 것은?**

① 행정청의 과태료 처분이나 법원의 과태료 재판이 확정된 후 법률이 변경되어 그 행위가 질서위반행위에 해당하지 아니하게 된 때에는 변경된 법률에 특별한 규정이 없는 한 과태료의 징수 또는 집행을 면제한다.
② 자신의 행위가 위법하지 아니한 것으로 오인하고 행한 질서위반행위는 그 오인에 정당한 이유가 있는 때에 한하여 과태료를 부과하지 아니한다.
③ 과태료의 부과·징수, 재판 및 집행 등의 절차에 관한 다른 법률의 규정 중 이 법의 규정에 저촉되는 것은 다른 법률로 정하는 바에 따른다.
④ 하나의 행위가 2 이상의 질서위반행위에 해당하는 경우에는 각 질서위반행위에 대하여 정한 과태료 중 가장 중한 과태료를 부과한다.

## 20

**강학상 인가가 아닌 것은? (다툼이 있는 경우 판례에 의함)**

① 재단법인의 정관변경 허가
② 학교법인의 임원취임승인처분
③ 주택개량재개발조합의 관리처분계획안에 대한 행정청의 인가
④ 토지 등 소유자들이 조합을 따로 설립하지 않고 직접 시행하는 도시환경정비사업에서 사업시행인가처분

정답과 해설편 ▶ P.59

1초 합격예측! 모바일 성적분석표

# 2017 | 소방위 행정법

☑ QR코드 스캔 후 모바일 OMR에 답안 입력
☑ 자동측정된 문제풀이 시간 확인
☑ 자동채점결과 및 성적분석표 확인

※ 2017 소방위(소방 승진) 기출복원문제는 시험 응시자들과 집필진의 기억을 토대로 행정법총론에 해당하는 20문항을 재구성하였습니다. 실제 기출문제와는 다소 차이가 있을 수 있음을 알려드립니다.

## 01

**다음 중 행정대집행이 가능한 것은? (다툼이 있는 경우 판례에 의함)**

ㄱ. 도시공원시설인 매점의 관리청이 그 점유자로부터 점유이전을 받고자 하는 경우
ㄴ. 건물의 용도에 위반되어 장례식장으로 사용하는 것을 중지 할 것을 명한 경우
ㄷ. 공유재산 대부계약 해지에 따른 묘목과 비닐하우스의 철거의무
ㄹ. 불법광고판의 철거의무

① ㄱ, ㄴ　② ㄱ, ㄹ
③ ㄴ, ㄷ　④ ㄷ, ㄹ

## 02

**준법률행위적 행정행위가 아닌 것은?**

① 인가　② 공증
③ 통지　④ 수리

## 03

**행정심판에 관한 내용으로 옳지 않은 것은? (다툼이 있는 경우 판례에 의함)**

① 재결에 의하여 취소되는 처분이 당사자의 신청을 거부하는 것을 내용으로 하는 경우에는 그 처분을 한 행정청은 재결의 취지에 따라 다시 이전의 신청에 대한 처분을 하여야 한다.
② 행정심판 청구서의 형식을 다 갖추지 않았다면 비록 그 문서 내용이 행정심판의 청구를 구하는 것을 내용으로 하더라도 부적법하다.
③ 법령의 규정에 따라 공고하거나 고시한 처분이 재결로써 취소되거나 변경되면 처분을 한 행정청은 지체 없이 그 처분이 취소 또는 변경되었다는 것을 공고하거나 고시하여야 한다.
④ 행정심판의 재결에 대해서는 다시 행정심판을 청구할 수 없다.

## 04

**공법상 계약에 대한 내용으로 옳지 않은 것은? (다툼이 있는 경우 판례에 의함)**

① 국가가 사인과 계약을 체결할 때에는 「국가를 당사자로 하는 계약에 관한 법률」에 따른 계약서를 따로 작성하는 등 그 요건과 절차를 이행하여야 한다.
② 공법상 계약에 대해서는 법원의 판결을 통해 강제집행을 할 수 없고, 특별한 규정이 없는 한 강제집행을 통해 계약의 내용을 이행하여야 한다.
③ 채용계약상 특별한 약정이 없는 한, 지방계약직 공무원에 대하여 「지방공무원법」, 「지방공무원 징계 및 소청 규정」에 정한 징계절차에 의하지 않고서는 보수를 삭감할 수 없다.
④ 공법상 채용계약에 대한 해지의 의사표시는 공무원에 대한 징계처분과 달라서 「행정절차법」에 의하여 그 근거와 이유를 제시하여야 하는 것은 아니다.

## 05

**부관에 대한 내용으로 옳지 않은 것은? (다툼이 있는 경우 판례에 의함)**

① 부관도 처분의 일부를 구성하고 있는 이상 행정소송을 통해 부관의 집행정지가 가능하다.
② 부관이 처분 당시의 법령으로 적법하였다면 처분 후 근거법령이 개정되어 더 이상 부관을 붙일 수 없게 되었다 해도 당초의 부관이 소급하여 효력이 소멸하는 것은 아니다.
③ 수익적 처분은 법적 근거가 없는 경우에는 부관을 붙일 수 없다.
④ 허가에 붙은 기한이 그 허가된 사업의 성질상 부당하게 짧은 경우에는 이를 그 허가 자체의 존속기간이 아니라 그 허가조건의 존속기간으로 본다.

## 06

**행정절차에서 사전통지를 생략할 수 있는 사유로 옳지 않은 것은? (다툼이 있는 경우 판례에 의함)**

① 법령 등에서 요구된 자격이 없거나 없어지게 되면 반드시 일정한 처분을 하여야 하는 경우에 그 자격이 없거나 없어지게 된 사실이 법원의 재판 등에 의하여 객관적으로 증명된 경우
② 신청 내용을 모두 그대로 인정하는 처분인 경우
③ 수익적 행정행위의 신청에 대한 거부처분
④ 공공의 안전 또는 복리를 위하여 긴급히 처분을 할 필요가 있는 경우

## 07

**행정입법에 대한 설명으로 옳은 것은? (다툼이 있는 경우 판례에 의함)**

① 법령의 위임이 없음에도 법령에 규정된 처분 요건에 해당하는 사항을 부령에서 변경하여 규정한 경우에는 그 부령의 규정은 행정청 내부의 사무처리 기준 등을 정한 것으로서 행정조직 내에서 적용되는 행정명령의 성격을 지닐 뿐이다.
② 행정소송에 대한 대법원 판결에 의하여 총리령이 법률에 위반된다는 것이 확정된 경우에는 대법원은 지체 없이 그 사유를 법제처장에게 통보하여야 한다.
③ 조례에 대한 법률의 위임은 반드시 구체적으로 범위를 정하여 해야 한다.
④ 행정입법에 대해서 헌법재판소는 헌법소원을 통하여 통제할 수 있으나 시행명령을 제정할 의무가 있음에도 명령제정을 거부하거나 입법부작위가 있는 경우에는 헌법소원의 대상이 되지 않는다.

## 08

**다음 중 행정행위 중 재량으로 볼 수 없는 것은? (다툼이 있는 경우 판례에 의함)**

ㄱ. 귀화허가
ㄴ. 일반음식점 영업허가
ㄷ. 「여객자동차 운수사업법」에 의한 개인택시운송사업 면허
ㄹ. 건축허가

① ㄱ, ㄴ　　② ㄱ, ㄷ
③ ㄴ, ㄹ　　④ ㄷ, ㄹ

## 09

**재량과 기속에 대한 설명으로 옳지 않은 것은? (다툼이 있는 경우 판례에 의함)**

① 대법원은 교과서검정과 관련된 사안에서 판단여지에 대해 적극적인 입장을 취하였다.
② 의제되는 인·허가가 재량행위인 경우에는 주된 인·허가가 기속행위인 경우에도 인·허가가 의제되는 한도 내에서 재량행위로 보아야 한다.
③ 「사회복지사업법」상 사회복지법인의 정관변경을 허가할 것인지 여부는 주무관청의 정책적판단에 따른 재량에 맡겨져 있다.
④ 재량행위에 대한 사법심사는 행정청의 재량에 기한 공익판단의 여지를 감안하여 법원이 독자의 결론을 도출함이 없이 당해 행위에 재량권의 일탈·남용이 있는지 여부를 심사한다.

## 10

**국가배상과 관련된 설명으로 옳지 않은 것은? (다툼이 있는 경우 판례에 의함)**

① 공무원이 관계 법규를 알지 못하거나 필요한 지식을 갖추지 못하고 법규의 해석을 그르쳐 행정처분을 했다면 전문가가 아닌 행정직 공무원이라 하여 과실이 없다고 할 수 없다.
② '직무행위'의 범위에는 원칙적으로 공법상 권력작용을 중심으로 하여 공법상 비권력적 작용과 사경제활동을 포함한다.
③ 행정처분이 항고소송에 의하여 취소된 경우 당해 행정처분은 곧바로 공무원의 고의 또는 과실로 인한 불법행위를 구성한다고 할 수 없다.
④ 공익근무요원은 「국가배상법」상 손해배상청구가 제한되는 군인·군무원·경찰공무원 또는 예비군대원에 해당한다고 할 수 없다.

## 11

**법치행정에 대한 내용으로 옳지 않은 것은? (다툼이 있는 경우 판례에 의함)**

① 법규에 명문의 근거가 없음에도 환경보전이라는 중대한 공익상의 이유로 산림훼손허가를 거부하는 것은 법률유보의 원칙에 반하지 않는다.
② 법률유보의 원칙은 행정권의 발동에 있어서 조직규범 외에 근거규범이 필요하다는 것을 말한다.
③ 헌법재판소는 텔레비전방송수신료금액의 결정과 관련하여 국민의 자유와 권리를 침해하는 행정은 법률에 근거를 필요로 한다는 침해유보설의 입장을 취하였다.
④ 수익적 처분에 대한 철회는 법적 근거가 없어도 가능하다.

## 12

**행정벌에 대한 내용으로 옳지 않은 것은? (다툼이 있는 경우 판례에 의함)**

① 영업주에 대한 양벌규정이 존재하는 경우, 영업주의 처벌은 금지위반 행위자인 종업원의 범죄성립이나 처벌을 전제로 하지 않는다.
② 「질서위반행위규제법」에 의하면 행정청은 질서위반행위가 종료된 날부터 5년이 경과한 경우에는 해당 질서위반행위에 대하여 과태료를 부과할 수 없다.
③ 과태료는 행정상의 질서유지를 위한 행정질서벌에 해당할 뿐이므로 죄형법정주의의 규율대상에 해당하지 아니한다.
④ 행정형벌과 행정질서벌은 행정의 직접적인 목적달성에 저해가 되어 부과되는 제재이다.

## 13

**하자의 승계와 관련된 내용으로 옳지 않은 것은? (다툼이 있는 경우 판례에 의함)**

① 직위해제처분과 이후에 이루어진 직권면직처분은 하자가 승계된다.
② 하자승계는 선행행위와 후행행위의 목적의 동일성이 같아야 인정되는 것이지만 별개의 목적을 가진 개별공시지가결정과 과세처분은 하자승계가 긍정된다.
③ 도시계획결정과 수용재결 사이에는 하자승계를 인정할 수 없다.
④ 관리처분계획에 불가쟁력이 생겨 그 효력을 다툴 수 없게 된 경우, 그의 하자를 후행처분인 청산금 부과처분에서 다툴 수 없다.

## 14

**확약에 대한 내용으로 옳지 않은 것은? (다툼이 있는 경우 판례에 의함)**

① 「행정절차법」은 확약에 관한 명문규정을 두고 있지 않다.
② 확약이 있은 후에 사실적 또는 법률적 상태의 변경이 있게 되면 확약은 그로써 실효된다.
③ 어업권면허에 우선하는 순위결정행위는 행정청의 공권력행사로서 항고소송 대상인 행정처분이다.
④ 명문의 근거규정이 없더라도 본 처분을 행할 수 있는 행정청은 그 확약도 할 수 있다.

## 15

**손실보상에 대한 설명으로 옳지 않은 것은? (다툼이 있는 경우 판례에 의함)**

① 민간사업시행자도 손실보상의 주체가 될 수 있다.
② 사업시행자에 의한 이주대책 수립·실시 및 이주대책의 내용에 관한 규정은 당사자의 합의에 의하여 적용을 배제할 수 없다.
③ 공익사업으로 인해 농업손실을 입은 자가 사업시행자에게서 「공익사업을 위한 토지 등의 취득 및 보상에 관한 법률」에 따른 보상을 받으려면 재결절차를 거쳐야 하고, 이를 거치지 않고 곧바로 민사소송으로 보상금을 청구하는 것은 허용되지 않는다.
④ 이주대책(생활대책) 선정기준에 해당하는 자가 자신을 생활대책대상자에서 제외한 경우에 사업시행자를 상대로 항고소송을 청구할 수 없다.

## 16

**정보공개와 관련 내용으로 옳은 것은 몇 개인가? (다툼이 있는 경우 판례에 의함)**

ㄱ. 공공기관은 정보공개의 청구를 받으면 그 청구를 받은 날부터 10일 이내에 공개 여부를 결정하여야 한다.
ㄴ. 공개청구된 정보가 인터넷을 통하여 공개되어 인터넷 검색을 통하여 쉽게 알 수 있다는 사정만으로 비공개 결정이 정당화될 수는 없다.
ㄷ. 공공기관은 공개 청구된 공개 대상 정보의 전부 또는 일부가 제3자와 관련이 있다고 인정할 때에는 그 사실을 제3자에게 통지할 의무는 없다.
ㄹ. 정보공개청구권을 가지는 국민에는 자연인은 물론 법인, 권리능력 없는 사단·재단도 포함되고, 법인, 권리능력 없는 사단·재단 등의 경우에는 설립목적을 불문한다.

① 1개 ② 2개
③ 3개 ④ 4개

## 17

**행정법의 효력과 관련된 내용으로 옳지 않은 것은? (다툼이 있는 경우 판례에 의함)**

① 행정법의 효력은 속인주의를 원칙으로 한다.
② 개인의 신뢰보호 요청에 우선하는 공익상의 사유가 있는 경우에는 진정 소급이 허용된다
③ 경과규정 등의 특별규정 없이 법령이 변경된 경우, 그 변경 전에 발생한 사항에 대하여 적용할 법령은 변경 전의 구 법령이다.
④ 조세법령의 폐지 또는 개정 전에 종결된 과세요건사실에 대해 개정 전의 법령을 적용하는 것은 조세법률주의에 반하지 않는다.

## 18

**「질서위반행위규제법」의 내용으로 옳지 않은 것은?**

① 행정청이 질서위반행위에 대하여 과태료를 부과하고자 하는 때에는 미리 당사자에게 통지하고, 10일 이상의 기간을 정하여 의견을 제출할 기회를 주어야 한다.
② 과태료는 객관적인 질서위반행위에 대한 사실에 기반을 두고 부과되는 것이라서 고의나 과실이 없는 경우에도 부과될 수 있다.
③ 행정청은 당사자가 의견 제출 기한 이내에 과태료를 자진하여 납부하고자 하는 경우에는 대통령령으로 정하는 바에 따라 과태료를 감경할 수 있다.
④ 과태료는 당사자가 과태료 부과처분에 대하여 이의를 제기하지 아니한 채 사망한 경우에는 그 상속재산에 대하여 집행할 수 있다.

## 19

**행정소송에 대한 설명으로 옳지 않은 것은? (다툼이 있는 경우 판례에 의함)**

① 공익근무요원의 소집해제신청이 거부되어 계속 근무하였고 복무기간 만료로 소집해제 처분을 받은 후에 위 거부 처분의 취소를 구하는 경우에는 소익이 없다.
② 권한의 내부위임이 있는 경우 내부수임기관이 착오 등으로 원처분청의 명의가 아닌 자기명의로 처분을 하였다면, 내부수임기관이 그 처분에 대한 항고소송의 피고가 된다.
③ 행정청이 금전 부과처분을 한 후 감액처분을 한 경우에 감액되고 남은 부분이 위법하다고 다투고자 할 때에는 감액처분 자체를 항고소송의 대상으로 삼아야 한다.
④ 행정처분의 당연무효를 선언하는 의미에서 그 취소를 구하는 행정소송을 제기하는 경우에는 취소소송의 제소기간을 준수하여야 한다.

## 20

**일반적인 행정작용에 대한 내용으로 옳지 않은 것은? (다툼이 있는 경우 판례에 의함)**

① 허가대상 건축물의 양수인이 건축법령에 규정되어 있는 형식적 요건을 갖추어 행정청에 적법하게 건축주 명의변경 신고를 한 경우, 행정청은 실체적인 이유를 들어 신고의 수리를 거부할 수 없다.
② 인·허가가 의제되어지는 경우 주된 인·허가처분이 관계기관의 장과 협의를 거쳐 발령된 이상 의제되는 인·허가에 법령상 요구되는 주민의 의견청취 등의 절차는 거칠 필요가 없다.
③ 사직원 제출자의 내심의 의사가 사직할 뜻이 없었더라도 그에 따른 의원면직처분을 당연무효라 볼 수는 없다.
④ 평등의 원칙에 의할 때, 위법한 행정처분이 수차례에 걸쳐 반복적으로 행하여졌다면 설령 그러한 처분이 위법하더라도 행정청에 대하여 자기구속력을 갖게 된다.

정답과 해설편 ▶ P.68

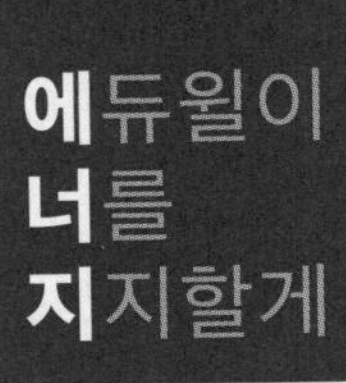

끝이 좋아야 시작이 빛난다.

– 마리아노 리베라(Mariano Rivera)

| 편저자 김용철

약력

現) 에듀윌 공무원 행정법 대표 교수
법률저널, 공무원저널, 한국고시신문 행정법 자문위원
모의고사 출제위원

저서

에듀윌 공무원 행정법 기출판례집(빈출순)
에듀윌 7급 공무원 5개년 기출문제집 행정법
에듀윌 군무원 15개년 기출문제집 행정법
에듀윌 군무원 봉투모의고사(국어+행정법+행정학)


# 2022 에듀윌 소방공무원 4개년 연도별 기출문제집 행정법총론


| | |
|---|---|
| 발 행 일 | 2021년 9월 2일 초판 |
| 편 저 자 | 김용철 |
| 펴 낸 이 | 박명규 |
| 펴 낸 곳 | (주)에듀윌 |
| 등록번호 | 제25100-2002-000052호 |
| 주 소 | 08378 서울특별시 구로구 디지털로34길 55<br>코오롱싸이언스밸리 2차 3층 |





ISBN 979-11-360-1203-6 (13350)

www.eduwill.net

대표전화 1600-6700

**여러분의 작은 소리**
**에듀윌은 크게 듣겠습니다.**

본 교재에 대한 여러분의 목소리를 들려주세요.
공부하시면서 어려웠던 점, 궁금한 점,
칭찬하고 싶은 점, 개선할 점, 어떤 것이라도 좋습니다.

에듀윌은 여러분께서 나누어 주신 의견을
통해 끊임없이 발전하고 있습니다.

**에듀윌 도서몰** book.eduwill.net
- 부가학습자료 및 정오표: 에듀윌 도서몰 → 도서자료실
- 교재 문의: 에듀윌 도서몰 → 문의하기 → 교재(내용, 출간) / 주문 및 배송

빠른 정답표

# 소방공무원 기출문제집
# 행정법총론 / 소방위 행정법

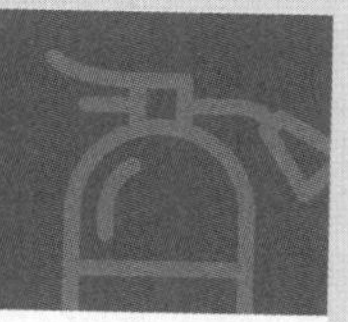

## 2021년 행정법총론

기출문제편 P.16~21

| 01 | ② | 02 | ① | 03 | ③ | 04 | ① | 05 | ④ |
|---|---|---|---|---|---|---|---|---|---|
| 06 | ② | 07 | ④ | 08 | ② | 09 | ③ | 10 | ① |
| 11 | ③ | 12 | ④ | 13 | ① | 14 | ② | 15 | ③ |
| 16 | ① | 17 | ③ | 18 | ④ | 19 | ② | 20 | ③ |

## 2020년 행정법총론

기출문제편 P.22~27

| 01 | ④ | 02 | ③ | 03 | ② | 04 | ③ | 05 | ④ |
|---|---|---|---|---|---|---|---|---|---|
| 06 | ① | 07 | ① | 08 | ① | 09 | ④ | 10 | ① |
| 11 | ③ | 12 | ④ | 13 | ③ | 14 | ② | 15 | ④ |
| 16 | ② | 17 | ③ | 18 | ③ | 19 | ② | 20 | ② |

## 2019년 행정법총론

기출문제편 P.28~31

| 01 | ④ | 02 | ② | 03 | ① | 04 | ③ | 05 | ② |
|---|---|---|---|---|---|---|---|---|---|
| 06 | ③ | 07 | ④ | 08 | ② | 09 | ① | 10 | ③ |
| 11 | ② | 12 | ③ | 13 | ① | 14 | ② | 15 | ③ |
| 16 | ① | 17 | ② | 18 | ③ | 19 | ④ | 20 | ① |

## 2018년 하반기 행정법총론

기출문제편 P.32~35

| 01 | ④ | 02 | ③ | 03 | ③ | 04 | ② | 05 | ② |
|---|---|---|---|---|---|---|---|---|---|
| 06 | ④ | 07 | ② | 08 | ① | 09 | ① | 10 | ④ |
| 11 | ③ | 12 | ② | 13 | ② | 14 | ④ | 15 | ③ |
| 16 | ④ | 17 | ③ | 18 | ② | 19 | ① | 20 | ④ |

## 2020년 소방위 행정법

기출문제편 P.38~43

| 01 | ① | 02 | ① | 03 | ③ | 04 | ④ | 05 | ② |
|---|---|---|---|---|---|---|---|---|---|
| 06 | ③ | 07 | ① | 08 | ③ | 09 | ② | 10 | ② |
| 11 | ③ | 12 | ① | 13 | ④ | 14 | ② | 15 | ③ |
| 16 | ④ | 17 | ③ | 18 | ① | 19 | ③ | 20 | ④ |

## 2019년 소방위 행정법

기출문제편 P.44~48

| 01 | ① | 02 | ① | 03 | ③ | 04 | ④ | 05 | ② |
|---|---|---|---|---|---|---|---|---|---|
| 06 | ④ | 07 | ① | 08 | ② | 09 | ④ | 10 | ③ |
| 11 | ③ | 12 | ① | 13 | ④ | 14 | ② | 15 | ① |
| 16 | ② | 17 | ③ | 18 | ① | 19 | ③ | 20 | ④ |

## 2018년 소방위 행정법

기출문제편 P.49~54

| 01 | ② | 02 | ④ | 03 | ② | 04 | ① | 05 | ③ |
|---|---|---|---|---|---|---|---|---|---|
| 06 | ① | 07 | ② | 08 | ④ | 09 | ② | 10 | ③ |
| 11 | ② | 12 | ① | 13 | ③ | 14 | ③ | 15 | ① |
| 16 | ④ | 17 | ② | 18 | ③ | 19 | ③ | 20 | ④ |

## 2017년 소방위 행정법

기출문제편 P.55~59

| 01 | ④ | 02 | ① | 03 | ② | 04 | ② | 05 | ③ |
|---|---|---|---|---|---|---|---|---|---|
| 06 | ② | 07 | ① | 08 | ③ | 09 | ① | 10 | ② |
| 11 | ③ | 12 | ④ | 13 | ① | 14 | ③ | 15 | ④ |
| 16 | ③ | 17 | ① | 18 | ② | 19 | ③ | 20 | ④ |

에듀윌 소방

연도별
4개년
기출

## 소방공무원 교재

※ 실전동형 모의고사는 국어/한국사/영어/소방학+관계법규로 구성되어 있음.

기출문제집
(한국사/영어/행정법총론
/소방학+관계법규)

실전동형 모의고사
(소방학+관계법규)

봉투모의고사
(국어+한국사+영어)/(소방학+관계법규)

## 군무원 교재

※ 기출문제집은 국어/행정법/행정학으로 구성되어 있음.

기출문제집(국어)

기출문제집(행정법)

봉투모의고사
(국어+행정법+행정학)

## 계리직공무원 교재

※ 단원별 문제집은 한국사/우편상식/금융상식/컴퓨터일반으로 구성되어 있음.

기본서(한국사)

기본서(우편상식)

기본서(금융상식)

기본서(컴퓨터일반)

단원별 문제집(한국사)

기출문제집
(한국사+우편·금융상식+컴퓨터일반)

## 영어 집중 교재

기출 영단어(빈출순)

매일 3문 독해
(기본완성/실력완성)

빈출 문법(4주 완성)

단기 공략
(핵심 요약집)

## 한국사 집중 교재

흐름노트

파이널 모의고사

## 국어 집중 교재

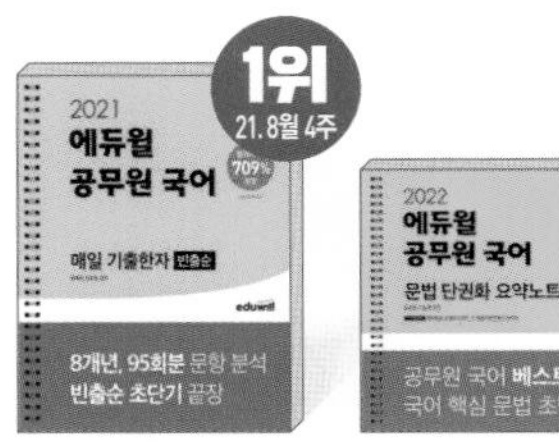

매일 기출한자(빈출순)

문법 단권화 요약노트

비문학 데일리 독해

## 행정학 집중 교재

단권화 요약노트

## 행정법 집중 교재

기출판례집(빈출순)

## 형법 집중 교재

판례집

* YES24 수험서 자격증 공무원 베스트셀러 1위 (2017년 3월, 2018년 4월~6월, 8월, 2019년 4월, 6월~12월, 2020년 1월~12월, 2021년 1월~8월 월별 베스트, 매월 1위 교재는 다름)
* YES24 국내도서 해당분야 월별, 주별 베스트 기준

더 많은
공무원 교재

2022

# 에듀윌 소방공무원

3년 연속
소방공무원 교육
1위

합격자 수
1,495%
수직 상승

산출근거 후면표기

## 정답과 해설편

행정법총론

김용철 편저

eduwill

소방공무원 교육 **1위**

**소방전용 기출**로 완벽 대비!

# 에듀윌 소방공무원

4개년 연도별 기출문제집 행정법총론

소방공무원 교육 **1위**

**소방전용 기출**로 완벽 대비!

2022

# 에듀윌 소방공무원

4개년 연도별 기출문제집

## 정답과 해설편

행정법총론

FIREFIGHTER

# 행정법총론

# 2021 행정법총론 A형

역대 소방행정법 중에서 가장 어려웠던 시험이라고 할 수 있겠습니다. 기존에 비해 문항별 난이도도 높았고 문장의 길이도 길어져 체감난도 역시 높았으리라 생각됩니다. 아마도 2022년 필수 과목으로의 전환을 앞두고 작심을 한 모양입니다. 난이도 '하(下)'에 해당하는 문항 수는 2문항 정도에 불과하고 나머지 18문항은 난이도 '중(中)', '상(上)'에 해당되는 문제들로 구성되었습니다.

## 문항분석

| 문항 | 정답 | 영역 |
|---|---|---|
| 1 | ② | 행정의 실효성 확보수단 > 행정벌 > 행정질서벌 |
| 2 | ① | 행정의 실효성 확보수단 > 행정강제 > 강제집행 |
| 3 | ③ | 행정구제 > 사전구제 > 행정절차 |
| 4 | ① | 행정작용 > 행정행위 > 종합문제(행정행위의 내용, 부관 등) |
| 5 | ④ | 행정작용 > 행정행위 > 행정행위의 효력 |
| 6 | ② | 행정구제 > 행정쟁송 > 행정심판 |
| 7 | ④ | 종합문제(행정입법, 행정계획, 행정지도, 항고소송) |
| 8 | ② | 행정법 통칙 > 행정법의 법원 > 행정법의 일반원칙 |
| 9 | ③ | 정보공개와 개인정보 > 개인정보 보호법 > 단체소송 |
| 10 | ① | 행정구제 > 행정쟁송 > 행정소송 |
| 11 | ③ | 행정구제 > 손해전보 > 국가배상 |
| 12 | ④ | 종합문제(행정소송, 공법상 계약, 행정상 법률관계 등) |
| 13 | ① | 행정작용 > 행정행위 > 행정행위의 성립과 효력 |
| 14 | ② | 행정의 실효성 확보수단 > 행정강제 > 행정대집행 |
| 15 | ③ | 행정작용 > 행정행위 > 행정행위의 성립과 효력 |
| 16 | ① | 행정의 실효성 확보수단 > 행정강제 > 행정조사 |
| 17 | ③ | 행정작용 > 행정행위 > 종합문제(부관, 행정행위의 내용 등) |
| 18 | ④ | 행정작용 > 행정행위 > 행정행위의 하자 |
| 19 | ② | 행정구제 > 손해전보 > 국가배상 |
| 20 | ③ | 행정구제 > 손해전보 > 국가배상 |

## 합격예상 체크

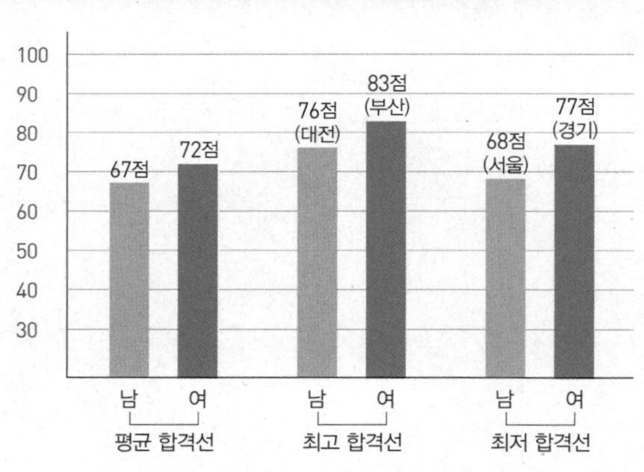


*5과목의 통합 평균 점수를 의미함

| 맞힌 문항 수 | /20문항 |
|---|---|
| 점수 | /100점 |

□ 합격 □ 불합격

## 출제 트렌드

| 구분 | 행정법 통칙 | 행정작용 | 정보공개 개인정보 | 실효성 확보수단 | 행정구제 | 종합문제 |
|---|---|---|---|---|---|---|
| **2021** | **1문항** | **6문항** | **1문항** | **4문항** | **6문항** | **2문항** |
| 2020 | 3문항 | 8문항 | 0문항 | 4문항 | 4문항 | 1문항 |
| 2019 | 2문항 | 4문항 | 2문항 | 2문항 | 10문항 | 0문항 |

행정작용과 행정구제 영역에 편중하여 출제되었고, 특히 전년도와 비교하여 주목해야 할 부분은 종합문제가 2문항으로 늘었다는 점입니다. 소방행정법 시험도 이제는 단순 암기로 해결할 수 있는 문제의 수준이 아닌, 종합적인 사고가 필요합니다.

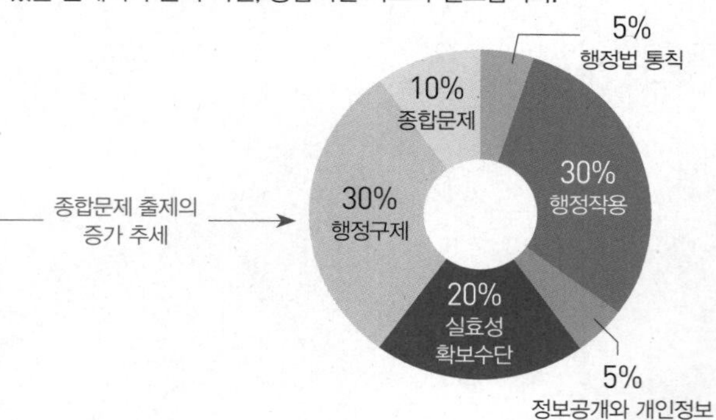

| 2021 행정법총론 | | | | | | | | | P.16 |
|---|---|---|---|---|---|---|---|---|---|
| 01 | ② | 02 | ① | 03 | ③ | 04 | ① | 05 | ④ |
| 06 | ② | 07 | ④ | 08 | ② | 09 | ③ | 10 | ① |
| 11 | ③ | 12 | ④ | 13 | ① | 14 | ② | 15 | ③ |
| 16 | ① | 17 | ③ | 18 | ④ | 19 | ② | 20 | ③ |

## 01 ②

법령+판례

행정의 실효성 확보수단 > 행정벌 > 행정질서벌 중

**| 정답 해설 |**

② 지방자치단체도 자치사무의 경우 양벌대상인 법인에 해당한다.

> 지방자치단체가 그 고유의 자치사무를 처리하는 경우에는 지방자치단체는 국가기관의 일부가 아니라 국가기관과는 별도의 독립한 공법인이므로, 지방자치단체 소속 공무원이 지방자치단체 고유의 자치사무를 수행하던 중 「도로법」 제81조 내지 제85조의 규정에 의한 위반행위를 한 경우에는 지방자치단체는 「도로법」 제86조의 양벌규정에 따라 처벌대상이 되는 법인에 해당한다(대판 2005.11.10. 2004도2657).

**| 오답 해설 |**

① 죄형법정주의는 무엇이 범죄이며 그에 대한 형벌이 어떠한 것인가는 국민의 대표로 구성된 입법부가 제정한 법률로써 정하여야 한다는 원칙인데, 「부동산등기 특별조치법」 제11조 제1항 본문 중 제2조 제1항에 관한 부분이 정하고 있는 과태료는 행정상의 질서유지를 위한 행정질서벌에 해당할 뿐 형벌이라고 할 수 없어 죄형법정주의의 규율대상에 해당하지 아니한다(헌재결 1998.5.28. 96헌바83).

③ 「질서위반행위규제법」 제36조부터 제38조까지의 내용이다.

> 「질서위반행위규제법」 제36조 **【재판】** ① 과태료 재판은 이유를 붙인 결정으로써 한다.
> 「질서위반행위규제법」 제37조 **【결정의 고지】** ① 결정은 당사자와 검사에게 고지함으로써 효력이 생긴다.
> 「질서위반행위규제법」 제38조 **【항고】** ① 당사자와 검사는 과태료 재판에 대하여 즉시항고를 할 수 있다. 이 경우 항고는 집행정지의 효력이 있다.

④ 「질서위반행위규제법」 제16조의 사전통지와 의견 제출에 관한 규정이다.

> 「질서위반행위규제법」 제16조 **【사전통지 및 의견 제출 등】** ① 행정청이 질서위반행위에 대하여 과태료를 부과하고자 하는 때에는 미리 당사자(제11조 제2항에 따른 고용주 등을 포함한다. 이하 같다)에게 대통령령으로 정하는 사항을 통지하고, 10일 이상의 기간을 정하여 의견을 제출할 기회를 주어야 한다. 이 경우 지정된 기일까지 의견 제출이 없는 경우에는 의견이 없는 것으로 본다.

## 02 ①

법령+판례

행정의 실효성 확보수단 > 행정강제 > 강제집행 중

**| 정답 해설 |**

① 행정대집행의 대상은 법령에 특별한 규정이 없는 한 공법상 의무에 한정된다.

> (구)「공공용지의 취득 및 손실보상에 관한 특례법」(2002.2.4. 법률 제6656호 「공익사업을 위한 토지 등의 취득 및 보상에 관한 법률」 부칙 제2조로 폐지)에 의한 협의취득 시 건물소유자가 협의취득대상 건물에 대하여 약정한 철거의무는 공법상 의무가 아닐 뿐만 아니라, 「공익사업을 위한 토지 등의 취득 및 보상에 관한 법률」 제89조에서 정한 「행정대집행법」의 대상이 되는 '이 법 또는 이 법에 의한 처분으로 인한 의무'에도 해당하지 아니하므로 위 철거의무에 대한 강제적 이행은 「행정대집행법」상 대집행의 방법으로 실현할 수 없다(대판 2006.10.13. 2006두7096).

**| 오답 해설 |**

② 대집행의 내용이나 범위는 반드시 계고서에 의해서만 특정될 필요는 없고, 계고서 전후 문서를 통해 특정할 수 있으면 족하다는 것이 대법원의 입장이다.

> 행정청이 「행정대집행법」 제3조 제1항에 의한 대집행계고를 함에 있어서는 의무자가 스스로 이행하지 아니하는 경우에 대집행 할 행위의 내용 및 범위가 구체적으로 특정되어야 하나, 그 행위의 내용 및 범위는 반드시 대집행계고서에 의하여서만 특정되어야 하는 것이 아니고, 계고처분 전후에 송달된 문서나 기타 사정을 종합하여 행위의 내용이 특정되거나 실제건물의 위치, 구조, 평수 등을 계고서의 표시와 대조·검토하여 대집행의무자가 그 이행의무의 범위를 알 수 있을 정도로 하면 족하다(대판 1996.10.11. 96누8086).

③ 비상 시 또는 위험이 절박한 경우에 있어서 당해 행위의 급속한 실시를 요하여 전 2항(대집행의 계고와 영장 통지)에 규정한 수속을 취할 여유가 없을 때에는 그 수속을 거치지 아니하고 대집행을 할 수 있다(「행정대집행법」 제3조 제3항).

④ 이행강제금의 부과와 형사벌은 강제와 제재로서 보호법익이나 목적 등이 서로 달라 둘을 병과한다고 해도 이중처벌에 해당하지 않는다.

> 「건축법」 제78조에 의한 무허가 건축행위에 대한 형사처벌과 「건축법」 제83조 제1항에 의한 시정명령 위반에 대한 이행강제금의 부과는 그 처벌 내지 제재대상이 되는 기본적 사실관계로서의 행위를 달리하며, 또한 그 보호법익과 목적에서도 차이가 있으므로 헌법 제13조 제1항이 금지하는 이중처벌에 해당한다고 할 수 없다(헌재결 2004.2.26. 2001헌바80).

## 03 ③

법령

행정구제 > 사전구제 > 행정절차 중

**| 정답 해설 |**

③ 행정응원에 드는 비용은 응원을 요청한 행정청이 부담하며, 그 부담금액 및 부담방법은 응원을 요청한 행정청과 응원을 하는 행정청이 협의하여 결정한다(「행정절차법」 제8조 제6항).

**| 오답 해설 |**

① 공청회 개최요건에 대한 설명이다.

> 「행정절차법」 제22조 **【의견청취】** ② 행정청이 처분을 할 때 다음 각 호의 어느 하나에 해당하는 경우에는 공청회를 개최한다.
> 1. 다른 법령 등에서 공청회를 개최하도록 규정하고 있는 경우
> 2. 해당 처분의 영향이 광범위하여 널리 의견을 수렴할 필요가 있다고 행정청이 인정하는 경우

3. 국민생활에 큰 영향을 미치는 처분으로서 대통령령으로 정하는 처분에 대하여 대통령령으로 정하는 수 이상의 당사자 등이 공청회 개최를 요구하는 경우

② 행정응원을 위하여 파견된 직원은 응원을 요청한 행정청의 지휘·감독을 받는다. 다만, 해당 직원의 복무에 관하여 다른 법령 등에 특별한 규정이 있는 경우에는 그에 따른다(동법 제8조 제5항).

④ 공시송달의 경우 특별한 규정이 없으면 14일이 경과되면 효력을 발하게 된다.

**「행정절차법」 제14조【송달】** ④ 다음 각 호의 어느 하나에 해당하는 경우에는 송달받을 자가 알기 쉽도록 관보, 공보, 게시판, 일간신문 중 하나 이상에 공고하고 인터넷에도 공고하여야 한다.
1. 송달받을 자의 주소 등을 통상적인 방법으로 확인할 수 없는 경우
2. 송달이 불가능한 경우

**「행정절차법」 제15조【송달의 효력 발생】** ③ 제14조 제4항의 경우에는 다른 법령 등에 특별한 규정이 있는 경우를 제외하고는 공고일부터 14일이 지난 때에 그 효력이 발생한다. 다만, 긴급히 시행하여야 할 특별한 사유가 있어 효력 발생 시기를 달리 정하여 공고한 경우에는 그에 따른다.

**☑ 교수님 TIP**

「행정 효율과 협업 촉진에 관한 규정」에 의하면 공시송달의 효력발생 시기는 공시 후 5일이 경과한 때이다. 문제가 어떻게 제시되는지에 따라 답이 달라질 수 있음을 유의해야 한다.

## 04 ① 판례

**행정작용 > 행정행위 > 종합문제(행정행위의 내용, 부관 등)** 중

**| 정답 해설 |**

① 예외적 승인(예외적 허가)은 허가와 달리 절대적 금지를 해제하는 행위로서 행정청의 재량이 원칙이다.

(구)「도시계획법」상의 개발제한구역 내에서의 건축물 용도변경에 대한 허가가 가지는 예외적인 허가로서의 성격과 그 재량행위로서의 성격에 비추어 보면, 그 용도변경의 허가는 개발제한구역에 속한다는 것 이외에 다른 공익상의 사유가 있어야만 거부할 수가 있고 그렇지 아니하면 반드시 허가를 하여야만 하는 것이 아니라 그 용도변경이 개발제한구역의 지정 목적과 그 관리에 위배되지 아니한다는 등의 사정이 특별히 인정될 경우에 한하여 그 허가가 가능한 것이고, 또 그에 관한 행정청의 판단이 사실오인, 비례·평등의 원칙 위배, 목적 위반 등에 해당하지 아니하면 이를 재량권의 일탈·남용이라고 하여 위법하다고 할 수가 없다(대판 2001.2.9. 98두17593).

**| 오답 해설 |**

② 농지처분의무통지는 단순한 관념의 통지가 아니라 상대방에게 의무가 있음을 통지하는 독립된 처분이다.

시장 등은 농지의 처분의무가 생긴 농지의 소유자에게 농림부령이 정하는 바에 의하여 처분대상농지·처분의무기간 등을 명시하여 해당 농지를 처분하여야 함을 통지하여야 하며, 위 통지에서 정한 처분의무기간 내에 처분대상농지를 처분하지 아니한 농지의 소유자에 대하여는 6개월 이내에 당해 농지를 처분할 것을 명할 수 있는바, 시장 등 행정청은 위 제7호에 정한 사유의 유무, 즉 농지의 소유자가 위 농업경영계획서의 내용을 이행하였는지 여부 및 그 불이행에 정당한 사유가 있는지 여부를 판단하여 그 사유를 인정한 때에는 반드시 농지처분의무통지를 하여야 하는 점, 위 통지를 전제로 농지처분명령, 같은 법 제65조에 의한 이행강제금 부과 등의 일련의 절차가 진행되는 점 등을 종합하여 보면, 농지처분의무통지는 단순한 관념의 통지에 불과하다고 볼 수는 없고, 상대방인 농지소유자의 의무에 직접 관계되는 독립한 행정처분으로서 항고소송의 대상이 된다(대판 2003.11.14. 2001두8742).

③ 영업자지위승계신고의 수리에서 양도인은 수리를 통해 권익이 침해되는 「행정절차법」상의 '당사자'에 해당하여 행정청은 수리처분을 하기 이전에 처분의 당사자인 양도인에게 사전통지 등의 행정절차를 준수하여야 한다.

행정청이 (구)「식품위생법」 규정에 의하여 영업자지위승계신고를 수리하는 처분은 종전의 영업자의 권익을 제한하는 처분이라 할 것이고 따라서 종전의 영업자는 그 처분에 대하여 직접 그 상대가 되는 자에 해당한다고 봄이 상당하므로, 행정청으로서는 위 신고를 수리하는 처분을 함에 있어서 「행정절차법」 규정 소정의 당사자에 해당하는 종전의 영업자에 대하여 위 규정 소정의 행정절차를 실시하고 처분을 하여야 한다(대판 2003.2.14. 2001두7015).

④ 부관은 행정청이 일방적으로 부과할 수도, 상대방과의 협의를 통해 협약의 형식으로도 가능하다.

수익적 행정처분에 있어서는 법령에 특별한 근거규정이 없다고 하더라도 그 부관으로서 부담을 붙일 수 있고, 그와 같은 부담은 행정청이 행정처분을 하면서 일방적으로 부가할 수도 있지만 부담을 부가하기 이전에 상대방과 협의하여 부담의 내용을 협약의 형식으로 미리 정한 다음 행정처분을 하면서 이를 부가할 수도 있다(대판 2009.2.12. 2005다65500).

## 05 ④ 이론

**행정작용 > 행정행위 > 행정행위의 효력** 하

**| 정답 해설 |**

④ 불가쟁력은 절차적 효력이고, 불가변력이 실체적 효력이다.

**| 오답 해설 |**

① 불가변력은 처분청이나 감독청에 대한 구속력이며, 불가쟁력은 처분의 상대방 등에 대한 구속력이다.

② 불가쟁력은 쟁송(행정심판, 행정소송)을 청구할 수 없는 효력으로 손해전보와는 무관하다. 따라서 불가쟁력이 발생한 후에도 손해배상은 가능하다.

물품세 과세대상이 아닌 것을 세무공무원이 직무상 과실로 과세대상으로 오인하여 과세처분을 행함으로 인하여 손해가 발생된 경우에는, 동 과세처분이 취소되지 아니하였다 하더라도, 국가는 이로 인한 손해를 배상할 책임이 있다(대판 1979.4.10. 79다262).

③ 불가변력과 불가쟁력은 구속하는 대상이 달라 무관하다.

**☑ 교수님 TIP**

2018 하반기 행정법총론 15번 문제와 유사한 출제이다.

- 불가쟁력이 발생한 행정행위라도 불가변력의 특정 행정행위가 아니면 불가변력은 발생하지 않는다. 따라서 불가쟁력과 불가변력은 무관하다.

• 불가변력이 발생한 행정행위라도 쟁송제기기간이라면 불가쟁력은 아니다.

**| 같이 보는 이론 | 불가쟁력vs불가변력**

| 불가쟁력 | 불가변력 |
|---|---|
| 형식적 확정력, 절차적 효력 | 실질적 확정력, 실체적 효력 |
| 모든 행정행위 | 특정의 행정행위 |
| 상대방과 이해관계인 구속 | 국가기관 |

## 06 ②

법령

**행정구제 > 행정쟁송 > 행정심판** 상

**| 정답 해설 |**

② 중앙행정심판위원회의 회의(제6항에 따른 소위원회 회의는 제외한다)는 위원장, 상임위원 및 위원장이 회의마다 지정하는 비상임위원을 포함하여 총 9명으로 구성한다(「행정심판법」 제8조 제5항).

**| 오답 해설 |**

① 중앙행정심판위원회의 비상임위원은 제7조 제4항 각 호의 어느 하나에 해당하는 사람 중에서 중앙행정심판위원회 위원장의 제청으로 국무총리가 성별을 고려하여 위촉한다(동법 제8조 제4항).

③ 위원장은 제척신청이나 기피신청을 받으면 제척 또는 기피 여부에 대한 결정을 하고, 지체 없이 신청인에게 결정서 정본(正本)을 송달하여야 한다(동법 제10조 제6항).

④ 중앙행정심판위원회는 위원장 1명을 포함하여 70명 이내의 위원으로 구성하되, 위원 중 상임위원은 4명 이내로 한다(동법 제8조 제1항).

## 07 ④

이론+판례

**종합문제(행정입법, 행정계획, 행정지도, 항고소송)** 중

**| 정답 해설 |**

④ 행정계획은 상당의 장기적 목표를 설정하는 행정작용으로서 사회적·경제적 여건과 상황을 고려하여 장래를 예측하여 수립한다. 이러한 계획이 진행되는 중에 예측하지 못한 돌발적 상황 등에 따라 변화될 수 있는 가변성이 행정계획에는 내재되어 있다(이러한 계획의 가변성과 신뢰보호는 충돌하는 경우가 많아 계획의 변경에는 신뢰보호와의 형량이 필요하다).

**| 오답 해설 |**

① 국립공원지정처분과 달리 경계측량과 표지설치는 처분이 아니다.

**| 같이 보는 판례 | 국립공원지정처분의 경계측량의 법적 성질과 지형도 수정행위의 신뢰보호 위반 여부**

• **경계측량과 표지설치행위의 처분성 여부**
건설부장관이 행한 국립공원지정처분은 그 결정 및 첨부된 도면의 공고로써 그 경계가 확정되는 것이고, 시장이 행한 경계측량 및 표지의 설치 등은 공원관리청이 공원구역의 효율적인 보호, 관리를 위하여 이미 확정된 경계를 인식, 파악하는 사실상의 행위로 봄이 상당하며, 위와 같은 사실상의 행위를 가리켜 공권력행사로서의 행정처분의 일부라고 볼 수 없고, 이로 인하여 건설부장관이 행한 공원지정처분이나 그 경계에 변동을 가져온다고 할 수 없다(대판 1992.10.13. 92누2325).

• **경계측량 이후에 지형도를 수정한 행위가 신뢰보호에 위반되는지 여부**
실제의 공원구역과 다르게 경계측량 및 표지를 설치한 십수년 후 착오를 발견하여 지형도를 수정한 조치가 신뢰보호의 원칙에 위배되거나 행정의 자기구속의 법리에 반하는 것이라 할 수 없다(대판 1992.10.13. 92누2325).

② 「행정절차법」상 행정지도의 방식에 대한 규정이다.

> **「행정절차법」 제49조【행정지도의 방식】** ① 행정지도를 하는 자는 그 상대방에게 그 행정지도의 취지 및 내용과 신분을 밝혀야 한다.
> ② 행정지도가 말로 이루어지는 경우에 상대방이 제1항의 사항을 적은 서면의 교부를 요구하면 그 행정지도를 하는 자는 직무 수행에 특별한 지장이 없으면 이를 교부하여야 한다.

③ 조례가 집행행위의 개입 없이도 그 자체로서 직접 국민의 구체적인 권리의무나 법적 이익에 영향을 미치는 등의 법률상 효과를 발생하는 경우 그 조례는 항고소송의 대상이 되는 행정처분에 해당한다(대판 1996.9.20. 95누8003).

**☑ 교수님 TIP**

조례가 항고소송의 대상이 되는 경우(처분조례)의 피고적격은 지방의회가 아닌 지방자치단체의 장임을 유의하여야 한다(단, 교육이나 학예와 관련된 경우에는 시도교육감이 됨).

## 08 ②

판례

**행정법 통칙 > 행정법의 법원 > 행정법의 일반원칙** 중

**| 정답 해설 |**

② 수입 녹용 중 전지 3대를 절단부위로부터 5cm까지의 부분을 절단하여 측정한 회분함량이 기준치를 0.5% 초과하였다는 이유로 수입 녹용 전부에 대하여 전량 폐기 또는 반송처리를 지시한 처분은 재량권을 일탈·남용한 경우에 해당하지 않는다(대판 2006.4.14. 2004두3854).

**| 오답 해설 |**

① 원고가 단지 1회 훈령에 위반하여 요정 출입을 하다가 적발된 것만으로는 공무원의 신분을 보유케 할 수 없을 정도로 공무원의 품위를 손상케 한 것이라 단정키 어려운 한편, 이 사건 파면처분은 이른바 비례의 원칙에 어긋난 것으로서 심히 그 재량권의 범위를 넘어서 한 위법한 처분이라고 아니할 수 없다(대판 1967.5.2. 67누24).

**☑ 교수님 TIP**

① 선지는 2018 하반기 행정법총론 16번에서 출제된 바 있는 판례이다.

③ 청소년유해매체물로 결정·고시된 만화인 사실을 모르고 있던 도서대여업자가 그 고시일로부터 8일 후에 청소년에게 그 만화를 대여한 것을 사유로 그 도서대여업자에게 금 700만 원의 과징금이 부과된 경우, 그 과징금 부과처분은 재량권을 일탈·남용한 것으로서 위법하다(대판 2001.7.27. 99두9490).

④ 사법시험령 제15조 제2항이 사법시험의 제2차 시험에서 '매과목 4할 이상'으로 과락 결정의 기준을 정한 것을 두고 과락점수를 비합리적으로 높게 설정하여 지나치게 엄격한 기준에 해당한다고 볼 정도는 아니므로, 비례의 원칙 내지 과잉금지에 위반하였다고 볼 수 없다(대판 2007.1.11. 2004두10432).

## 09 ③ 법령

정보공개와 개인정보 > 개인정보 보호법 > 단체소송 중

**| 정답 해설 |**

③ 단체소송은 개인정보처리자가 집단분쟁조정을 거부하는 경우와 조정 결과를 수락하지 않을 경우에 법원의 허가로 이루어진다(「개인정보 보호법」 제55조 제1항 제1호).

**| 같이 보는 법령 | 「개인정보 보호법」**

> 제55조 【소송허가요건 등】 ① 법원은 다음 각 호의 요건을 모두 갖춘 경우에 한하여 결정으로 단체소송을 허가한다.
> 1. 개인정보처리자가 분쟁조정위원회의 조정을 거부하거나 조정결과를 수락하지 아니하였을 것
> 2. 제54조(소송허가신청)에 따른 소송허가신청서의 기재사항에 흠결이 없을 것

**| 오답 해설 |**

① 단체소송의 원고는 변호사를 소송대리인으로 선임하여야 한다(동법 제53조).

② 단체소송에 관하여 「개인정보 보호법」에 특별한 규정이 없는 경우에는 「민사소송법」을 적용한다(동법 제57조 제1항).

④ 단체소송의 절차에 관하여 필요한 사항은 대법원규칙으로 정한다(동법 제57조 제3항).

## 10 ① 법령

행정구제 > 행정쟁송 > 행정소송 하

**| 정답 해설 |**

① 민중소송 및 기관소송은 법률이 정한 경우에 법률에 정한 자에 한하여 제기할 수 있다(「행정소송법」 제45조).

**| 오답 해설 |**

② 현행 「행정소송법」에는 작위의무이행소송은 인정하고 있지 않다(대법원도 부정하고 있다).

> 「행정심판법」 제4조 제3호가 의무이행심판청구를 인정하고 있고 항고소송의 제1심 관할법원이 행정청의 소재지를 관할하는 고등법원으로 되어 있다고 하더라도, 「행정소송법」상 행정청의 부작위에 대하여는 부작위위법확인소송만 인정되고 작위의무의 이행이나 확인을 구하는 행정소송은 허용될 수 없다(대판 1992.11.10. 92누1629).

③ 항고소송에는 취소소송·무효등 확인소송·부작위위법확인소송 3가지만 규정되어 있다.

> 「행정소송법」 제4조 【항고소송】 항고소송은 다음과 같이 구분한다.
> 1. 취소소송: 행정청의 위법한 처분등을 취소 또는 변경하는 소송
> 2. 무효등 확인소송: 행정청의 처분등의 효력 유무 또는 존재 여부를 확인하는 소송
> 3. 부작위위법확인소송: 행정청의 부작위가 위법하다는 것을 확인하는 소송

④ 민중소송에 대한 내용이다. 기관소송은 국가 또는 공공단체의 기관 상호간에 있어서의 권한의 존부 또는 그 행사에 관한 다툼이 있을 때에 이에 대하여 제기하는 소송을 말한다.

> 「행정소송법」 제3조 【행정소송의 종류】 행정소송은 다음의 네 가지로 구분한다.
> 3. 민중소송: 국가 또는 공공단체의 기관이 법률에 위반되는 행위를 한 때에 직접 자기의 법률상 이익과 관계없이 그 시정을 구하기 위하여 제기하는 소송
> 4. 기관소송: 국가 또는 공공단체의 기관 상호간에 있어서의 권한의 존부 또는 그 행사에 관한 다툼이 있을 때에 이에 대하여 제기하는 소송. 다만, 「헌법재판소법」 제2조의 규정에 의하여 헌법재판소의 관장사항으로 되는 소송은 제외한다.

## 11 ③ 법령+판례

행정구제 > 손해전보 > 국가배상 중

**| 정답 해설 |**

③ 생명·신체의 침해로 인한 국가배상을 받을 권리는 양도하거나 압류하지 못한다(「국가배상법」 제4조).

**| 오답 해설 |**

① 「자동차손해배상 보장법」의 입법취지에 비추어 볼 때, 같은 법 제3조는 자동차의 운행이 사적인 용무를 위한 것이건 국가 등의 공무를 위한 것이건 구별하지 아니하고 「민법」이나 「국가배상법」에 우선하여 적용된다고 보아야 한다. …(중략)… 공무원이 직무상 자동차를 운전하다가 사고를 일으켜 다른 사람에게 손해를 입힌 경우에는 그 사고가 자동차를 운전한 공무원의 경과실에 의한 것인지 중과실 또는 고의에 의한 것인지를 가리지 않고, 그 공무원이 「자동차손해배상 보장법」 제3조 소정의 '자기를 위하여 자동차를 운행하는 자'에 해당하는 한 「자동차손해배상 보장법」상의 손해배상책임을 부담한다(대판 1996.3.8. 94다23876).

② 「국가배상법」 제2조 제1항 단서는 헌법 제29조 제1항에 의하여 보장되는 국가배상청구권을 헌법 내재적으로 제한하는 헌법 제29조 제2항에 직접 근거하고, 실질적으로 내용을 같이하는 것이므로 헌법에 위반되지 아니한다(헌재결 2001.2.22. 2000헌바38).

④ 「국가배상법」 제5조 제1항의 영조물의 설치·관리상의 하자로 인한 손해가 발생한 경우 같은 법 제3조 제1항 내지 제5항의 해석상 피해자의 위자료 청구권이 반드시 배제되지 아니한다(대판 1990.11.13. 90다카25604).

## 12 ④ 판례

종합문제(행정소송, 공법상 계약, 행정상 법률관계 등) 중

**| 정답 해설 |**

④ 지방공무원의 보수에 관한 법률관계는 사법상 근로계약관계가 아닌 공법상의 법률관계로서 이에 따른 보수지급청구소송은 당사자소송에 의한다.

> 지방자치단체와 그 소속 경력직 공무원인 지방소방공무원 사이의 관계, 즉 지방소방공무원의 근무관계는 사법상의 근로계약관계가 아닌 공법상의 근무관계에 해당하고, 그 근무관계의 주요한 내용 중 하나인 지방소방공무원의 보수에 관한 법률관계는 공법상의 법률관계라고 보아야 한다. 지방소방공무원의 초과근무수당 지급청구권은 법령의 규정에 의하여 직접 그 존부나 범위가 정하여지고 법령에 규정된 수당

의 지급요건에 해당하는 경우에는 곧바로 발생한다고 할 것이므로, 지방소방공무원이 자신이 소속된 지방자치단체를 상대로 초과근무수당의 지급을 구하는 청구에 관한 소송은 「행정소송법」 제3조 제2호에 규정된 당사자소송의 절차에 따라야 한다(대판 2013.3.28. 2012다102629).

**| 오답 해설 |**

① 관리처분계획안에 대한 조합 총회결의에 대한 소송은 당사자소송이다.

**☑ 교수님 TIP**

재개발조합의 관리처분계획은 항고소송인 처분이다.

**| 같이 보는 판례 | 관리처분계획안의 인가 여부에 따른 소송 유형**

- **관리처분계획안에 대한 조합의 총회결의에 대한 소송 – 당사자소송**
  「도시 및 주거환경정비법」상 행정주체인 주택재건축정비사업조합을 상대로 관리처분계획안에 대한 조합 총회결의의 효력 등을 다투는 소송은 행정처분에 이르는 절차적 요건의 존부나 효력 유무에 관한 소송으로서 그 소송결과에 따라 행정처분의 위법 여부에 직접 영향을 미치는 공법상 법률관계에 관한 것이므로, 이는 「행정소송법」상의 당사자소송에 해당한다(대판 2009.9.17. 2007다2428).
- **관리처분계획에 대한 소송 – 항고소송**
  「도시재개발법」에 의한 재개발조합은 조합원에 대한 법률관계에서 적어도 특수한 존립목적을 부여받은 특수한 행정주체로서 국가의 감독하에 그 존립 목적인 특정한 공공사무를 행하고 있다고 볼 수 있는 범위 내에서는 공법상의 권리의무관계에 서 있는 것이므로 분양신청 후에 정하여진 관리처분계획의 내용에 관하여 다툼이 있는 경우에는 그 관리처분계획은 토지 등의 소유자에게 구체적이고 결정적인 영향을 미치는 것으로서 조합이 행한 처분에 해당하므로 항고소송의 방법으로 그 무효확인이나 취소를 구할 수 있다(대판 2002.2.10. 2001두6333).

② 「국가를 당사자로 하는 계약에 관한 법률」에 따라 국가가 당사자가 되는 이른바 공공계약은 사경제 주체로서 상대방과 대등한 위치에서 체결하는 사법상 계약으로서 본질적인 내용은 사인 간의 계약과 다를 바가 없으므로, 그에 관한 법령에 특별한 정함이 있는 경우를 제외하고는 사적 자치와 계약자유의 원칙 등 사법의 원리가 그대로 적용된다(대판 2020.5.14. 2018다298409).

③ (구)「국유재산법」 제51조 제1항, 제4항, 제5항에 의한 변상금 부과·징수권은 민사상 부당이득반환청구권과 법적 성질을 달리하므로, 국가는 무단점유자를 상대로 변상금 부과·징수권의 행사와 별도로 국유재산의 소유자로서 민사상 부당이득반환청구의 소를 제기할 수 있다(대판 2014.7.16. 2011다76402).

## 13 ①

법령+판례

행정작용 > 행정행위 > 행정행위의 성립과 효력 중

**| 정답 해설 |**

① 일반적으로 처분이 주체·내용·절차와 형식의 요건을 모두 갖추고 외부에 표시된 경우에는 처분의 존재가 인정된다(대판 2019.7.11. 2017두38874).

**☑ 교수님 TIP**

행정행위가 공식적 방법으로 외부에 표시되지 않으면, 처분이 존재하지 않고 소송을 청구할 수 없다는 대법원 판례가 최근 증가하고 있다(유승준 사건 등).

**| 오답 해설 |**

② 행정의사가 외부에 표시되어 행정청이 자유롭게 취소·철회할 수 없는 구속을 받게 되는 시점에 처분이 성립하고, 그 성립 여부는 행정청이 행정의사를 공식적인 방법으로 외부에 표시하였는지를 기준으로 판단해야 한다(대판 2019.7.11. 2017두38874).

③ 「행정절차법」 제14조 제4항에 의하면 송달이 불가능한 경우에도 공고방법으로 송달이 가능하다.

> **「행정절차법」 제14조 【송달】** ④ 다음 각 호의 어느 하나에 해당하는 경우에는 송달받을 자가 알기 쉽도록 관보, 공보, 게시판, 일간신문 중 하나 이상에 공고하고 인터넷에도 공고하여야 한다.
> 1. 송달받을 자의 주소 등을 통상적인 방법으로 확인할 수 없는 경우
> 2. 송달이 불가능한 경우

④ 상대방 있는 행정처분은 특별한 규정이 없는 한 의사표시에 관한 일반법리에 따라 상대방에게 고지되어야 효력이 발생하고, 상대방 있는 행정처분이 상대방에게 고지되지 아니한 경우에는 상대방이 다른 경로를 통해 행정처분의 내용을 알게 되었다고 하더라도 행정처분의 효력이 발생한다고 볼 수 없다(대판 2019.8.9. 2019두38656).

## 14 ②

이론+판례

행정의 실효성 확보수단 > 행정강제 > 행정대집행 중

**| 정답 해설 |**

② 대집행요건이 충족된 이후에 대집행 실행에 대한 재량 여부는, 「행정대집행법」상 규정인 "~할 수 있다."는 내용에 대해 학설의 다툼이 있으나 일반적인 견해와 판례는 재량으로 보고 있다.

**| 같이 보는 법령과 판례 | 대집행과 그 비용징수**

- **「행정대집행법」 제2조**
  법률(법률의 위임에 의한 명령, 지방자치단체의 조례를 포함한다. 이하 같다)에 의하여 직접명령되었거나 또는 법률에 의거한 행정청의 명령에 의한 행위로서 타인이 대신하여 행할 수 있는 행위를 의무자가 이행하지 아니하는 경우 다른 수단으로써 그 이행을 확보하기 곤란하고 또한 그 불이행을 방치함이 심히 공익을 해할 것으로 인정될 때에는 당해 행정청은 스스로 의무자가 하여야 할 행위를 하거나 또는 제삼자로 하여금 이를 하게 하여 그 비용을 의무자로부터 징수할 수 있다.
- **관련 판례**
  건물 중 위법하게 구조변경을 한 건축물 부분은 제반 사정에 비추어 그 원상복구로 인한 불이익의 정도가 그로 인하여 유지하고자 하는 공익상의 필요 또는 제3자의 이익보호의 필요에 비하여 현저히 크므로, 그 건축물 부분에 대한 대집행계고처분은 재량권의 범위를 벗어난 위법한 처분이다(대판 1996.10.11. 96누8086).

**| 오답 해설 |**

① 행정대집행에 대한 일반법으로 「행정대집행법」이 있으며, 개별법적 근거를 두고 있다.

③ 대집행 계고 이후의 제2차, 제3차 계고는 새로운 행정처분이 아니고 계고의 단순연기에 불과하다는 것이 대법원의 입장이다.

> 건물의 소유자에게 위법건축물을 일정기간까지 철거할 것을 명함과 아울러 불이행할 때에는 대집행한다는 내용의 철거대집행 계고처분을 고지한 후 이에 불응하자 다시 제2차, 제3차 계고서를 발송하여 일정 기간까지의 자진철거를 촉구하고 불이행하면 대집행을 한다는 뜻을 고지하였다면 「행정대집행법」상의 건물철거의무는 제1차 철거명령 및 계고처분으로서 발생하였고 제2차, 제3차의 계고처분은 새로운 철거 의무를 부과한 것이 아니고 다만 대집행기한의 연기통지에 불과하므로 행정처분이 아니다(대판 1994.10.28. 94누5144).

④ 하자의 승계는 선행처분의 위법을 이유로 후행처분에 대해 소송을 청구하여 다투는 것이다. 반대로 후행처분의 하자를 선행처분의 소송에서 다투는 것은 인정되지 않는다.

> 계고처분의 후속절차인 대집행에 위법이 있다고 하더라도, 그와 같은 후속절차에 위법성이 있다는 점을 들어 선행절차인 계고처분이 부적법하다는 사유로 삼을 수는 없다(대판 1997.2.14. 96누15428).

## 15 ③

법령+판례

행정작용 > 행정행위 > 행정행위의 성립과 효력 중

**| 정답 해설 |**

③ 교육인적자원부장관의 대학총장들에 대한 이 사건 학칙시정요구는 「고등교육법」 제6조 제2항, 동법 시행령 제4조 제3항에 따른 것으로서 그 법적 성격은 대학총장의 임의적인 협력을 통하여 사실상의 효과를 발생시키는 행정지도의 일종이지만, 그에 따르지 않을 경우 일정한 불이익조치를 예정하고 있어 사실상 상대방에게 그에 따를 의무를 부과하는 것과 다를 바 없으므로 단순한 행정지도로서의 한계를 넘어 규제적·구속적 성격을 상당히 강하게 갖는 것으로서 헌법소원의 대상이 되는 공권력의 행사라고 볼 수 있다(헌재결 2003.6.26. 2002헌마337).

**| 오답 해설 |**

① "행정지도"란 행정기관이 그 소관 사무의 범위에서 일정한 행정목적을 실현하기 위하여 특정인에게 일정한 행위를 하거나 하지 아니하도록 지도, 권고, 조언 등을 하는 행정작용을 말한다(「행정절차법」 제2조 제3호).

② 행정지도에 작용법적 근거가 필요한지에 대해 긍정설, 부정설, 절충설이 있다. 부정설이 대법원과 일반적인 입장이지만, 절충설에 의하면 규제적 성질을 강하게 갖는 행정지도는 법적 근거가 있어야 한다고 한다.

④ 행정지도가 강제성을 띠지 않은 비권력적 작용으로서 행정지도의 한계를 일탈하지 아니하였다면, 그로 인하여 상대방에게 어떤 손해가 발생하였다 하더라도 행정기관은 그에 대한 손해배상책임이 없다(대판 2008.9.25. 2006다18228).

## 16 ①

법령+판례

행정의 실효성 확보수단 > 행정강제 > 행정조사 중

**| 정답 해설 |**

ㄱ. (X) 행정조사는 정기조사를 원칙으로 한다.

ㄴ. (X) 「행정절차법」에는 행정조사절차에 대한 규정이 없다.

ㄷ. (O) 「국세기본법」상의 금지된 재조사에 기하여 과세처분하는 것은 위법하다(위법한 행정조사를 토대로 행해진 처분은 위법).

> (구)「국세기본법」 제81조의4 제2항에 따라 금지되는 재조사에 기하여 과세처분을 하는 것은 단순히 당초 과세처분의 오류를 경정하는 경우에 불과하다는 등의 특별한 사정이 없는 한 그 자체로 위법하고, 이는 과세관청이 그러한 재조사로 얻은 과세자료를 과세처분의 근거로 삼지 않았다거나 이를 배제하고서도 동일한 과세처분이 가능한 경우라고 하여 달리 볼 것은 아니다(대판 2017.12.13. 2016두55421).

ㄹ. (O) 행정조사는 원칙적으로 영장 없이 가능하다.

> 우편물 통관검사절차에서 이루어지는 우편물의 개봉, 시료채취, 성분분석 등의 검사는 수출입물품에 대한 적정한 통관 등을 목적으로 한 행정조사의 성격을 가지는 것으로서 수사관의 강제처분이라고 할 수 없으므로, 압수·수색영장 없이 우편물의 개봉, 시료채취, 성분분석 등 검사가 진행되었다 하더라도 특별한 사정이 없는 한 위법하다고 볼 수 없다(대판 2013.9.26. 2013도7718).

**☑ 교수님 TIP**

「행정조사기본법」은 소방행정법에서 매년(2018년, 2019년, 2020년 참고) 유사하게 계속 출제되고 있으므로 정확히 알아두자.

**| 같이 보는 법령 | 「행정조사기본법」**

> **제7조【조사의 주기】** 행정조사는 법령 등 또는 행정조사운영계획으로 정하는 바에 따라 정기적으로 실시함을 원칙으로 한다. 다만, 다음 각 호 중 어느 하나에 해당하는 경우에는 수시조사를 할 수 있다.
> 1. 법률에서 수시조사를 규정하고 있는 경우
> 2. 법령 등의 위반에 대하여 혐의가 있는 경우
> 3. 다른 행정기관으로부터 법령 등의 위반에 관한 혐의를 통보 또는 이첩 받은 경우
> 4. 법령 등의 위반에 대한 신고를 받거나 민원이 접수된 경우
> 5. 그 밖에 행정조사의 필요성이 인정되는 사항으로서 대통령령으로 정하는 경우

## 17 ③

판례

행정작용 > 행정행위 > 종합문제(부관, 행정행위의 내용 등) 중

**| 정답 해설 |**

③ 행정청에게 부여된 재량의 범위를 일탈한 경우나 행정법의 일반원칙에 반하는 재량의 남용은 위법한 처분이다. 하지만 일탈이나 남용이 없는 범위 내에서 공익적 판단(합목적성)을 그르친 경우에는 부당에 해당될 뿐 위법한 처분은 아니다.

**| 오답 해설 |**

① 부관 중 부담은 그 자체로서 독립된 처분의 성질을 갖게 되어 항고소송의 대상이 된다.

> 행정행위의 부관은 행정행위의 일반적인 효력이나 효과를 제한하기 위하여 의사표시의 주된 내용에 부가되는 종된 의사표시이지 그 자체로서 직접 법적 효과를 발생하는 독립된 처분이 아니므로 현행 행정쟁송제도 아래서는 부관 그 자체만을 독립된 쟁송의 대상으로 할 수 없는 것이 원칙이나 행정행위의 부관 중에서도 행정행위에 부수하여 그 행정행위의 상대방에게 일정한 의무를 부과하는 행정청의 의사표시인 부담의 경우에는 다른 부관과는 달리 행정행위의 불가분적인 요

소가 아니고 그 존속이 본체인 행정행위의 존재를 전제로 하는 것일 뿐이므로 부담 그 자체로서 행정쟁송의 대상이 될 수 있다(대판 1992. 1.21. 91누1264).

② 현역입영대상자로서는 현실적으로 입영을 하였다고 하더라도, 입영 이후의 법률관계에 영향을 미치고 있는 현역병입영통지처분 등을 한 관할 지방병무청장을 상대로 위법을 주장하여 그 취소를 구할 소송상의 이익이 있다(대판 2003.12.26. 2003두1875).

④ 허가기준에 대한 신청 시의 법령과 처분 시 법령이 상이한 경우 정당한 사유 없이 심사를 지연한 경우가 아닌 한 처분 시 법령에 따라 허가 여부를 판단한다.

> 허가 등의 행정처분은 원칙적으로 처분 시의 법령과 허가기준에 의하여 처리되어야 하고 허가신청 당시의 기준에 따라야 하는 것은 아니며, 비록 허가신청 후 허가기준이 변경되었다 하더라도 그 허가관청이 허가신청을 수리하고도 정당한 이유 없이 그 처리를 늦추어 그 사이에 허가기준이 변경된 것이 아닌 이상 변경된 허가기준에 따라서 처분을 하여야 한다(대판 1996.8.20. 95누10877).

**| 같이 보는 법령 | 「행정기본법」(2021.3.23. 시행)**

> **제14조【법 적용의 기준】** ① 새로운 법령 등은 법령 등에 특별한 규정이 있는 경우를 제외하고는 그 법령 등의 효력 발생 전에 완성되거나 종결된 사실관계 또는 법률관계에 대해서는 적용되지 아니한다.
> ② 당사자의 신청에 따른 처분은 법령 등에 특별한 규정이 있거나 처분 당시의 법령 등을 적용하기 곤란한 특별한 사정이 있는 경우를 제외하고는 처분 당시의 법령 등에 따른다.

## 18 ④

판례

행정작용 > 행정행위 > 행정행위의 하자 　상

**| 정답 해설 |**

④ 부동산매매계약이 해제되어 소유권의 취득요건이 구비되지 못한 경우에 취득세 신고는 무효에 해당하는 하자에 해당한다.

> 취득세 신고행위는 납세의무자와 과세관청 사이에 이루어지는 것으로서 취득세 신고행위의 존재를 신뢰하는 제3자의 보호가 특별히 문제되지 않아 그 신고행위를 당연무효로 보더라도 법적 안정성이 크게 저해되지 않는 반면, 과세요건 등에 관한 중대한 하자가 있고 그 법적 구제수단이 국세에 비하여 상대적으로 미비함에도 위법한 결과를 시정하지 않고 납세의무자에게 그 신고행위로 인한 불이익을 감수시키는 것이 과세행정의 안정과 그 원활한 운영의 요청을 참작하더라도 납세의무자의 권익구제 등의 측면에서 현저하게 부당하다고 볼 만한 특별한 사정이 있는 때에는 예외적으로 이와 같은 하자 있는 신고행위가 당연무효라고 함이 타당하다(대판 2009.2.12. 2008두11716).

**| 오답 해설 |**

① 과세대상이 되지 않는 법률관계나 사실관계에 대하여 이를 과세대상이 되는 것으로 오인할 만한 객관적인 사실이 있는 경우에 이것이 과세대상이 되는지 여부가 그 사실관계를 정확히 조사하여야 비로소 밝혀질 수 있는 경우라면 이를 오인한 하자가 중대한 경우라도 외관상 명백하다 할 수 없으므로 이를 오인한 과세처분을 당연무효라 할 수 없다(대판 1984.2.28. 82누154).

② 조례 제정권의 범위를 벗어나 국가사무를 대상으로 한 무효인 서울특별시 행정권한위임조례의 규정에 근거하여 구청장이 건설업영업정지처분을 한 경우, 그 처분은 결과적으로 적법한 위임 없이 권한 없는 자에 의하여 행하여진 것과 마찬가지가 되어 그 하자가 중대하나, 지방자치단체의 사무에 관한 조례와 규칙은 조례가 보다 상위규범이라고 할 수 있고, 또한 헌법 제107조 제2항의 "규칙"에는 지방자치단체의 조례와 규칙이 모두 포함되는 등 이른바 규칙의 개념이 경우에 따라 상이하게 해석되는 점 등에 비추어 보면 위 처분의 위임과정의 하자가 객관적으로 명백한 것이라고 할 수 없으므로 이로 인한 하자는 결국 당연무효사유는 아니라고 봄이 상당하다(대판 1995.7.11. 94누4615).

③ 「병역법」상 공익근무요원소집처분이 보충역편입처분을 전제로 하는 것이기는 하나 각각 단계적으로 별개의 법률효과를 발생하는 독립된 행정처분이라고 할 것이므로, 따라서 보충역편입처분의 기초가 되는 신체등위 판정에 잘못이 있다는 이유로 이를 다투기 위하여는 신체등위 판정을 기초로 한 보충역편입처분에 대하여 쟁송을 제기하여야 할 것이지, 보충역편입처분에 하자가 있다고 할지라도 그것이 당연무효라고 볼만한 특단의 사정이 없는 한 그 위법을 이유로 공익근무요원소집처분의 효력을 다툴 수 없다(대판 2002.12.10. 2001두5422).

## 19 ②

법령+판례

행정구제 > 손해전보 > 국가배상 　중

**| 정답 해설 |**

② 직무관련성의 판단은 실질적인 직무행위 여부나 직무를 집행할 의사 여부 등에 의하지 않고 객관적인 외관으로 직무집행 여부를 판단한다.

> 인사업무담당 공무원이 다른 공무원의 공무원증 등을 위조한 행위에 대하여 실질적으로는 직무행위에 속하지 아니한다 할지라도 외관상으로 「국가배상법」 제2조 제1항의 직무집행관련성을 인정한다(대판 2005. 1.14. 2004다26805).

**| 오답 해설 |**

① 「국가배상법」은 공무원의 피해자에 대한 배상규정이 없다.

③ 「군행형법」과 「군행형법 시행령」이 군교도소나 미결수용실(이하 '교도소 등'이라 한다)에 대한 경계 감호를 위하여 관련 공무원에게 각종 직무상의 의무를 부과하고 있는 것은, 일차적으로는 그 수용자들을 격리보호하고 교정·교화함으로써 공공 일반의 이익을 도모하고 교도소 등의 내부 질서를 유지하기 위한 것이라 할 것이지만, 부수적으로는 그 수용자들이 탈주한 경우에 그 도주과정에서 일어날 수 있는 2차적 범죄행위로부터 일반 국민의 인명과 재화를 보호하고자 하는 목적도 있다고 할 것이므로, 국가공무원들이 위와 같은 직무상의 의무를 위반한 결과 수용자들이 탈주함으로써 일반 국민에게 손해를 입히는 사건이 발생하였다면, 국가는 그로 인하여 피해자들이 입은 손해를 배상할 책임이 있다(대판 2003.2.14. 2002다62678).

④ 공동불법행위자 등이 부진정연대채무자로서 각자 피해자의 손해 전부를 배상할 의무를 부담하는 공동불법행위의 일반적인 경우와 달리 예외적으로 민간인은 피해 군인 등에 대하여 그 손해 중 국가 등이 민간인에 대한 구상의무를 부담한다면 그 내부적인 관계에서 부담하여야 할 부분을 제외한 나머지 자신의 부담부분에 한하여 손해배상의무를 부담하고, 한편 국가 등에 대하여는 그 귀책부분의 구상을 청

구할 수 없다고 해석함이 상당하다 할 것이고, 이러한 해석이 손해의 공평·타당한 부담을 그 지도원리로 하는 손해배상제도의 이상에도 맞는다 할 것이다(대판 2001.2.15. 96다42420).

## 20 ③

판례

행정구제 > 손해전보 > 국가배상 중

**| 정답 해설 |**

③ 가변차로에 설치된 두 개의 신호등에서 서로 모순되는 신호가 들어오는 오작동이 발생하였고 그 고장이 현재의 기술수준상 부득이한 것이라고 가정하더라도 그와 같은 사정만으로 손해발생의 예견가능성이나 회피가능성이 없어 영조물의 하자를 인정할 수 없는 경우라고 단정할 수 없다(대판 2001.7.27. 2000다56822).

**| 오답 해설 |**

① 지방자치단체가 비탈사면인 언덕에 대하여 현장조사를 한 결과 붕괴의 위험이 있음을 발견하고 이를 붕괴위험지구로 지정하여 관리하여 오다가 붕괴를 예방하기 위하여 언덕에 옹벽을 설치하기로 하고 소외 회사에게 옹벽시설공사를 도급 주어 소외 회사가 공사를 시행하다가 깊이 3m의 구덩이를 파게 되었는데, 피해자가 공사현장 주변을 지나가다가 흙이 무너져 내리면서 위 구덩이에 추락하여 상해를 입게 된 사안에서, 위 사고 당시 설치하고 있던 옹벽은 소외 회사가 공사를 도급받아 공사 중에 있었을 뿐만 아니라 아직 완성도 되지 아니하여 일반 공중의 이용에 제공되지 않고 있었던 이상 「국가배상법」 제5조 제1항 소정의 영조물에 해당한다고 할 수 없다(대판 1998.10.23. 98다17381).

② 김포공항에서 발생하는 소음 등으로 인근 주민들이 입은 피해는 사회통념상 수인한도를 넘는 것으로서 김포공항의 설치·관리에 하자가 있다(대판 2005.1.27. 2003다49566).

④ 영조물 설치의 '하자'라 함은 영조물의 축조에 불완전한 점이 있어 이 때문에 영조물 자체가 통상 갖추어야 할 완전성을 갖추지 못한 상태에 있음을 말한다고 할 것인바 그 '하자' 유무는 객관적 견지에서 본 안전성의 문제이고 그 설치자의 재정사정이나 영조물의 사용목적에 의한 사정은 안전성을 요구하는 데 대한 정도 문제로서 참작사유에는 해당할지언정 안전성을 결정지을 절대적 요건에는 해당하지 아니한다 할 것이다(대판 1967.2.21. 66다1723).

# 2020 행정법총론 A형

일반 공무원 시험에 비하여는 여전히 수월하게 풀리지만, 2019년에 비하면 난이도가 상승했습니다. 난이도 '상(上)'에 해당하는 문항은 1문항에 불과하지만, 난이도 '하(下)'에 해당하는 문항들이 '중(中)'의 수준인 것들이 대부분이었습니다. 문제의 유형으로는 법령문제가 줄고 '이론+판례'의 혼합문제와 '판례'문제가 늘어, 판례의 비중이 커져가고 있음을 분명하게 느낄 수 있습니다.



## 문항분석

| 문항 | 정답 | 영역 |
|---|---|---|
| 1 | ④ | 행정작용 > 행정행위 > 행정행위의 종류 |
| 2 | ③ | 행정구제 > 사전구제 > 행정절차 |
| 3 | ② | 행정구제 > 행정쟁송 > 행정소송 |
| 4 | ③ | 행정구제 > 행정쟁송 > 행정소송 |
| 5 | ④ | 행정작용 > 행정행위 > 행정행위의 하자 |
| 6 | ① | 행정의 실효성 확보수단 > 행정강제 > 행정조사 |
| 7 | ① | 행정작용 > 비권력적 행정작용 > 공법상 계약 |
| 8 | ① | 행정작용 > 행정입법 > 법규명령 |
| 9 | ④ | 행정의 실효성 확보수단 > 행정강제 > 강제집행 |
| 10 | ① | 행정법 통칙 > 행정법의 법원 > 행정법의 일반원칙 |
| 11 | ③ | 종합문제(행정심판, 행정소송, 행정행위의 내용, 행정질서벌) |
| 12 | ④ | 행정법 통칙 > 행정상 법률관계 > 법률요건과 법률사실 |
| 13 | ③ | 행정작용 > 비권력적 행정 > 행정지도 |
| 14 | ② | 행정의 실효성 확보수단 > 행정벌 > 행정질서벌 |
| 15 | ④ | 행정작용 > 행정행위 > 행정행위의 내용 |
| 16 | ② | 행정작용 > 비권력적 행정 > 행정지도 |
| 17 | ③ | 행정법 통칙 > 행정법의 법원 > 행정법의 일반원칙 |
| 18 | ③ | 행정작용 > 행정행위 > 행정행위의 부관 |
| 19 | ② | 행정의 실효성 확보수단 > 행정강제 > 강제집행 |
| 20 | ② | 행정구제 > 손해전보 > 국가배상 |

## 합격예상 체크

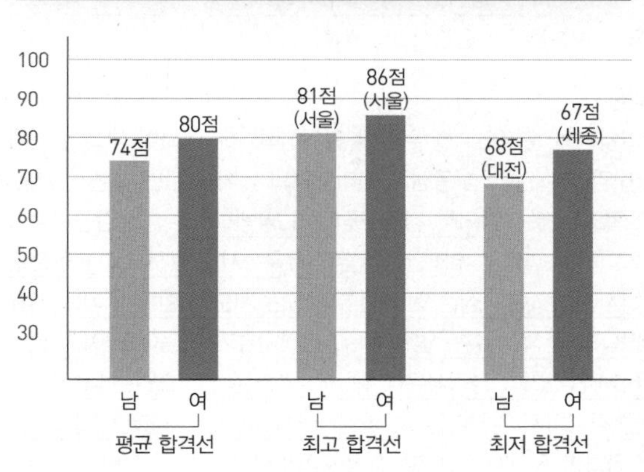


*5과목의 통합 평균 점수를 의미함

| 맞힌 문항 수 | /20문항 |
|---|---|
| 점수 | /100점 |

☐ 합격 ☐ 불합격

## 출제 트렌드

| 구분 | 행정법 통칙 | 행정작용 | 정보공개 개인정보 | 실효성 확보수단 | 행정구제 | 종합문제 |
|---|---|---|---|---|---|---|
| 2021 | 1문항 | 6문항 | 1문항 | 4문항 | 6문항 | 2문항 |
| **2020** | **3문항** | **8문항** | **0문항** | **4문항** | **4문항** | **1문항** |
| 2019 | 2문항 | 4문항 | 2문항 | 2문항 | 10문항 | 0문항 |

행정작용 영역에 완전히 편중되어 출제되었고, 전년도 대비 행정구제 영역에서의 출제가 대폭 줄었습니다. 그리고 일반적으로 출제되는 손실보상과 사인의 공법행위에서의 출제가 없었습니다.

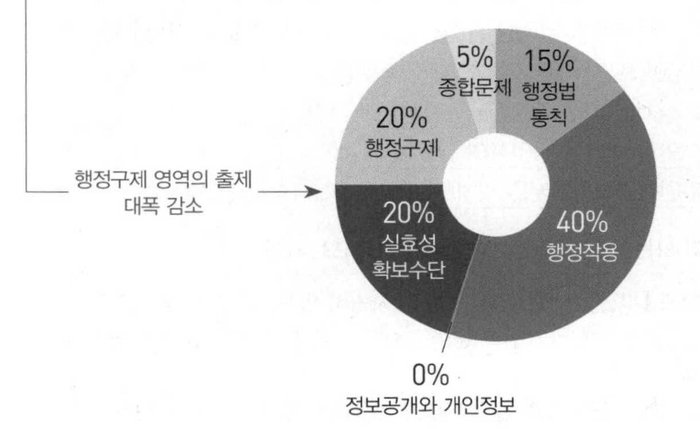

| 2020 행정법총론 | | | | | | | | | P.22 |
|---|---|---|---|---|---|---|---|---|---|
| 01 | ④ | 02 | ③ | 03 | ② | 04 | ③ | 05 | ④ |
| 06 | ① | 07 | ① | 08 | ① | 09 | ④ | 10 | ① |
| 11 | ③ | 12 | ④ | 13 | ③ | 14 | ② | 15 | ④ |
| 16 | ② | 17 | ③ | 18 | ③ | 19 | ② | 20 | ② |

## 01 ④

판례

행정작용 > 행정행위 > 행정행위의 종류 중

**| 정답 해설 |**

④ 실권리자명의 등기의무를 위반한 명의신탁자에 대하여 부과하는 과징금의 감경에 관한 「부동산 실권리자명의 등기에 관한 법률 시행령」 제3조의2 단서는 임의적 감경규정임이 명백하므로, 그 감경사유가 존재하더라도 과징금 부과관청이 감경사유까지 고려하고도 과징금을 감경하지 않은 채 과징금 전액을 부과하는 처분을 한 경우에는 이를 위법하다고 단정할 수는 없으나, 위 감경사유가 있음에도 이를 전혀 고려하지 않았거나 감경사유에 해당하지 않는다고 오인한 나머지 과징금을 감경하지 않았다면 그 과징금 부과처분은 재량권을 일탈·남용한 위법한 처분이라고 할 수밖에 없다(대판 2010.7.15. 2010두7031).

**| 오답 해설 |**

① 일반적으로 기속행위나 기속적 재량행위에는 부관을 붙일 수 없고, 가사 부관을 붙였다 하더라도 무효이다(대판 1988.4.27. 87누1106).

☑ **교수님 TIP**

최근 제정·시행된 「행정기본법」 제17조 제2항에 따라 기속에는 법령에 근거가 없으면 부관을 붙일 수 없다는 규정이 있다.

② 건축허가를 하면서 일정 토지를 기부채납하도록 하는 내용의 허가조건은 부관을 붙일 수 없는 기속행위 내지 기속적 재량행위인 건축허가에 붙인 부담이거나 또는 법령상 아무런 근거가 없는 부관이어서 무효이다(대판 1995.6.13. 94다56883).

③ 이 사건 건축불허가처분의 사유로 삼은 것은 관계 법규에서 정하는 건축허가의 제한사유에 해당하지 아니하고, 인근 주민 내지 기존 주유소 사업자들의 반대 그 자체가 건축허가 여부를 판단함에 있어 적법한 기준이 될 수 없으며, 이 사건 주유소 건축으로 인한 기존 주유소 사업자들의 영업상 손실을 공익상의 손실로 보기 어려운 점 등에 비추어 보면, 기존 주유소 사업자의 생계 위협 및 위험시설물인 주유소 설치에 따른 집단민원 발생이 이 사건 주유소의 건축허가를 제한할 만한 중대한 공익상의 필요에 해당한다고 보기 어려우므로, 이 사건 건축불허가처분은 위법하다(대판 2012.11.22. 2010두22962).

**| 같이 보는 법령 | 「행정기본법」(2021.3.23. 시행)**

> 제17조 【부관】 ① 행정청은 처분에 재량이 있는 경우에는 부관(조건, 기한, 부담, 철회권의 유보 등을 말한다. 이하 이 조에서 같다)을 붙일 수 있다.
> ② 행정청은 처분에 재량이 없는 경우에는 법률에 근거가 있는 경우에 부관을 붙일 수 있다.

## 02 ③

법령

행정구제 > 사전구제 > 행정절차 중

**| 정답 해설 |**

③ 행정청이 당사자에게 의무를 부과하거나 권익을 제한하는 처분을 할 때 제1항(청문) 또는 제2항(공청회)의 경우 외에는 당사자 등에게 의견 제출의 기회를 주어야 한다(「행정절차법」 제22조 제3항).

**| 오답 해설 |**

① 행정청은 처분을 할 때 필요하다고 인정하는 경우에 청문을 한다.

> 「행정절차법」 제22조 【의견청취】 ① 행정청이 처분을 할 때 다음 각 호의 어느 하나에 해당하는 경우에는 청문을 한다.
> 1. 다른 법령 등에서 청문을 하도록 규정하고 있는 경우
> 2. 행정청이 필요하다고 인정하는 경우
> 3. 다음 각 목의 처분 시 제21조 제1항 제6호에 따른 의견 제출기한 내에 당사자 등의 신청이 있는 경우
> 가. 인허가 등의 취소
> 나. 신분·자격의 박탈
> 다. 법인이나 조합 등의 설립허가의 취소

② 공청회 개최사유에 대한 내용이다.

> 「행정절차법」 제22조 【의견청취】 ② 행정청이 처분을 할 때 다음 각 호의 어느 하나에 해당하는 경우에는 공청회를 개최한다.
> 1. 다른 법령 등에서 공청회를 개최하도록 규정하고 있는 경우
> 2. 해당 처분의 영향이 광범위하여 널리 의견을 수렴할 필요가 있다고 행정청이 인정하는 경우
> 3. 국민생활에 큰 영향을 미치는 처분으로서 대통령령으로 정하는 처분에 대하여 대통령령으로 정하는 수 이상의 당사자 등이 공청회 개최를 요구하는 경우

④ 이유 제시를 생략할 수 있는 사유에 대한 내용이다.

> 「행정절차법」 제23조 【처분의 이유 제시】 ① 행정청은 처분을 할 때에는 다음 각 호의 어느 하나에 해당하는 경우를 제외하고는 당사자에게 그 근거와 이유를 제시하여야 한다.
> 1. 신청 내용을 모두 그대로 인정하는 처분인 경우
> 2. 단순·반복적인 처분 또는 경미한 처분으로서 당사자가 그 이유를 명백히 알 수 있는 경우
> 3. 긴급히 처분을 할 필요가 있는 경우
> ② 행정청은 제1항 제2호 및 제3호의 경우에 처분 후 당사자가 요청하는 경우에는 그 근거와 이유를 제시하여야 한다.

## 03 ②

법령+판례

행정구제 > 행정쟁송 > 행정소송 중

**| 정답 해설 |**

② 법원이 제1항의 규정에 의한 판결을 함에 있어서는 미리 원고가 그로 인하여 입게 될 손해의 정도와 배상방법 그 밖의 사정을 조사하여야 한다(「행정소송법」 제28조 제2항).

**| 오답 해설 |**

① 행정소송에서의 입증이나 주장책임은 원고나 피고 각자가 자신에게 유리한 것을 부담하게 된다. 따라서 재량의 일탈이나 남용에 대한 주장이나 입증책임은 원고가 부담한다.

> 법원은 해당 심사기준의 해석에 관한 독자적인 결론을 도출하지 않은 채로 그 기준에 대한 행정청의 해석이 객관적인 합리성을 결여하여 재량권을 일탈·남용하였는지 여부만을 심사하여야 하고, 행정청의 심사기준에 대한 법원의 독자적인 해석을 근거로 그에 관한 행정청의 판단이 위법하다고 쉽사리 단정하여서는 아니 된다. 한편 이러한 재량권 일탈·남용에 관하여는 그 행정행위의 효력을 다투는 사람이 주장·증명책임을 부담한다(대판 2019.1.10. 2017두43319).

**☑ 교수님 TIP**

문제는 사정판결에 대한 설명을 묻고 있는데, ① 선택지는 문제와 무관한 재량의 일탈·남용에 대한 선지에 해당한다.

③ 원고의 청구가 이유 있다고 인정하는 경우에도 처분 등을 취소하는 것이 현저히 공공복리에 적합하지 아니하다고 인정하는 때에는 법원은 원고의 청구를 기각할 수 있다. 이 경우 법원은 그 판결의 주문에서 그 처분 등이 위법함을 명시하여야 한다(동법 제28조 제1항).

④ 원고는 피고인 행정청이 속하는 국가 또는 공공단체를 상대로 손해배상, 제해시설의 설치 그 밖에 적당한 구제방법의 청구를 당해 취소소송 등이 계속된 법원에 병합하여 제기할 수 있다(동법 제28조 제3항).

## 04 ③

법령

행정구제 > 행정쟁송 > 행정소송 상

**| 정답 해설 |**

③ 취소소송은 처분 등이 있은 날부터 1년(제1항 단서의 경우는 재결이 있은 날부터 1년)을 경과하면 이를 제기하지 못한다. 다만, 정당한 사유가 있는 때에는 그러하지 아니하다(「행정소송법」 제20조 제2항).

**| 오답 해설 |**

① 취소소송은 처분 등을 대상으로 한다. 다만, 재결취소소송의 경우에는 재결 자체에 고유한 위법이 있음을 이유로 하는 경우에 한한다(동법 제19조).

② 금전적 보상을 과도하게 요하는 경우는 해당하지 않는다.

> 회복하기 어려운 손해란 사회통념상 그 원상회복이나 금전배상이 불가능하다고 인정되는 손해를 의미한다. 이는 특별한 사정이 없는 한 금전으로 보상할 수 없는 손해로서 금전보상이 불가능한 경우뿐만 아니라 금전보상으로는 사회관념상 행정처분을 받은 당사자가 참고 견딜 수 없거나 또는 참고 견디기가 현저히 곤란한 경우의 유형·무형의 손해를 일컫는다(대결 1992.4.29. 92두7).

**☑ 교수님 TIP**

집행정지의 요건을 묻는 문제는 출제빈도가 높으므로 섬세한 이해와 암기가 필요하다.

④ 제2항의 집행정지 규정에 의한 집행정지의 결정을 신청함에 있어서는 그 이유에 대한 소명이 있어야 한다(동법 제23조 제4항).

## 05 ④

판례

행정작용 > 행정행위 > 행정행위의 하자 중

**| 정답 해설 |**

④ 이 사건 변경인가처분은 이 사건 설립인가처분 후 추가동의서가 제출되어 동의자 수가 변경되었음을 이유로 하는 것으로서 조합원의 신규가입을 이유로 한 경미한 사항의 변경에 대한 신고를 수리하는 의미에 불과하므로 이 사건 설립인가처분이 이 사건 변경인가처분에 흡수된다고 볼 수 없고, 또한 이 사건 설립인가처분 당시 동의율을 충족하지 못한 하자는 후에 추가동의서가 제출되었다는 사정만으로 치유될 수 없다(대판 2013.7.11. 2011두27544).

**| 오답 해설 |**

① 행정행위의 하자 치유에 대해 대법원은 원칙적으로 법치주의에 반한다고 하여 부정하고 있으나, 일부 국민의 권익침해 없이 능률행정을 위해 쟁송제기 이전까지 치유를 인정한다고 하여 제한긍정설의 입장을 취하고 있다.

> 행정행위의 성질이나 법치주의의 관점에서 볼 때 하자 있는 행정행위의 치유는 원칙적으로 허용될 수 없는 것일 뿐만 아니라, 이를 허용하는 경우에도 국민의 권리와 이익을 침해하지 않는 범위에서 구체적 사정에 따라 합목적적으로 가려야 한다고 할 것이다(대판 1983.7.26. 82누420).

② 행정소송에서 행정처분의 위법 여부는 행정처분이 있을 때의 법령과 사실상태를 기준으로 하여 판단하여야 하고, 처분 후 법령의 개폐나 사실상태의 변동에 의하여 영향을 받지는 않는다고 할 것이고, 하자 있는 행정행위의 치유는 행정행위의 성질이나 법치주의의 관점에서 볼 때 원칙적으로 허용될 수 없는 것이고, 예외적으로 행정행위의 무용한 반복을 피하고 당사자의 법적 안정성을 위해 이를 허용하는 때에도 국민의 권리나 이익을 침해하지 않는 범위에서 구체적 사정에 따라 합목적적으로 인정하여야 한다(대판 2002.7.9. 2001두10684).

③ 행정청이 어느 법률관계나 사실관계에 대하여 어느 법률의 규정을 적용하여 행정처분을 한 경우에 그 법률관계나 사실관계에 대하여는 그 법률의 규정을 적용할 수 없다는 법리가 명백히 밝혀져 그 해석에 다툼의 여지가 없음에도 불구하고 행정청이 위 규정을 적용하여 처분을 한 때에는 그 하자가 중대하고도 명백하다고 할 것이나, 그 법률관계나 사실관계에 대하여 그 법률의 규정을 적용할 수 없다는 법리가 명백히 밝혀지지 아니하여 그 해석에 다툼의 여지가 있는 때에는 행정관청이 이를 잘못 해석하여 행정처분을 하였더라도 이는 그 처분 요건사실을 오인한 것에 불과하여 그 하자가 명백하다고 할 수 없는 것이다(대판 2004.10.15. 2002다68485).

## 06 ①

법령

행정의 실효성 확보수단 > 행정강제 > 행정조사 하

**| 정답 해설 |**

① 행정조사는 법령 등의 위반에 대한 처벌보다는 법령 등을 준수하도록 유도하는 데 중점을 두어야 한다(「행정조사기본법」 제4조 제4항).

**| 오답 해설 |**

② 행정기관은 법령 등에서 행정조사를 규정하고 있는 경우에 한하여 행정조사를 실시할 수 있다. 다만, 조사대상자의 자발적인 협조를 얻어 실시하는 행정조사의 경우에는 그러하지 아니하다(동법 제5조).

③ 행정기관의 장은 법령 등에서 규정하고 있는 조사사항을 조사대상자로 하여금 스스로 신고하도록 하는 제도를 운영할 수 있다(동법 제25조 제1항).

④ 조사원이 조사목적의 달성을 위하여 시료채취를 하는 경우에는 그

시료의 소유자 및 관리자의 정상적인 경제활동을 방해하지 아니하는 범위 안에서 최소한도로 하여야 한다(동법 제12조 제1항).

## 07 ①

이론+판례

행정작용 > 비권력적 행정작용 > 공법상 계약 하

**| 정답 해설 |**

① 정보화지원사업을 위한 중소기업기술정보진흥원장과 중소기업의 협약은 공법상 계약에 해당되고 계약의 해지와 계약상의 환수통보는 항고소송 대상인 처분이 아니어서 당사자소송에 의한다.

> 중소기업기술정보진흥원장이 갑 주식회사와 중소기업 정보화지원사업 지원대상인 사업의 지원에 관한 협약을 체결하였는데, 협약이 갑 회사에 책임이 있는 사업실패로 해지되었다는 이유로 협약에서 정한 대로 지급받은 정부지원금을 반환할 것을 통보한 사안에서, 협약의 해지 및 그에 따른 환수통보는 공법상 계약에 따라 행정청이 대등한 당사자의 지위에서 하는 의사표시로 보아야 하고, 이를 행정청이 우월한 지위에서 행하는 공권력의 행사로서 행정처분에 해당한다고 볼 수는 없다(대판 2015.8.27. 2015두41449).

**| 오답 해설 |**

② 「행정절차법」에는 공법상 계약에 관한 규정이 없으므로, 계약을 해지함에 있어 「행정절차법」을 준수할 수 없다.

> 계약직 공무원에 관한 현행 법령의 규정에 비추어 볼 때, 계약직 공무원 채용계약해지의 의사표시는 일반공무원에 대한 징계처분과는 달라서 항고소송의 대상이 되는 처분 등의 성격을 가진 것으로 인정되지 아니하고, 일정한 사유가 있을 때에 국가 또는 지방자치단체가 채용계약관계의 한쪽 당사자로서 대등한 지위에서 행하는 의사표시로 취급되는 것으로 이해되므로, 이를 징계해고 등에서와 같이 그 징계사유에 한하여 효력 유무를 판단하여야 하거나, 행정처분과 같이 「행정절차법」에 의하여 근거와 이유를 제시하여야 하는 것은 아니다(대판 2002.11.26. 2002두5948).

③ 행정대집행을 포함한 행정강제는 행정상의 의무를 불이행한 경우를 대상으로 한다. 여기에서의 의무는 권력적 작용으로서 법규상의 의무나 처분에 의해 부여된 의무를 말하며, 행정주체와 상대방이 대등한 지위에 있는 계약상의 의무를 의미하지 않는다.

④ 처분, 신고, 행정상 입법예고, 행정예고 및 행정지도의 절차(이하 "행정절차"라 한다)에 관하여 다른 법률에 특별한 규정이 있는 경우를 제외하고는 「행정절차법」에서 정하는 바에 따른다(「행정절차법」 제3조 제1항).

**☑ 교수님 TIP**

「행정절차법」에 규정되어 있지 않은 것을 묻는 문제로 출제빈도가 높은 것이 '공법상 계약', '행정계획'이다. 따라서 반대로 「행정절차법」에 규정된 내용을 암기하여 이러한 문제에 대비해야 한다.

## 08 ①

판례

행정작용 > 행정입법 > 법규명령 중

**| 정답 해설 |**

ㄱ. 위임 규정에서 사용하고 있는 용어의 의미를 넘어 범위를 확장하거나 축소함으로써 위임 내용을 구체화하는 단계를 벗어나 새로운 입법을 한 것으로 평가할 수 있다면, 이는 위임의 한계를 일탈한 것으로서 허용되지 않는다(대판 2016.8.17. 2015두51132).

**| 오답 해설 |**

ㄴ. 법률이 자치적인 사항을 정관에 위임할 경우 원칙적으로 헌법상의 포괄위임입법금지원칙이 적용되지 않는다.

ㄷ. 상급행정기관이 하급행정기관에 대하여 업무처리지침이나 법령의 해석적용에 관한 기준을 정하여 발하는 이른바 '행정규칙이나 내부지침'은 일반적으로 행정조직 내부에서만 효력을 가질 뿐 대외적인 구속력을 갖는 것은 아니므로 행정처분이 그에 위반하였다고 하여 그러한 사정만으로 곧바로 위법하게 되는 것은 아니다(대판 2009.12.24. 2009두7967).

## 09 ④

판례

행정의 실효성 확보수단 > 행정강제 > 강제집행 중

**| 정답 해설 |**

④ 행정청이 행정대집행의 방법으로 건물철거의무의 이행을 실현할 수 있는 경우에는 건물철거 대집행 과정에서 부수적으로 건물의 점유자들에 대한 퇴거조치를 할 수 있고, 점유자들이 적법한 행정대집행을 위력을 행사하여 방해하는 경우 「형법」상 공무집행방해죄가 성립하므로, 필요한 경우에는 「경찰관 직무집행법」에 근거한 위험발생 방지조치 또는 「형법」상 공무집행방해죄의 범행방지 내지 현행범체포의 차원에서 경찰의 도움을 받을 수도 있다(대판 2017.4.28. 2016다213916).

**| 오답 해설 |**

① 개발제한구역 내의 건축물에 대하여 허가를 받지 않고 한 용도변경행위에 대한 형사처벌과 「건축법」 제83조 제1항에 의한 시정명령 위반에 대한 이행강제금의 부과는 그 처벌 내지 제재대상이 되는 기본적 사실관계로서의 행위를 달리하며, 또한 그 보호법익과 목적에서도 차이가 있으므로 이중처벌에 해당한다고 할 수 없다(대결 2005.8.19. 2005마30).

② 양벌규정에 의한 영업주의 처벌은 금지위반 행위자인 종업원의 처벌에 종속하는 것이 아니라 독립하여 그 자신의 종업원에 대한 선임감독상의 과실로 인하여 처벌되는 것이므로 종업원의 범죄성립이나 처벌이 영업주 처벌의 전제조건이 될 필요는 없다(대판 2006.2.24. 2005도7673).

③ 「도로교통법」 제118조에서 규정하는 경찰서장의 통고처분은 행정소송의 대상이 되는 행정처분이 아니므로 그 처분의 취소를 구하는 소송은 부적법하고 「도로교통법」상의 통고처분을 받은 자가 그 처분에 대하여 이의가 있는 경우에는 통고처분에 따른 범칙금의 납부를 이행하지 아니함으로써 경찰서장의 즉결심판청구에 의하여 법원의 심판을 받을 수 있게 될 뿐이다(대판 1995.6.29. 95누4674).

**☑ 교수님 TIP**

철거과정의 행정대집행에서 점유자를 퇴거시키는 행위는 허용되지만, 건물 점유자의 점유배제를 목적으로 한 행정대집행은 허용되지 않는다.

**| 같이 보는 판례 | 시설물 철거 대집행계고처분 취소**

> 도시공원시설인 매점의 관리청이 그 공동점유자 중의 1인에 대하여 소정의 기간 내에 위 매점으로부터 퇴거하고 이에 부수하여 그 판매 시설물

> 및 상품을 반출하지 아니할 때에는 이를 대집행하겠다는 내용의 계고처분은 그 주된 목적이 매점의 원형을 보존하기 위하여 점유자가 설치한 불법 시설물을 철거하고자 하는 것이 아니라, 매점에 대한 점유자의 점유를 배제하고 그 점유이전을 받는 데 있다고 할 것인데, 이러한 의무는 그것을 강제적으로 실현함에 있어 직접적인 실력행사가 필요한 것이지 대체적 작위의무에 해당하는 것은 아니어서 직접강제의 방법에 의하는 것은 별론으로 하고 「행정대집행법」에 의한 대집행의 대상이 되는 것은 아니다(대판 1998.10.23. 97누157).

## 10 ① 판례

**행정법 통칙 > 행정법의 법원 > 행정법의 일반원칙** 중

**| 정답 해설 |**

① 판례는 일반적으로 신뢰보호를 포함하여 행정법의 일반원칙을 위반하는 경우에 주로 취소로 보고 있다.

**| 오답 해설 |**

② 행정주체가 행정작용을 함에 있어서 실질적 관련이 없는 행정을 결부하여 행하는 경우 부당결부금지원칙에 반하여 위법하다.

> 부당결부금지의 원칙이란 행정주체가 행정작용을 함에 있어서 상대방에게 이와 실질적인 관련이 없는 의무를 부과하거나 그 이행을 강제하여서는 아니 된다는 원칙을 말한다(대판 2009.2.12. 2005다65500).

③ 「행정절차법」의 규정 유무와 상관없이 적정한 절차를 준수하지 않는 행정은 위법하다.

> 헌법상 적법절차의 원칙은 형사소송절차뿐만 아니라 국민에게 부담을 주는 행정작용에서도 준수되어야 하므로, 그 기본 정신은 과세처분에 대해서도 그대로 관철되어야 한다. 행정처분에 처분의 이유를 제시하도록 한 「행정절차법」이 과세처분에 직접 적용되지는 않지만(「행정절차법」 제3조 제2항 제9호, 「행정절차법 시행령」 제2조 제5호), 그 기본 원리가 과세처분의 장면이라고 하여 본질적으로 달라져서는 안 되는 것이고 이를 완화하여 적용할 하등의 이유도 없다(대판 2012.10.18. 2010두12347 전합).

④ 자기구속의 원칙을 위반하는 행정처분은 평등이나 신뢰보호에 반하여 위법하다.

> 재량권 행사의 준칙인 행정규칙이 그 정한 바에 따라 되풀이 시행되어 행정관행이 이루어지게 되면 평등의 원칙이나 신뢰보호의 원칙에 따라 행정기관은 그 상대방에 대한 관계에서 그 규칙에 따라야 할 자기구속을 받게 되므로, 이러한 경우에는 특별한 사정이 없는 한 그를 위반하는 처분은 평등의 원칙이나 신뢰보호의 원칙에 위배되어 재량권을 일탈·남용한 위법한 처분이 된다(대판 2009.12.24. 2009두7967).

## 11 ③ 이론+판례

**종합문제(행정심판, 행정소송, 행정행위의 내용, 행정질서벌)** 중

**| 정답 해설 |**

ㄴ. 건축허가를 하면서 일정 토지를 기부채납하도록 하는 내용의 허가조건은 부관을 붙일 수 없는 기속행위 내지 기속적 재량행위인 건축허가에 붙인 부담이거나 또는 법령상 아무런 근거가 없는 부관이어서 무효이다(대판 1995.6.13. 94다56883).

ㄷ. 취소소송은 처분 등이 있음을 안 날부터 90일 이내에 제기하여야 한다. 다만, 제18조 제1항 단서에 규정한 경우와 그 밖에 행정심판청구를 할 수 있는 경우 또는 행정청이 행정심판청구를 할 수 있다고 잘못 알린 경우에 행정심판청구가 있은 때의 기간은 재결서의 정본을 송달받은 날부터 기산한다(「행정소송법」 제20조 제1항).

**| 오답 해설 |**

ㄱ. 국가기관인 소방청장도 다른 국가기관으로부터 일정한 의무를 부과하는 내용의 조치요구를 받은 것에 항고소송을 청구할 수 있는 원고적격이 인정된다.

> 행정기관인 국민권익위원회가 행정기관의 장에게 일정한 의무를 부과하는 내용의 조치요구를 한 것에 대하여 그 조치요구의 상대방인 행정기관의 장이 다투고자 할 경우에 법률에서 행정기관 사이의 기관소송을 허용하는 규정을 두고 있지 않으므로 이러한 조치요구를 이행할 의무를 부담하는 행정기관의 장으로서는 기관소송으로 조치요구를 다툴 수 없고, 위 조치요구에 관하여 정부 조직 내에서 그 처분의 당부에 대한 심사·조정을 할 수 있는 다른 방도도 없으며, 국민권익위원회는 헌법 제111조 제1항 제4호에서 정한 '헌법에 의하여 설치된 국가기관'이라고 할 수 없으므로 그에 관한 권한쟁의심판도 할 수 없고, 별도의 법인격이 인정되는 국가기관이 아닌 소방청장은 「질서위반행위규제법」에 따른 구제를 받을 수도 없는 점, 「부패방지 및 국민권익위원회의 설치와 운영에 관한 법률」은 소방청장에게 국민권익위원회의 조치요구에 따라야 할 의무를 부담시키는 외에 별도로 그 의무를 이행하지 않을 경우 과태료나 형사처벌까지 정하고 있으므로 위와 같은 조치요구에 불복하고자 하는 '소속 기관 등의 장'에게는 조치요구를 다툴 수 있는 소송상의 지위를 인정할 필요가 있는 점에 비추어, 처분성이 인정되는 국민권익위원회의 조치요구에 불복하고자 하는 소방청장으로서는 조치요구의 취소를 구하는 항고소송을 제기하는 것이 유효·적절한 수단으로 볼 수 있으므로 소방청장은 예외적으로 당사자능력과 원고적격을 가진다(대판 2018.8.1. 2014두35379).

ㄹ. 과태료는 행정형벌이 아니다. 행정질서벌로서 「질서위반행위규제법」이 적용된다.

## 12 ④ 이론+판례

**행정법 통칙 > 행정상 법률관계 > 법률요건과 법률사실** 중

**| 정답 해설 |**

④ 공법에 특별한 규정이 없으면 시효에 대한 중단이나 정지에 대해 「민법」 규정을 준용한다.

> 「민법」 제168조 【소멸시효의 중단사유】 소멸시효는 다음 각 호의 사유로 인하여 중단된다.
> 1. 청구
> 2. 압류 또는 가압류, 가처분
> 3. 승인

**| 오답 해설 |**

① 「관세법」 제22조의 규정의 내용이다.

> 「관세법」 제22조 【관세징수권 등의 소멸시효】 ① 관세의 징수권은 이를 행사할 수 있는 날부터 다음 각 호의 구분에 따른 기간 동안 행사하지 아니하면 소멸시효가 완성된다.

> 1. 5억 원 이상의 관세(내국세를 포함한다. 이하 이 항에서 같다): 10년
> 2. 제1호 외의 관세: 5년
> ② 납세자의 과오납금 또는 그 밖의 관세의 환급청구권은 그 권리를 행사할 수 있는 날부터 5년간 행사하지 아니하면 소멸시효가 완성된다.

② 조세부과처분이 당연무효임을 전제로 하여 이미 납부한 세금의 반환을 청구하는 것은 민사상의 부당이득반환청구로서 민사소송절차에 따라야 한다(대판 1995.4.28. 94다55019).

③ (구)「예산회계법」(1989.3.31. 법률 제4102호로 개정 전) 제71조의 금전이 급부를 목적으로 하는 국가의 권리라 함은 금전의 급부를 목적으로 하는 권리인 이상 금전급부의 발생원인에 관하여는 아무런 제한이 없으므로 국가의 공권력의 발동으로 하는 행위는 물론 국가의 사법상의 행위에서 발생한 국가에 대한 금전채무도 포함하고 동법 제71조에서 타법률에 운운 규정은 타법률에 동법 제71조에 규정한 5년의 소멸시효 기간보다 짧은 기간의 한 본건 제2항은 「예산회계법」 제71조에서 말하는 타법률에 규정한 경우에 해당하지 아니한다(대판 1967.7.4. 67다751).

## 13 ③

이론+법령

**행정작용 > 비권력적 행정 > 행정지도** 하

**| 정답 해설 |**

③ 행정지도의 상대방은 해당 행정지도의 방식·내용 등에 관하여 행정기관에 의견 제출을 할 수 있다(「행정절차법」 제50조).

**| 오답 해설 |**

① 행정기관은 행정지도의 상대방이 행정지도에 따르지 아니하였다는 것을 이유로 불이익한 조치를 하여서는 아니 된다(동법 제48조 제2항).

② 행정절차에 드는 비용은 행정청이 부담한다. 다만, 당사자 등이 자기를 위하여 스스로 지출한 비용은 그러하지 아니하다(동법 제54조).

④ 행정지도는 그 목적 달성에 필요한 최소한도에 그쳐야 하며, 행정지도의 상대방의 의사에 반하여 부당하게 강요하여서는 아니 된다(동법 제48조 제1항).

**| 같이 보는 법령 | 「행정절차법」**

> **제48조【행정지도의 원칙】** ① 행정지도는 그 목적 달성에 필요한 최소한도에 그쳐야 하며, 행정지도의 상대방의 의사에 반하여 부당하게 강요하여서는 아니 된다.
> ② 행정기관은 행정지도의 상대방이 행정지도에 따르지 아니하였다는 것을 이유로 불이익한 조치를 하여서는 아니 된다.
> **제49조【행정지도의 방식】** ① 행정지도를 하는 자는 그 상대방에게 그 행정지도의 취지 및 내용과 신분을 밝혀야 한다.
> ② 행정지도가 말로 이루어지는 경우에 상대방이 제1항의 사항을 적은 서면의 교부를 요구하면 그 행정지도를 하는 자는 직무 수행에 특별한 지장이 없으면 이를 교부하여야 한다.
> **제50조【의견 제출】** 행정지도의 상대방은 해당 행정지도의 방식·내용 등에 관하여 행정기관에 의견 제출을 할 수 있다.
> **제51조【다수인을 대상으로 하는 행정지도】** 행정기관이 같은 행정목적을 실현하기 위하여 많은 상대방에게 행정지도를 하려는 경우에는 특별한 사정이 없으면 행정지도에 공통적인 내용이 되는 사항을 공표하여야 한다.

## 14 ②

법령

**행정의 실효성 확보수단 > 행정벌 > 행정질서벌** 하

**| 정답 해설 |**

② 질서위반행위의 성립은 행위 시의 법률을 따르고, 과태료 처분도 행위 시의 법률에 따른다.

> 「질서위반행위규제법」 제3조【법 적용의 시간적 범위】 ① 질서위반행위의 성립과 과태료 처분은 행위 시의 법률에 따른다.
> ② 질서위반행위 후 법률이 변경되어 그 행위가 질서위반행위에 해당하지 아니하게 되거나 과태료가 변경되기 전의 법률보다 가볍게 된 때에는 법률에 특별한 규정이 없는 한 변경된 법률을 적용한다.

**| 오답 해설 |**

① 고의 또는 과실이 없는 질서위반행위는 과태료를 부과하지 아니한다(「질서위반행위규제법」 제7조).

☑ **교수님 TIP**

고의와 과실을 묻는 문제는 과태료 뿐 아니라 행정형벌, 제재적 처분(과징금 등), 가산세 등이다. 별개로 정리하면 오히려 혼란스러울 수 있으니 같이 정리해야 한다.

③ 합리적 의심이 있는 경우의 질서위반행위 조사에 대한 내용이다.

> 「질서위반행위규제법」 제22조【질서위반행위의 조사】 ① 행정청은 질서위반행위가 발생하였다는 합리적 의심이 있어 그에 대한 조사가 필요하다고 인정할 때에는 대통령령으로 정하는 바에 따라 다음 각 호의 조치를 할 수 있다.
> 1. 당사자 또는 참고인의 출석 요구 및 진술의 청취
> 2. 당사자에 대한 보고 명령 또는 자료 제출의 명령
> ② 행정청은 질서위반행위가 발생하였다는 합리적 의심이 있어 그에 대한 조사가 필요하다고 인정할 때에는 그 소속 직원으로 하여금 당사자의 사무소 또는 영업소에 출입하여 장부·서류 또는 그 밖의 물건을 검사하게 할 수 있다.

④ 과태료는 질서벌로서 형벌이 아니다. 형법총칙을 적용하지 않는다.

## 15 ④

이론+판례

**행정작용 > 행정행위 > 행정행위의 내용** 하

**| 정답 해설 |**

④ 사립학교 이사선임의 승인행위는 강학상 보충행위로서 인가에 해당하나, 사립학교 법인이사의 선임행위는 행정작용이 아니라 인가의 대상이 되는 기본적인 법률행위를 말한다.

> (구)「사립학교법」(2005.12.29. 법률 제7802호로 개정되기 전의 것) 제20조 제1항, 제2항은 학교법인의 이사장·이사·감사 등의 임원은 이사회의 선임을 거쳐 관할청의 승인을 받아 취임하도록 규정하고 있는바, 관할청의 임원취임승인행위는 학교법인의 임원선임행위의 법률상 효력을 완성케 하는 보충적 법률행위이다(대판 2007.12.27. 2005두9651).

**| 오답 해설 |**

① 귀화허가는 (인위적인)포괄적 신분을 설정하는 강학상 특허(설권행위)이다.

> 국적은 국민의 자격을 결정짓는 것이고, 이를 취득한 사람은 국가의 주권자가 되는 동시에 국가의 속인적 통치권의 대상이 되므로, 귀화허가는 외국인에게 대한민국 국적을 부여함으로써 국민으로서의 법적 지위를 포괄적으로 설정하는 행위에 해당한다(대판 2010.7.15. 2009두19069).

② 공무원 임명은 인위적인 법률상의 지위를 부여하는 설권행위로서 특허에 해당된다.

③ 개인택시운송사업면허는 특정인에게 권익을 부여하는 강학상 설권행위로 특허에 해당한다.

> 「자동차운수사업법」에 의한 개인택시운송사업면허는 특정인에게 권리나 이익을 부여하는 행정행위로서 법령에 특별한 규정이 없는 한 재량행위이고, 그 면허를 위하여 필요한 기준을 정하는 것도 역시 행정청의 재량에 속하는 것이므로, 그 설정된 기준이 객관적으로 합리적이 아니라거나 타당하지 않다고 볼 만한 다른 특별한 사정이 없는 이상 행정청의 의사는 가능한 한 존중되어야 한다(대판 1996.10.11. 96누6172).

## 16 ②

이론+법령

**행정작용 > 비권력적 행정 > 행정지도** 하

**| 정답 해설 |**

② 행정지도를 하는 자는 그 상대방에게 그 행정지도의 취지 및 내용과 신분을 밝혀야 한다(「행정절차법」 제49조 제1항).

**| 오답 해설 |**

① 행정지도는 행정목적을 위해 일정한 행위를 하거나 하지 않도록 임의적 협력을 요하는, 희망을 표시하는 비권력적 사실행위이다.

> 「행정절차법」 제2조 【정의】
> 3. "행정지도"란 행정기관이 그 소관 사무의 범위에서 일정한 행정목적을 실현하기 위하여 특정인에게 일정한 행위를 하거나 하지 아니하도록 지도, 권고, 조언 등을 하는 행정작용을 말한다.

③ 행정지도는 그 목적 달성에 필요한 최소한도에 그쳐야 하며, 행정지도의 상대방의 의사에 반하여 부당하게 강요하여서는 아니 된다(동법 제48조 제1항).

④ 행정지도는 비권력적 사실행위로 법률의 근거 없이 가능하다. 일부 견해에 의하면 지도가 강제성을 띠는 경우에는 법률의 근거가 필요하다고 한다.

**☑ 교수님 TIP**

13번 문제에서 이미 행정지도에 관한 문제가 있었는데 본 문제에서도 동일하게 「행정절차법」상 내용을 묻고 있다. 이런 경우는 다른 시험에서는 매우 드문 일이다. 행정지도 단원이 중요성이 높지 않고 공부할 분량이 많지도 않으며 비교적 적은 부분임을 감안해 보면 소방 행정법의 특징이라고 보여진다.

## 17 ③

판례

**행정법 통칙 > 행정법의 법원 > 행정법의 일반원칙** 중

**| 정답 해설 |**

③ 이 사건 처분에 의하여 피고가 달성하려는 학생들의 교육환경과 인근 주민들의 주거환경 보호라는 공익은 이 사건 처분으로 인하여 원고들이 입게 되는 불이익을 정당화할 만큼 강한 경우에 해당한다고 할 것이므로, 같은 취지에서 원고들의 각 숙박시설 건축허가신청을 반려한 이 사건 처분은 신뢰보호의 원칙에 위배되지 않는다(대판 2005.11.25. 2004두6822).

**| 오답 해설 |**

① LPG는 석유에 비하여 화재 및 폭발의 위험성이 훨씬 커서 주택 및 근린생활시설이 들어설 지역에 LPG충전소의 설치금지는 불가피하다 할 것이고 석유와 LPG의 위와 같은 차이를 고려하여 연구단지 내 녹지구역에 LPG충전소의 설치를 금지한 것은 위와 같은 합리적 이유에 근거한 것이므로 이 사건 시행령 규정은 평등원칙에 위배된다고 볼 수 없다(헌재결 2004.7.15. 2001헌마646).

② 행정행위를 한 처분청은 그 행위에 하자가 있는 경우에는 별도의 법적 근거가 없더라도 스스로 이를 취소할 수 있고, 다만 수익적 행정처분을 취소할 때에는 이를 취소하여야 할 공익상의 필요와 그 취소로 인하여 당사자가 입게 될 기득권과 신뢰보호 및 법률생활 안정의 침해 등 불이익을 비교·교량한 후 공익상의 필요가 당사자가 입을 불이익을 정당화할 만큼 강한 경우에 한하여 취소할 수 있다(대판 2008.11.13. 2008두8628).

④ 옥외집회·시위에 대한 사전신고 이후 기재사항의 보완, 금지통고 및 이의절차 등이 원활하게 진행되기 위하여 늦어도 집회가 개최되기 48시간 전까지 사전신고를 하도록 규정한 것이 지나치다고 볼 수 없다(헌재결 2014.1.28. 2011헌바174).

## 18 ③

이론+판례

**행정작용 > 행정행위 > 행정행위의 부관** 중

**| 정답 해설 |**

③ 법률효과 일부배제에 대해 부관으로 인정할 것인지에 대한 다툼이 있으나 대법원은 부관의 일종으로 보고 있다.

> 행정청이 한 공유수면매립준공인가 중 매립지 일부에 대하여 한 국가귀속처분은 매립준공인가를 함에 있어서 매립의 면허를 받은 자의 매립지에 대한 소유권취득을 규정한 「공유수면매립법」 제14조의 효과 일부를 배제하는 부관을 붙인 것이므로 이러한 행정행위의 부관에 대하여는 독립하여 행정소송의 대상으로 삼을 수 없다(대판 1991.12.13. 90누8503).

**| 오답 해설 |**

① 사후부관은 일정한 경우에 허용될 수 있다는 것이 대법원의 입장이며, 최근 시행되고 있는 「행정기본법」의 내용이다.

> 부관의 사후변경은, 법률에 명문의 규정이 있거나 그 변경이 미리 유보되어 있는 경우 또는 상대방의 동의가 있는 경우에 한하여 허용되는 것이 원칙이지만, 사정변경으로 인하여 당초에 부담을 부가한 목적을 달성할 수 없게 된 경우에도 그 목적 달성에 필요한 범위 내에서 예외적으로 허용된다(대판 1997.5.30. 97누2627).

② 부관 중 (강학상) 조건은 장래의 성취 불확실한 사실에 의해 처분의 효력이 발생하거나 소멸하는 것으로 장래의 성취 불확실한 사실에 의해 처분의 효력이 발생하면 정지조건, 장래의 성취 불확실한 사실에 의해 처분의 효력이 소멸하면 해제조건이 된다.

④ 조건과 달리 부담은 부담을 이행하지 않아도 주된 처분의 효력이 처음부터 발생하고, 이행하지 않았다는 이유로 주된 처분의 효력이 바로 소멸하지 않는다. 따라서 부관이 조건인지 부담인지 모호한 경우에는 국민에게 유리한 부담으로 해석한다는 것이 일반적인 견해이다.

**| 같이 보는 법령 |** 「행정기본법」(2021.3.23. 시행)

> 제17조 【부관】 ② 행정청은 처분에 재량이 없는 경우에는 법률에 근거가 있는 경우에 부관을 붙일 수 있다.
> ③ 행정청은 부관을 붙일 수 있는 처분이 다음 각 호의 어느 하나에 해당하는 경우에는 그 처분을 한 후에도 부관을 새로 붙이거나 종전의 부관을 변경할 수 있다.
> 1. 법률에 근거가 있는 경우
> 2. 당사자의 동의가 있는 경우
> 3. 사정이 변경되어 부관을 새로 붙이거나 종전의 부관을 변경하지 아니하면 해당 처분의 목적을 달성할 수 없다고 인정되는 경우

## 19 ②

법령+판례

행정의 실효성 확보수단 > 행정강제 > 강제집행 　중

**| 정답 해설 |**

② 즉시강제는 목전에 급박한 위해를 제거하기 위한 행정작용으로 최후수단(보충성)으로 실행된다. 하지만 즉시강제는 법적 근거가 있어야 한다. 제시된 화재진압을 위한 불법주차차량의 제거는 「소방기본법」 제25조(강제처분) 제3항의 규정이다.

**| 오답 해설 |**

① 행정기관은 법령 등에서 행정조사를 규정하고 있는 경우에 한하여 행정조사를 실시할 수 있다. 다만, 조사대상자의 자발적인 협조를 얻어 실시하는 행정조사의 경우에는 그러하지 아니하다(행정조사기본법 제5조).

③ 「행정대집행법」 제4조 제1항의 내용이다.

> 「행정대집행법」 제4조 【대집행의 실행 등】 ① 행정청(제2조에 따라 대집행을 실행하는 제3자를 포함한다. 이하 이 조에서 같다)은 해가 뜨기 전이나 해가 진 후에는 대집행을 하여서는 아니 된다. 다만, 다음 각 호의 어느 하나에 해당하는 경우에는 그러하지 아니하다.
> 1. 의무자가 동의한 경우
> 2. 해가 지기 전에 대집행을 착수한 경우
> 3. 해가 뜬 후부터 해가 지기 전까지 대집행을 하는 경우에는 대집행의 목적 달성이 불가능한 경우
> 4. 그 밖에 비상시 또는 위험이 절박한 경우

④ 「건축법」 제69조의2 제6항, 「지방세법」 제28조, 제82조, 「국세징수법」 제23조의 각 규정에 의하면, 이행강제금 부과처분을 받은 자가 이행강제금을 기한 내에 납부하지 아니한 때에는 그 납부를 독촉할 수 있으며, 납부독촉에도 불구하고 이행강제금을 납부하지 않으면 체납절차에 의하여 이행강제금을 징수할 수 있고, 이때 이행강제금 납부의 최초 독촉은 징수처분으로서 항고소송의 대상이 되는 행정처분이 될 수 있다(대판 2009.12.24. 2009두14507).

## 20 ②

판례

행정구제 > 손해전보 > 국가배상 　중

**| 정답 해설 |**

② 음주운전으로 적발된 주취운전자가 도로 밖으로 차량을 이동하겠다며 단속 경찰관으로부터 보관 중이던 차량열쇠를 반환 받아 몰래 차량을 운전하여 가던 중 사고를 일으킨 경우, 국가배상책임이 인정된다(대판 1998.5.8. 97다54482).

**| 오답 해설 |**

① 「성폭력범죄의 처벌 및 피해자보호 등에 관한 법률」 제21조는 성폭력범죄의 수사 또는 재판을 담당하거나 이에 관여하는 공무원에 대하여 피해자의 인적사항과 사생활의 비밀을 엄수할 직무상 의무를 부과하고 있고, 이는 주로 성폭력범죄 피해자의 명예와 사생활의 평온을 보호하기 위한 것이므로, 성폭력범죄의 수사를 담당하거나 수사에 관여하는 경찰관이 위와 같은 직무상 의무에 반하여 피해자의 인적사항 등을 공개 또는 누설하였다면 국가는 그로 인하여 피해자가 입은 손해를 배상하여야 한다(대판 2008.6.12. 2007다64365).

③ 「국가배상법」 제6조 제1항은 같은 법 제2조, 제3조 및 제5조의 규정에 의하여 국가 또는 지방자치단체가 손해를 배상할 책임이 있는 경우에 공무원의 선임·감독 또는 영조물의 설치·관리를 맡은 자와 공무원의 봉급·급여 기타의 비용 또는 영조물의 설치·관리의 비용을 부담하는 자가 동일하지 아니한 경우에는 그 비용을 부담하는 자도 손해를 배상하여야 한다고 규정하고 있으므로 교통신호기를 관리하는 지방경찰청장 산하 경찰관들에 대한 봉급을 부담하는 국가도 「국가배상법」 제6조 제1항에 의한 배상책임을 부담한다(대판 1999.6.25. 99다11120).

④ (구)「농지확대개발촉진법」 제24조와 제27조에 의하여 농수산부장관 소관의 국가사무로 규정되어 있는 개간허가와 개간허가의 취소사무는 같은 법 제61조 제1항, 같은 법 시행령 제37조 제1항에 의하여 도지사에게 위임되고, 같은 법 제61조 제2항에 근거하여 도지사로부터 하위 지방자치단체장인 군수에게 재위임되었으므로 이른바 기관위임사무라 할 것이고, 이러한 경우 군수는 그 사무의 귀속 주체인 국가 산하 행정기관의 지위에서 그 사무를 처리하는 것에 불과하므로, 군수 또는 군수를 보조하는 공무원이 위임사무처리에 있어 고의 또는 과실로 타인에게 손해를 가하였다 하더라도 원칙적으로 군에는 국가배상책임이 없고 그 사무의 귀속 주체인 국가가 손해배상책임을 지는 것이며, 다만 「국가배상법」 제6조에 의하여 군이 비용을 부담한다고 볼 수 있는 경우에 한하여 국가와 함께 손해배상책임을 부담한다(대판 2000.5.12. 99다70600).

# 2019 행정법총론 A형



전반적으로 문장의 길이가 짧고 쉽게 출제되었습니다. 난이도 '하(下)'에 해당하는 문항이 20문항 중 8문항으로, 국민권익위원회를 묻는 1문항(난이도 상)을 제외하고는 아주 수월하게 풀이했으리라 생각됩니다. 출제유형은 과년도에 비해 '법령'문제가 더 늘어나 절반가량이 '법령' 복합문제로 쏠림현상이 나타났습니다.

## 문항분석

| 문항 | 정답 | 영역 |
|---|---|---|
| 1 | ④ | 행정구제 > 행정쟁송 > 행정심판 |
| 2 | ② | 행정구제 > 행정쟁송 > 행정소송 |
| 3 | ① | 행정구제 > 사전구제 > 국민권익위원회 |
| 4 | ③ | 행정의 실효성 확보수단 > 행정강제 > 즉시강제 |
| 5 | ② | 정보공개와 개인정보 > 개인정보 > 개인정보 보호법 |
| 6 | ③ | 행정구제 > 행정쟁송 > 행정소송 |
| 7 | ④ | 행정작용 > 행정행위 > 행정행위의 하자 |
| 8 | ② | 행정구제 > 행정쟁송 > 심판과 소송법 |
| 9 | ① | 행정법 통칙 > 행정상 법률관계 > 공법과 사법의 구분 |
| 10 | ③ | 정보공개와 개인정보 > 정보공개 > 공공기관의 정보공개에 관한 법률 |
| 11 | ② | 행정의 실효성 확보수단 > 행정강제 > 행정조사 |
| 12 | ③ | 행정작용 > 행정행위 > 행정행위의 내용 |
| 13 | ① | 행정작용 > 행정행위 > 종합문제(행정행위의 내용, 부관, 효력 등) |
| 14 | ② | 행정구제 > 손해전보 > 국가배상 |
| 15 | ③ | 행정구제 > 행정쟁송 > 행정소송 |
| 16 | ① | 행정구제 > 손해전보 > 손실보상 |
| 17 | ② | 행정작용 > 행정행위 > 행정행위의 내용 |
| 18 | ③ | 행정법 통칙 > 행정법의 법원 > 행정법의 일반원칙 |
| 19 | ④ | 행정구제 > 사전구제 > 행정절차법 |
| 20 | ① | 행정구제 > 손해전보 > 국가배상 |

## 합격예상 체크

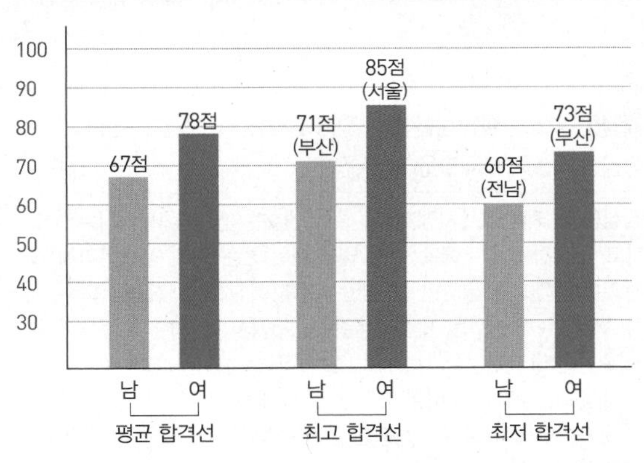


*5과목의 통합 평균 점수를 의미함

| 맞힌 문항 수 | /20문항 |
|---|---|
| 점수 | /100점 |

☐ **합격** ☐ **불합격**

## 출제 트렌드

| 구분 | 행정법 통칙 | 행정작용 | 정보공개 개인정보 | 실효성 확보수단 | 행정구제 | 종합문제 |
|---|---|---|---|---|---|---|
| 2021 | 1문항 | 6문항 | 1문항 | 4문항 | 6문항 | 2문항 |
| 2020 | 3문항 | 8문항 | 0문항 | 4문항 | 4문항 | 1문항 |
| **2019** | **2문항** | **4문항** | **2문항** | **2문항** | **10문항** | **0문항** |

2018 하반기에 5문항씩 출제되었던 '행정법 통칙'과 '행정의 실효성 확보수단' 영역에서의 출제가 줄어, 각각 2문항에 그쳤습니다. 반면 행정구제 영역에서는 총 10문제가 출제되었습니다.

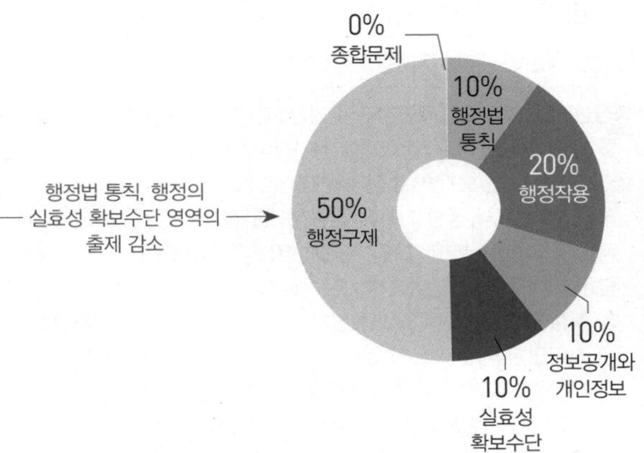

| 2019 행정법총론 | | | | | | | | | P.28 |
|---|---|---|---|---|---|---|---|---|---|
| 01 | ④ | 02 | ② | 03 | ① | 04 | ③ | 05 | ② |
| 06 | ③ | 07 | ④ | 08 | ② | 09 | ① | 10 | ③ |
| 11 | ② | 12 | ③ | 13 | ① | 14 | ② | 15 | ③ |
| 16 | ① | 17 | ② | 18 | ③ | 19 | ④ | 20 | ① |

## 01 ④

법령

행정구제 > 행정쟁송 > 행정심판 하

**| 정답 해설 |**

④ 사정재결은 무효등확인심판에서 적용되지 않을 뿐 취소심판이나 의무이행심판에는 사정재결을 할 수 있다.

> **「행정심판법」 제44조【사정재결】** ① 위원회는 심판청구가 이유가 있다고 인정하는 경우에도 이를 인용(認容)하는 것이 공공복리에 크게 위배된다고 인정하면 그 심판청구를 기각하는 재결을 할 수 있다. 이 경우 위원회는 재결의 주문(主文)에서 그 처분 또는 부작위가 위법하거나 부당하다는 것을 구체적으로 밝혀야 한다.
> ② 위원회는 제1항에 따른 재결을 할 때에는 청구인에 대하여 상당한 구제방법을 취하거나 상당한 구제방법을 취할 것을 피청구인에게 명할 수 있다.
> ③ 제1항과 제2항은 무효등확인심판에는 적용하지 아니한다.

**| 오답 해설 |**

① 중앙행정심판위원회는 위원장 1명을 포함하여 70명 이내의 위원으로 구성하되, 위원 중 상임위원은 4명 이내로 한다(「행정심판법」 제8조 제1항).

② 행정소송과 달리 행정심판은 위법 또는 부당이 심판대상이 된다.

> **「행정심판법」 제5조【행정심판의 종류】** 행정심판의 종류는 다음 각 호와 같다.
> 1. 취소심판: 행정청의 위법 또는 부당한 처분을 취소하거나 변경하는 행정심판
> 2. 무효등확인심판: 행정청의 처분의 효력 유무 또는 존재 여부를 확인하는 행정심판
> 3. 의무이행심판: 당사자의 신청에 대한 행정청의 위법 또는 부당한 거부처분이나 부작위에 대하여 일정한 처분을 하도록 하는 행정심판

③ 부작위는 처분이 존재하지 않아 행정심판청구기간에 제한이 없다.

> **「행정심판법」 제27조【심판청구의 기간】** ① 행정심판은 처분이 있음을 알게 된 날부터 90일 이내에 청구하여야 한다.
> ② 청구인이 천재지변, 전쟁, 사변(事變), 그 밖의 불가항력으로 인하여 제1항에서 정한 기간에 심판청구를 할 수 없었을 때에는 그 사유가 소멸한 날부터 14일 이내에 행정심판을 청구할 수 있다. 다만, 국외에서 행정심판을 청구하는 경우에는 그 기간을 30일로 한다.
> ③ 행정심판은 처분이 있었던 날부터 180일이 지나면 청구하지 못한다. 다만, 정당한 사유가 있는 경우에는 그러하지 아니하다.
> ④ 제1항과 제2항의 기간은 불변기간(不變期間)으로 한다.
> ⑤ 행정청이 심판청구 기간을 제1항에 규정된 기간보다 긴 기간으로 잘못 알린 경우 그 잘못 알린 기간에 심판청구가 있으면 그 행정심판은 제1항에 규정된 기간에 청구된 것으로 본다.
> ⑥ 행정청이 심판청구 기간을 알리지 아니한 경우에는 제3항에 규정된 기간에 심판청구를 할 수 있다.
> ⑦ 제1항부터 제6항까지의 규정은 무효등확인심판청구와 부작위에 대한 의무이행심판청구에는 적용하지 아니한다.

## 02 ②

법령

행정구제 > 행정쟁송 > 행정소송 중

**| 정답 해설 |**

② 선지의 내용은 민중소송에 대한 내용이다(「행정소송법」 제3조).

> **「행정소송법」 제3조【행정소송의 종류】**
> 3. 민중소송: 국가 또는 공공단체의 기관이 법률에 위반되는 행위를 한 때에 직접 자기의 법률상 이익과 관계없이 그 시정을 구하기 위하여 제기하는 소송
> 4. 기관소송: 국가 또는 공공단체의 기관 상호간에 있어서의 권한의 존부 또는 그 행사에 관한 다툼이 있을 때에 이에 대하여 제기하는 소송. 다만, 「헌법재판소법」 제2조의 규정에 의하여 헌법재판소의 관장사항으로 되는 소송은 제외한다.

**| 오답 해설 |**

① 무효등 확인소송은 행정청의 처분 등의 효력 유무 또는 존재 여부를 확인하는 소송이다(동법 제4조).

③ 민중소송과 기관소송은 객관적 소송으로 남소폐단의 우려가 있어 「행정소송법」에 열기주의로 규정하고 있다.

> **「행정소송법」 제45조【소의 제기】** 민중소송 및 기관소송은 법률이 정한 경우에 법률에 정한 자에 한하여 제기할 수 있다.

④ 당사자소송에 관하여 법령에 제소기간이 정하여져 있는 때에는 그 기간은 불변기간으로 한다(동법 제41조).

## 03 ①

법령

행정구제 > 사전구제 > 국민권익위원회 상

**| 정답 해설 |**

① 19세 이상의 국민은 공공기관의 사무처리가 법령 위반 또는 부패행위로 인하여 공익을 현저히 해하는 경우 대통령령으로 정하는 일정한 수 이상의 국민의 연서로 감사원에 감사를 청구할 수 있다. 다만, 국회·법원·헌법재판소·선거관리위원회 또는 감사원의 사무에 대하여는 국회의장·대법원장·헌법재판소장·중앙선거관리위원회 위원장 또는 감사원장(이하 "당해 기관의 장"이라 한다)에게 감사를 청구하여야 한다(「부패방지 및 국민권익위원회의 설치와 운영에 관한 법률」 제72조 제1항).

**| 오답 해설 |**

② 국민권익위원회는 「행정심판법」에 따른 중앙행정심판위원회의 운영에 관한 사항을 수행한다(동법 제12조 제19호).

③ 누구든지 부패행위를 알게 된 때에는 이를 위원회에 신고할 수 있다(동법 제55조).

④ 위원장과 위원의 임기는 각각 3년으로 하되 1차에 한하여 연임할 수 있다(동법 제16조 제2항).

☑ **교수님 TIP**

국민권익위원회에 대한 문제는 행정법 시험의 일반적인 범위가 아니다. 출제가 되지 않는다고 못 박을 수는 없지만 10년에 한번 출제될 수도, 그렇지 않을 수도 있는 부분이다(거의 출제가 없다). 이 문제가 출제되었으니 이 단원을 무시할 수는 없으나 추측하건대 난이도 상에 해당되는 출제지침에 의해 출제되었으리라 생각된다.

## 04 ③

이론+판례

**행정의 실효성 확보수단 > 행정강제 > 즉시강제** 중

**| 정답 해설 |**

③ 즉시강제는 의무부과(= 하명) 없이 목전에 급박한 위해를 제거하기 위해 신체나 재산에 실력을 행사하는 행정강제의 하나이다. 제시된 내용은 영업소 폐쇄명령을 받은 자가 영업을 계속하는 경우의 폐쇄조치로서 강제집행 중 직접강제에 해당한다.

**| 오답 해설 |**

① 「소방기본법」 제25조의 강제처분은 긴급한 소방활동을 위해 의무부과의 전제 없이 이루어지는 즉시강제에 해당한다.

> 「소방기본법」 제25조 **【강제처분 등】** ① 소방본부장, 소방서장 또는 소방대장은 사람을 구출하거나 불이 번지는 것을 막기 위하여 필요할 때에는 화재가 발생하거나 불이 번질 우려가 있는 소방대상물 및 토지를 일시적으로 사용하거나 그 사용의 제한 또는 소방활동에 필요한 처분을 할 수 있다.

② 즉시강제는 권력적 사실행위로서 일반적으로 처분이라 인정한다. 하지만 즉시강제는 단시간에 종료되는 경우가 많아 실질적으로 소익이 없는 경우가 대부분이다.

④ 헌법재판소는 즉시강제의 사전영장에 대해 소극설의 입장을 취하고 있고 대법원은 절충설적 입장을 취하고 있다. 따라서 즉시강제에서의 영장은 지극히 예외적인 경우에 한하여 인정된다.

**| 같이 보는 판례 | 즉시강제에서 영장필요성에 대한 헌법재판소와 대법원의 입장**

> • 헌법재판소의 입장
>
> 이 사건 법률조항이 영장 없는 수거를 인정한다고 하더라도 이를 두고 헌법상 영장주의에 위배되는 것으로는 볼 수 없고, 위 (구)「음반·비디오물 및 게임물에 관한 법률」 제24조 제4항에서 관계공무원이 당해 게임물 등을 수거한 때에는 그 소유자 또는 점유자에게 수거증을 교부하도록 하고 있고, 동조 제6항에서 수거 등 처분을 하는 관계공무원이나 협회 또는 단체의 임·직원은 그 권한을 표시하는 증표를 지니고 관계인에게 이를 제시하도록 하는 등의 절차적 요건을 규정하고 있으므로, 이 사건 법률조항이 적법절차의 원칙에 위배되는 것으로 보기도 어렵다(헌재결 2002.10.31. 2000헌가12).
>
> • 대법원의 입장
>
> 사전영장주의를 고수하다가는 도저히 행정목적을 달성할 수 없는 지극히 예외적인 경우에는 형사절차에서와 같은 예외가 인정되므로, (구)「사회안전법」(1989.6.16. 법률 제4132호에 의해 「보안관찰법」이란 명칭으로 전문 개정되기 전의 것) 제11조 소정의 동행보호규정은 재범의 위험성이 현저한 자를 상대로 긴급히 보호할 필요가 있는 경우에 한하여 단기간의 동행보호를 허용한 것으로서 그 요건을 엄격히 해석하는 한, 동 규정 자체가 사전영장주의를 규정한 헌법규정에 반한다고 볼 수는 없다(대판 1997.6.13. 96다56115).

## 05 ②

법령+판례

**정보공개와 개인정보 > 개인정보 > 개인정보 보호법** 중

**| 정답 해설 |**

② 집단분쟁조정 중 다수의 일부가 소송을 청구한 경우에 조정절차를 중지하지 않고 소를 제기한 일부만 집단분쟁조정절차에서 제외한다.

> 「개인정보 보호법」 제49조 **【집단분쟁조정】** ⑥ 제48조 제2항에도 불구하고 분쟁조정위원회는 집단분쟁조정의 당사자인 다수의 정보주체 중 일부의 정보주체가 법원에 소를 제기한 경우에는 그 절차를 중지하지 아니하고, 소를 제기한 일부의 정보주체를 그 절차에서 제외한다.

**| 오답 해설 |**

① 개인정보자기결정권의 보호대상이 되는 개인정보는 개인의 신체, 신념, 사회적 지위, 신분 등과 같이 인격주체성을 특징짓는 사항으로서 개인의 동일성을 식별할 수 있게 하는 일체의 정보를 의미하며, 반드시 개인의 내밀한 영역에 속하는 정보에 국한되지 않고 공적 생활에서 형성되었거나 이미 공개된 개인정보까지도 포함한다(대판 2016.3.10. 2012다105482).

③ 위원장은 위원 중에서 공무원이 아닌 사람으로 보호위원회 위원장이 위촉한다(「개인정보 보호법」 제40조 제4항).

④ 동법 제71조와 제72조의 벌칙에 해당하는 규정이다.

## 06 ③

판례

**행정구제 > 행정쟁송 > 행정소송** 중

**| 정답 해설 |**

③ 「병역법」상 신체등위판정은 행정청이라고 볼 수 없는 군의관이 하도록 되어 있으며, 그 자체만으로 바로 「병역법」상의 권리의무가 정하여지는 것이 아니라 그에 따라 지방병무청장이 병역처분을 함으로써 비로소 병역의무의 종류가 정하여지는 것이므로 항고소송의 대상이 되는 행정처분이라 보기 어렵다(대판 1993.8.27. 93누3356).

**| 오답 해설 |**

① 부담 이외의 부관은 주된 행정처분과 불가분적 관계에 있어 독립된 처분의 성질을 갖지 못하여 소송대상이 되지 않는다. 따라서 부담 외의 부관에 하자가 있는 경우에 전체 쟁송을 제기하는 방법이나 또는 행정청에 부관 없는 처분을 신청하여 행정청에 거부가 있는 경우에 거부처분에 대한 소송을 통해 구제가 가능할 뿐이다.

> 행정행위의 부관은 행정행위의 일반적인 효력이나 효과를 제한하기 위하여 의사표시의 주된 내용에 부가되는 종된 의사표시이지 그 자체로서 직접 법적 효과를 발생하는 독립된 처분이 아니므로 현행 행정쟁송제도 아래서는 부관 그 자체만을 독립된 쟁송의 대상으로 할 수 없는 것이 원칙이나 행정행위의 부관 중에서도 행정행위에 부수하여 그 행정행위의 상대방에게 일정한 의무를 부과하는 행정청의 의사표시인 부담의 경우에는 다른 부관과는 달리 행정행위의 불가분적인 요소가 아니고 그 존속이 본체인 행정행위의 존재를 전제로 하는 것일 뿐이므로 부담 그 자체로서 행정쟁송의 대상이 될 수 있다(대판 1992.1.21. 91누1264).

② 교도소장이 수형자 甲을 '접견 내용 녹음·녹화 및 접견 시 교도관 참여대상자'로 지정한 사안에서, 위 지정행위는 수형자의 구체적 권리 의무에 직접적 변동을 가져오는 행정청의 공법상 행위로서 항고소송의 대상이 되는 '처분'에 해당한다(대판 2014.2.13. 2013두20899).

④ 건축물대장의 작성은 건축물의 소유권을 제대로 행사하기 위한 전제요건으로서 건축물 소유자의 실체적 권리관계에 밀접하게 관련되어 있으므로 건축물대장 소관청의 작성신청 반려행위는 국민의 권리관계에 영향을 미치는 것으로서 항고소송의 대상이 되는 행정처분에 해당한다(대판 2009.2.12. 2007두17359).

## 07 ④

판례

행정작용 > 행정행위 > 행정행위의 하자 하

**| 정답 해설 |**

④ 하자 있는 행정행위에 있어서 하자의 치유는 행정행위의 성질이나 법치주의의 관점에서 원칙적으로 허용될 수 없고, 행정행위의 무용한 반복을 피하고 당사자의 법적 안정성을 보호하기 위하여 국민의 권익을 침해하지 아니하는 범위 내에서 예외적으로만 허용된다(대판 2001.6.26. 99두11592).

**| 오답 해설 |**

① 무효는 행정행위의 각종 효력(공정력, 불가쟁력, 불가변력, 구속력 등)이 인정되지 않는다.

② 이미 처분의 근거법이 위헌결정을 받았음에도 행정청의 이에 근거한 처분은 중대하고 명백한 하자로서 당연무효에 해당한다.

> 조세 부과의 근거가 되었던 법률규정이 위헌으로 선언된 경우, 비록 그에 기한 과세처분이 위헌결정 전에 이루어졌고, 과세처분에 대한 제소기간이 이미 경과하여 조세채권이 확정되었으며, 조세채권의 집행을 위한 체납처분의 근거규정 자체에 대하여는 따로 위헌결정이 내려진 바 없다고 하더라도, 위와 같은 위헌결정 이후에 조세채권의 집행을 위한 새로운 체납처분에 착수하거나 이를 속행하는 것은 더 이상 허용되지 않고, 나아가 이러한 위헌결정의 효력에 위배하여 이루어진 체납처분은 그 사유만으로 하자가 중대하고 객관적으로 명백하여 당연무효라고 보아야 한다(대판 2012.2.16. 2010두10907).

③ 적법한 건축물에 대한 철거명령은 그 하자가 중대하고 명백하여 당연무효라고 할 것이고, 그 후행행위인 건축물철거 대집행계고처분 역시 당연무효라고 할 것이다(대판 1999.4.27. 97누6780).

## 08 ②

법령

행정구제 > 행정쟁송 > 심판과 소송법 중

**| 정답 해설 |**

(가) 행정소송에 관하여 이 법에 특별한 규정이 없는 사항에 대하여는 「법원조직법」과 「민사소송법」 및 「민사집행법」의 규정을 준용한다(「행정소송법」 제8조 제2항).

(나) 취소소송은 처분 등이 있은 날부터 1년(제1항 단서의 경우는 재결이 있은 날부터 1년)을 경과하면 이를 제기하지 못한다. 다만, 정당한 사유가 있는 때에는 그러하지 아니하다(동법 제20조 제2항).

(다) 행정심판은 처분이 있었던 날부터 180일이 지나면 청구하지 못한다. 다만, 정당한 사유가 있는 경우에는 그러하지 아니하다(「행정심판법」 제27조 제3항).

**| 같이 보는 법령 | 행정심판과 행정소송의 제기기간**

> • 「행정심판법」 제27조 【심판청구의 기간】 ① 행정심판은 처분이 있음을 알게 된 날부터 90일 이내에 청구하여야 한다.
> ② 청구인이 천재지변, 전쟁, 사변(事變), 그 밖의 불가항력으로 인하여 제1항에서 정한 기간에 심판청구를 할 수 없었을 때에는 그 사유가 소멸한 날부터 14일 이내에 행정심판을 청구할 수 있다. 다만, 국외에서 행정심판을 청구하는 경우에는 그 기간을 30일로 한다.
> ③ 행정심판은 처분이 있었던 날부터 180일이 지나면 청구하지 못한다. 다만, 정당한 사유가 있는 경우에는 그러하지 아니하다.
> ④ 제1항과 제2항의 기간은 불변기간(不變期間)으로 한다.
> ⑤ 행정청이 심판청구 기간을 제1항에 규정된 기간보다 긴 기간으로 잘못 알린 경우 그 잘못 알린 기간에 심판청구가 있으면 그 행정심판은 제1항에 규정된 기간에 청구된 것으로 본다.
> ⑥ 행정청이 심판청구 기간을 알리지 아니한 경우에는 제3항에 규정된 기간에 심판청구를 할 수 있다.
> ⑦ 제1항부터 제6항까지의 규정은 무효등확인심판청구와 부작위에 대한 의무이행심판청구에는 적용하지 아니한다.
>
> • 「행정소송법」 제20조 【제소기간】 ① 취소소송은 처분 등이 있음을 안 날부터 90일 이내에 제기하여야 한다. 다만, 제18조 제1항 단서에 규정한 경우와 그 밖에 행정심판청구를 할 수 있는 경우 또는 행정청이 행정심판청구를 할 수 있다고 잘못 알린 경우에 행정심판청구가 있은 때의 기간은 재결서의 정본을 송달받은 날부터 기산한다.
> ② 취소소송은 처분 등이 있은 날부터 1년(제1항 단서의 경우는 재결이 있은 날부터 1년)을 경과하면 이를 제기하지 못한다. 다만, 정당한 사유가 있는 때에는 그러하지 아니하다.
> ③ 제1항의 규정에 의한 기간은 불변기간으로 한다.

## 09 ①

판례

행정법 통칙 > 행정상 법률관계 > 공법과 사법의 구분 하

**| 정답 해설 |**

① 토지보상법상의 토지 등의 협의취득은 사법상 계약에 해당한다.

> (구)「공공용지의 취득 및 손실보상에 관한 특례법」(2002.2.4. 법률 제6656호로 폐지되기 전의 것)은 사업시행자가 토지 등의 소유자로부터 토지 등의 협의취득 및 그 손실보상의 기준과 방법을 정한 법으로서, 이에 의한 협의취득 또는 보상합의는 공공기관이 사경제주체로서 행하는 사법상 매매 내지 사법상 계약의 실질을 가진다(대판 2004.9.24. 2002다68713).

**| 오답 해설 |**

② 공공하수도의 이용관계는 공법관계라고 할 것이고 공공하수도 사용료의 부과징수관계 역시 공법상의 권리의무관계라 할 것이지만, 법 제21조 제1항, 법 시행령 제14조의2 제2항, 울산광역시하수도사용조례 제19조 등 관계규정을 종합하면…(후략)(대판 2003.6.24. 2001두8865).

③ 단원으로 위촉되기 위하여는 일정한 능력요건과 자격요건을 요하고, 계속적인 재위촉이 사실상 보장되며, 「공무원연금법」에 따른 연금을 지급받고, 단원의 복무규율이 정해져 있으며, 정년제가 인정되고, 일정한 해촉사유가 있는 경우에만 해촉되는 등 서울특별시립무용단원

이 가지는 지위가 공무원과 유사한 것이라면, 서울특별시립무용단 단원의 위촉은 공법상의 계약이라고 할 것이고, 따라서 그 단원의 해촉에 대하여는 공법상의 당사자소송으로 그 무효확인을 청구할 수 있다(대판 1995.12.22. 95누4636).

④ 공무원연금관리공단이 퇴직연금 중 일부 금액에 대하여 지급거부의 의사표시를 하였다고 하더라도 그 의사표시는 퇴직연금 청구권을 형성·확정하는 행정처분이 아니라 공법상의 법률관계의 한쪽 당사자로서 그 지급의무의 존부 및 범위에 관하여 나름대로의 사실상·법률상 의견을 밝힌 것일 뿐이어서, 이를 행정처분이라고 볼 수는 없고, 이 경우 미지급퇴직연금에 대한 지급청구권은 공법상 권리로서 그의 지급을 구하는 소송은 공법상의 법률관계에 관한 소송인 공법상 당사자소송에 해당한다(대판 2004.7.8. 2004두244).

## 10 ③

법령+판례

정보공개와 개인정보 > 정보공개 > 공공기관의 정보공개에 관한 법률 중

**| 정답 해설 |**

③ 「학교폭력예방 및 대책에 관한 법률」 제21조 제1항, 제2항, 제3항 및 같은 법 시행령 제17조 규정들의 내용, 「학교폭력예방 및 대책에 관한 법률」의 목적, 입법 취지, 특히 「학교폭력예방 및 대책에 관한 법률」 제21조 제3항이 학교폭력대책자치위원회의 회의를 공개하지 못하도록 규정하고 있는 점 등에 비추어, 학교폭력대책자치위원회의 회의록은 「공공기관의 정보공개에 관한 법률」 제9조 제1항 제1호의 '다른 법률 또는 법률이 위임한 명령에 의하여 비밀 또는 비공개 사항으로 규정된 정보'에 해당한다(대판 2010.6.10. 2010두2913).

**| 오답 해설 |**

① 심의회의 위원은 소속 공무원, 임직원 또는 외부 전문가로 지명하거나 위촉하되, 그중 3분의 2는 해당 국가기관 등의 업무 또는 정보공개의 업무에 관한 지식을 가진 외부 전문가로 위촉하여야 한다. 다만, 제9조 제1항 제2호 및 제4호에 해당하는 업무를 주로 하는 국가기관은 그 국가기관의 장이 외부 전문가의 위촉 비율을 따로 정하되, 최소한 3분의 1 이상은 외부 전문가로 위촉하여야 한다(「공공기관의 정보공개에 관한 법률」 제12조 제3항).

② 공공기관이 보유·관리하는 정보는 공개 대상이 된다. 다만, 공개될 경우 부동산 투기, 매점매석 등으로 특정인에게 이익 또는 불이익을 줄 우려가 있다고 인정되는 정보는 공개하지 아니할 수 있다(동법 제9조 제1항 제8호).

④ 청구인은 제18조에 따른 이의신청 절차를 거치지 아니하고 행정심판을 청구할 수 있다(임의적 절차)(동법 제19조 제2항).

## 11 ②

법령+판례

행정의 실효성 확보수단 > 행정강제 > 행정조사 중

**| 정답 해설 |**

② 행정기관의 장은 제1항에 따른 시료채취로 조사대상자에게 손실을 입힌 때에는 대통령령으로 정하는 절차와 방법에 따라 그 손실을 보상하여야 한다(「행정조사기본법」 제12조 제2항).

**| 오답 해설 |**

① 납세의무자로 하여금 개개의 과태료 처분에 대하여 불복하거나 조사 종료 후의 과세처분에 대하여만 다툴 수 있도록 하는 것보다는 그에 앞서 세무조사결정에 대하여 다툼으로써 분쟁을 조기에 근본적으로 해결할 수 있는 점 등을 종합하면, 세무조사결정은 납세의무자의 권리·의무에 직접 영향을 미치는 공권력의 행사에 따른 행정작용으로서 항고소송의 대상이 된다고 할 것이다(대판 2011.3.10. 2009두23617, 23624).

③ 「행정절차법」에는 처분, 신고, 행정입법예고, 행정예고, 행정지도의 절차에 대해 규정하고 있다. 행정조사에 대한 규정은 없다.

> 「행정절차법」 제3조 【적용 범위】 ① 처분, 신고, 행정상 입법예고, 행정예고 및 행정지도의 절차(이하 "행정절차"라 한다)에 관하여 다른 법률에 특별한 규정이 있는 경우를 제외하고는 이 법에서 정하는 바에 따른다.

④ 우편물 통관검사절차에서 이루어지는 우편물의 개봉, 시료채취, 성분분석 등의 검사는 수출입물품에 대한 적정한 통관 등을 목적으로 한 행정조사의 성격을 가지는 것으로서 수사기관의 강제처분이라고 할 수 없으므로, 압수·수색영장 없이 우편물의 개봉, 시료채취, 성분분석 등 검사가 진행되었다 하더라도 특별한 사정이 없는 한 위법하다고 볼 수 없다(대판 2013.9.26. 2013도7718).

☑ **교수님 TIP**

이 문제는 선택지의 순서만 변경되었을 뿐, 2018 하반기 행정법총론 4번 문제와 동일하다.

## 12 ③

이론+판례

행정작용 > 행정행위 > 행정행위의 내용 하

**| 정답 해설 |**

③ 법률관계의 존부를 확인하는 행위는 준법률행위적 행정행위로서 확인에 해당한다. '공유수면사용에 대한 허가'는 공물의 수익사용에 대한 허가로서 강학상 특허에 해당한다.

> (구)「공유수면관리법」(2002.2.4. 법률 제6656호로 개정되기 전의 것)에 따른 공유수면의 점·사용허가는 특정인에게 공유수면 이용권이라는 독점적 권리를 설정하여 주는 처분으로서 그 처분의 여부 및 내용의 결정은 원칙적으로 행정청의 재량에 속한다고 할 것이고, 이와 같은 재량처분에 있어서는 그 재량권 행사의 기초가 되는 사실인정에 오류가 있거나 그에 대한 법령 적용에 잘못이 없는 한 그 처분이 위법하다고 할 수 없다(대판 2004.5.28. 2002두5016).

**| 오답 해설 |**

① 사립학교법인의 임원선임 승인은 보충행위인 강학상 인가에 해당한다. 인가는 제3자의 법률행위를 완성시켜 주는 형성적 행정행위의 하나이다.

> 「사립학교법」 제20조 제2항에 의한 학교법인의 임원에 대한 감독청의 취임승인은 학교법인의 임원선임행위를 보충하여 그 법률상의 효력을 완성케 하는 보충적 행정행위이므로 기본행위인 학교법인의 임원선임행위가 불성립 또는 무효인 경우에는 비록 그에 대한 감독청의 취임승인이 있었다 하여도 이로써 무효인 그 선임행위가 유효한 것으로 될 수는 없는 것이다(대판 1987.8.18. 86누152).

② 조합의 정관변경허가(또는 인가)는 기본적 법률행위를 보충하는 강학상 인가에 해당한다.

> (구)「도시 및 주거환경정비법」(2012.2.1. 법률 제11293호로 개정되기 전의 것) 제20조 제3항은 조합이 정관을 변경하고자 하는 경우에는 총회를 개최하여 조합원 과반수 또는 3분의 2 이상의 동의를 얻어 시장·군수의 인가를 받도록 규정하고 있다. 여기서 시장 등의 인가는 그 대상이 되는 기본행위를 보충하여 법률상 효력을 완성시키는 행위로서 이러한 인가를 받지 못한 경우 변경된 정관은 효력이 없고, 시장 등이 변경된 정관을 인가하더라도 정관변경의 효력이 총회의 의결이 있었던 때로 소급하여 발생한다고 할 수 없다(대판 2014.7.10. 2013도11532).

④ 인가의 대상인 기본적 법률행위가 무효이거나 성립되지 않은 경우에 이에 대한 인가도 무효에 해당한다.

## 13 ①

이론+판례

**행정작용 > 행정행위 > 종합(행정행위의 내용, 부관, 효력 등)** 중

**| 정답 해설 |**

ㄱ. 건축허가는 물건의 시설이나 설비, 또는 구조를 기준으로 행하는 대물적 행정행위이다.

> 비록 건축허가가 대물적 허가로서 그 허가의 효과가 허가대상 건축물에 대한 권리변동에 수반하여 이전된다고 하더라도, 양수인의 권리의무에 직접 영향을 미치는 것으로서 취소소송의 대상이 되는 처분이라고 하지 않을 수 없다(대판 1992.3.31. 91누4911).

ㄴ. 횡단보도의 설치는 통행방법에 대한 규제로서 행정처분이다.

> 「도로교통법」 제10조 제1항의 취지에 비추어 볼 때, 지방경찰청장이 횡단보도를 설치하여 보행자의 통행방법을 규제하는 것은 행정청이 특정사항에 대하여 의무의 부담을 명하는 행위이고 이는 국민의 권리의무에 직접 관계가 있는 행위로서 행정처분이라고 보아야 할 것이다(대판 2000.10.27. 98두8964).

**| 오답 해설 |**

ㄷ. 현행 「행정절차법」에는 불가쟁력이 발생한 처분에 대하여 재심사청구를 규정하고 있지 않다.

**☑ 교수님 TIP**

신설된 「행정기본법」 제37조(2023.3.24. 시행예정)에 처분의 재심사에 대한 규정을 두고 있다.

ㄹ. 철회권이 유보된 경우에도 철회의 일반원칙이 적용되어 중대·공익 등의 사유 없이 철회할 수 없다(다만 신뢰보호의 적용은 배제된다).

> 해무청장이 '침몰선박을 3개월 내에 완전 해제하여 인양하지 못하거나 해무청장의 지시에 위반한 때에는 침몰선박의 해제·인양허가를 취소한다'고 철회권의 유보를 하였더라도, 침몰장소의 악조건과 해무청장의 작업중지명령 때문에 기한 내에 해제·인양치 못하였음에도 불구하고 동 허가를 철회한 것은 철회할 공익상의 필요 없이 철회권을 행사하여 철회권을 남용한 것이다(대판 1962.2.22. 4293행상42).

**| 같이 보는 법령 | 「행정기본법」(2021.3.23. 시행)**

> 제37조 【처분의 재심사】 ① 당사자는 처분(제재처분 및 행정상 강제는 제외한다. 이하 이 조에서 같다)이 행정심판, 행정소송 및 그 밖의 쟁송을 통하여 다툴 수 없게 된 경우(법원의 확정판결이 있는 경우는 제외한다)라도 다음 각 호의 어느 하나에 해당하는 경우에는 해당 처분을 한 행정청에 처분을 취소·철회하거나 변경하여 줄 것을 신청할 수 있다.
> 1. 처분의 근거가 된 사실관계 또는 법률관계가 추후에 당사자에게 유리하게 바뀐 경우
> 2. 당사자에게 유리한 결정을 가져다주었을 새로운 증거가 있는 경우
> 3. 「민사소송법」 제451조에 따른 재심사유에 준하는 사유가 발생한 경우 등 대통령령으로 정하는 경우
>
> ② 제1항에 따른 신청은 해당 처분의 절차, 행정심판, 행정소송 및 그 밖의 쟁송에서 당사자가 중대한 과실 없이 제1항 각 호의 사유를 주장하지 못한 경우에만 할 수 있다.
> ③ 제1항에 따른 신청은 당사자가 제1항 각 호의 사유를 안 날부터 60일 이내에 하여야 한다. 다만, 처분이 있은 날부터 5년이 지나면 신청할 수 없다.
> ④ 제1항에 따른 신청을 받은 행정청은 특별한 사정이 없으면 신청을 받은 날부터 90일(합의제행정기관은 180일) 이내에 처분의 재심사 결과(재심사 여부와 처분의 유지·취소·철회·변경 등에 대한 결정을 포함한다)를 신청인에게 통지하여야 한다. 다만, 부득이한 사유로 90일(합의제행정기관은 180일) 이내에 통지할 수 없는 경우에는 그 기간을 만료일 다음 날부터 기산하여 90일(합의제행정기관은 180일)의 범위에서 한 차례 연장할 수 있으며, 연장 사유를 신청인에게 통지하여야 한다.
> ⑤ 제4항에 따른 처분의 재심사 결과 중 처분을 유지하는 결과에 대해서는 행정심판, 행정소송 및 그 밖의 쟁송수단을 통하여 불복할 수 없다.
> ⑥ 행정청의 제18조에 따른 취소와 제19조에 따른 철회는 처분의 재심사에 의하여 영향을 받지 아니한다.
> ⑦ 제1항부터 제6항까지에서 규정한 사항 외에 처분의 재심사의 방법 및 절차 등에 관한 사항은 대통령령으로 정한다.
> ⑧ 다음 각 호의 어느 하나에 해당하는 사항에 관하여는 이 조를 적용하지 아니한다.
> 1. 공무원 인사 관계 법령에 따른 징계 등 처분에 관한 사항
> 2. 「노동위원회법」 제2조의2에 따라 노동위원회의 의결을 거쳐 행하는 사항
> 3. 형사, 행형 및 보안처분 관계 법령에 따라 행하는 사항
> 4. 외국인의 출입국·난민인정·귀화·국적회복에 관한 사항
> 5. 과태료 부과 및 징수에 관한 사항
> 6. 개별 법률에서 그 적용을 배제하고 있는 경우

## 14 ②

법령+판례

**행정구제 > 손해전보 > 국가배상** 하

**| 정답 해설 |**

② 가해 공무원에게 고의나 중과실의 위법이 있다면 공무원에게도 배상책임 부담이 있으나, 공무원에게 경과실의 위법만 있다면 국가에게 배상책임이 있고, 공무원에게는 배상책임이 없다.

> 공무원이 직무수행 중 불법행위로 타인에게 손해를 입힌 경우에 국가 등이 국가배상책임을 부담하는 외에 공무원 개인도 고의 또는 중과실이 있는 경우에는 불법행위로 인한 손해배상책임을 진다고 할 것이지만, 공무원에게 경과실뿐인 경우에는 공무원 개인은 손해배상책임을 부담하지 아니한다고 해석하는 것이 헌법 제29조 제1항 본문과 단서 및 「국가배상법」 제2조의 입법취지에 조화되는 올바른 해석이라고 할 것이다(대판 1996.2.15. 95다38677).

**| 오답 해설 |**

① 이 법은 외국인이 피해자인 경우에는 해당 국가와 상호 보증이 있을 때에만 적용한다(「국가배상법」 제7조).

③ 이 법에 따른 손해배상의 소송은 배상심의회(이하 "심의회"라 한다)에 배상신청을 하지 아니하고도 제기할 수 있다(동법 제9조).

④ 제1항 본문의 경우에 공무원에게 고의 또는 중대한 과실이 있으면 국가나 지방자치단체는 그 공무원에게 구상(求償)할 수 있다(동법 제2조 제2항).

**| 같이 보는 이론 | 「국가배상법」상의 공무원**

| 판례상 공무원으로 인정한 경우 | 판례상 공무원임을 부정한 경우 |
|---|---|
| • 시의 청소차 운전수<br>• 소집 중인 예비군<br>• 철도건널목의 간수<br>• 전입신고서에 확인인을 찍는 통장<br>• 파출소에 근무하는 방범대원<br>• 미군부대 카투사<br>• 조세원천징수의무자<br>• 집행관(구 집달관)<br>• 소방대원<br>• 교통할아버지<br>• 철도차장 등 | • 시영버스운전수<br>• 의용소방대원<br>• 공무집행에 자진하여 협력을 한 사인<br>• 우체국에서 아르바이트를 하는 자<br>• 단순 노무자 등<br>• 부동산등기에 관한 보증인 |

## 15 ③

판례

행정구제 > 행정쟁송 > 행정소송 하

**| 정답 해설 |**

③ 행정규칙에 의한 '불문경고조치'가 비록 법률상의 징계처분은 아니지만 위 처분을 받지 아니하였다면 차후 다른 징계처분이나 경고를 받게 될 경우 징계감경사유로 사용될 수 있었던 표창공적의 사용가능성을 소멸시키는 효과와 1년 동안 인사기록카드에 등재됨으로써 그 동안은 장관표창이나 도지사표창 대상자에서 제외시키는 효과 등이 있다는 이유로 항고소송의 대상이 되는 행정처분에 해당한다(대판 2002.7.26. 2001두3532).

**| 오답 해설 |**

① 어업권면허에 선행하는 우선순위결정은 행정청이 우선권자로 결정된 자의 신청이 있으면 어업권면허처분을 하겠다는 것을 약속하는 행위로서 강학상 확약에 불과하고 행정처분은 아니므로, 우선순위결정에 공정력이나 불가쟁력과 같은 효력은 인정되지 아니하며, 따라서 우선순위결정이 잘못되었다는 이유로 종전의 어업권면허처분이 취소되면 행정청은 종전의 우선순위결정을 무시하고 다시 우선순위를 결정한 다음 새로운 우선순위결정에 기하여 새로운 어업권면허를 할 수 있다(대판 1995.1.20. 94누6529).

② 계약직 공무원에 관한 현행 법령의 규정에 비추어 볼 때, 계약직 공무원 채용계약해지의 의사표시는 일반공무원에 대한 징계처분과는 달라서 항고소송의 대상이 되는 처분 등의 성격을 가진 것으로 인정되지 아니하고, 일정한 사유가 있을 때에 국가 또는 지방자치단체가 채용계약관계의 한쪽 당사자로서 대등한 지위에서 행하는 의사표시로 취급되는 것으로 이해되므로, 이를 징계해고 등에서와 같이 그 징계사유에 한하여 효력 유무를 판단하여야 하거나, 행정처분과 같이 「행정절차법」에 의하여 근거와 이유를 제시하여야 하는 것은 아니다(대판 2002.11.26. 2002두5948).

④ 당연퇴직의 인사발령은 법률상 당연히 발생하는 퇴직사유를 공적으로 확인하여 알려주는 이른바 관념의 통지에 불과하고 공무원의 신분을 상실시키는 새로운 형성적 행위가 아니므로 행정소송의 대상이 되는 독립한 행정처분이라고 할 수 없다(대판 1995.11.14. 95누2036).

## 16 ①

판례

행정구제 > 손해전보 > 손실보상 중

**| 정답 해설 |**

① 헌법 제23조 제3항에서 규정한 "정당한 보상"이란 원칙적으로 피수용재산의 객관적인 재산가치를 완전하게 보상하여야 한다는 완전보상을 뜻하는 것이지만, 공익사업의 시행으로 인한 개발이익은 완전보상의 범위에 포함되는 피수용토지의 객관적 가치 내지 피수용자의 손실이라고는 볼 수 없다(헌재결 1990.6.25. 89헌마107).

**| 오답 해설 |**

② 수용 대상 토지의 보상액을 산정함에 있어 해당 공익사업의 시행을 직접 목적으로 하는 계획의 승인, 고시로 인한 가격변동은 이를 고려함이 없이 재결 당시의 가격을 기준으로 하여 적정가격을 정하여야 하나, 해당 공익사업과는 관계없는 다른 사업의 시행으로 인한 개발이익은 이를 포함한 가격으로 평가하여야 하고, 개발이익이 해당 공익사업의 사업인정고시일 후에 발생한 경우에도 마찬가지이다(대판 2014.2.27. 2013두21182).

③ 동일한 소유자에게 속하는 일단의 토지의 일부가 협의에 의하여 매수되거나 수용됨으로 인하여 잔여지를 종래의 목적에 사용하는 것이 현저히 곤란할 때에는 해당 토지소유자는 사업시행자에게 잔여지를 매수하여 줄 것을 청구할 수 있으며, 사업인정 이후에는 관할 토지수용위원회에 수용을 청구할 수 있다. 이 경우 수용의 청구는 매수에 관한 협의가 성립되지 아니한 경우에만 할 수 있으며, 그 사업의 공사완료일까지 하여야 한다(「공익사업을 위한 토지 등의 취득 및 보상에 관한 법률」 제74조 제1항).

④ 이주대책은 공익사업의 시행에 필요한 토지 등을 제공함으로 인하여 생활의 근거를 상실하게 되는 이주대책대상자들에게 종전 생활상태를 원상으로 회복시키면서 동시에 인간다운 생활을 보장하여 주기 위하여 마련된 제도이므로, 사업시행자의 이주대책 수립·실시의무를 정하고 있는 (구)공익사업법 제78조 제1항은 물론 이주대책의 내용에 관하여 규정하고 있는 같은 조 제4항 본문 역시 당사자의 합의 또는 사업시행자의 재량에 의하여 적용을 배제할 수 없는 강행법규(기속)이다(대판 2011.6.23. 2007다63089, 63096).

## 17 ②

판례

행정작용 > 행정행위 > 행정행위의 내용 중

**| 정답 해설 |**

② 유기장영업허가는 설권행위인 특허가 아니라 강학상 허가에 해당한다.

> 유기장영업허가는 유기장영업권을 설정하는 설권행위가 아니고 일반적 금지를 해제하는 영업자유의 회복이라 할 것이므로 그 영업상의 이익은 반사적 이익에 불과하고 행정행위의 본질상 금지의 해제나 그 해제를 다시 철회하는 것은 공익성과 합목적성에 따른 당해 행정청의 재량행위라 할 것이다(대판 1985.2.8. 84누369).

**| 오답 해설 |**

① 체류자격 변경허가는 신청인에게 당초의 체류자격과 다른 체류자격에 해당하는 활동을 할 수 있는 권한을 부여하는 일종의 설권적 처분의 성격을 가지므로, 허가권자는 신청인이 관계 법령에서 정한 요건을 충족하였더라도, 신청인의 적격성, 체류 목적, 공익상의 영향 등을 참작하여 허가 여부를 결정할 수 있는 재량을 가진다(대판 2016.7.14. 2015두48846).

③ 한의사면허는 경찰금지를 해제하는 명령적 행위(강학상 허가)에 해당하고, 한약조제시험을 통하여 약사에게 한약조제권을 인정함으로써 한의사들의 영업상 이익이 감소되었다고 하더라도 이러한 이익은 사실상의 이익에 불과하고 「약사법」이나 「의료법」 등의 법률에 의하여 보호되는 이익이라고는 볼 수 없으므로, 한의사들이 한약조제시험을 통하여 한약조제권을 인정받은 약사들에 대한 합격처분의 무효확인을 구하는 당해 소는 원고적격이 없는 자들이 제기한 소로서 부적법하다(대판 1998.3.10. 97누4289).

④ 「여객자동차 운수사업법」에 의한 개인택시운송사업면허는 특정인에게 권리나 이익을 부여하는 행정행위로서 법령에 특별한 규정이 없는 한 재량행위이고, 그 면허를 위하여 정하여진 순위 내에서의 운전경력 인정방법의 기준설정 역시 행정청의 재량에 속한다 할 것이다(대판 2010.1.28. 2009두19137).

## 18 ③

이론+판례

행정법 통칙 > 행정법의 법원 > 행정법의 일반원칙 — 중

**| 정답 해설 |**

③ 과세관청의 공적인 견해표명은 원칙적으로 일정한 책임 있는 지위에 있는 세무공무원에 의하여 명시적 또는 묵시적으로 이루어짐을 요하나, 신의성실의 원칙 내지 금반언의 원칙은 합법성을 희생하여서라도 납세자의 신뢰를 보호함이 정의, 형평에 부합하는 것으로 인정되는 특별한 사정이 있는 경우에 적용되는 것이다(대판 2019.1.17. 2018두42559).

**| 오답 해설 |**

① 신뢰보호에 대해 규정하고 있는 현행법은 「행정절차법」, 「행정기본법」, 「국세기본법」 등이다.

> **「행정절차법」 제4조 【신의성실 및 신뢰보호】** ② 행정청은 법령 등의 해석 또는 행정청의 관행이 일반적으로 국민에게 받아들여졌을 때에는 공익 또는 제3자의 정당한 이익을 현저히 해칠 우려가 있는 경우를 제외하고는 새로운 해석 또는 관행에 따라 소급하여 불리하게 처리하여서는 아니 된다.
>
> **「행정기본법」 제12조 【신뢰보호의 원칙】** ① 행정청은 공익 또는 제3자의 이익을 현저히 해칠 우려가 있는 경우를 제외하고는 행정에 대한 국민의 정당하고 합리적인 신뢰를 보호하여야 한다.

② 행정상 법률관계에서 신뢰보호의 원칙이 적용되기 위해서는 ㉠ 행정청이 개인에 대하여 신뢰의 대상이 되는 공적인 견해를 표명하여야 하고, ㉡ 행정청의 견해표명이 정당하다고 신뢰한 데 대하여 개인에게 귀책사유가 없어 그 신뢰가 보호가치 있는 것이어야 하며, ㉢ 개인이 견해표명을 신뢰하고 이에 따라 어떠한 행위를 하였어야 하고, ㉣ 행정청이 견해표명에 반하는 처분을 함으로써 견해표명을 신뢰한 개인의 이익이 침해되는 결과가 초래되어야 하는 것인데…(후략)(대판 1997.9.26. 96누10096).

④ 행정청의 공적 견해표명이 있었는지의 여부를 판단하는 데 있어 반드시 행정조직상의 형식적인 권한분장에 구애될 것은 아니고 담당자의 조직상의 지위와 임무, 당해 언동을 하게 된 구체적인 경위 및 그에 대한 상대방의 신뢰가능성에 비추어 실질에 의하여 판단하여야 한다(대판 1997.9.12. 96누18380).

## 19 ④

법령+판례

행정구제 > 사전구제 > 행정절차법 — 하

**| 정답 해설 |**

④ 3사관 생도의 퇴학처분에 대해 「행정절차법」의 적용이 배제되는 법리는 공무원 등의 징계와 동일하게 적용된다. 따라서 「행정절차법」 적용이 곤란하거나, 거칠 필요 없거나 준하는 절차를 거치는 경우에만 배제될 뿐이다.

> 「행정절차법 시행령」 제2조 제8호는 '학교·연수원 등에서 교육·훈련의 목적을 달성하기 위하여 학생·연수생들을 대상으로 하는 사항'을 「행정절차법」의 적용이 제외되는 경우로 규정하고 있으나, 이는 교육과정과 내용의 구체적 결정, 과제의 부과, 성적의 평가, 공식적 징계에 이르지 아니한 질책·훈계 등과 같이 교육·훈련의 목적을 직접 달성하기 위하여 행하는 사항을 말하는 것으로 보아야 하고, 생도에 대한 퇴학처분과 같이 신분을 박탈하는 징계처분은 여기에 해당한다고 볼 수 없다(대판 2018.3.13. 2016두33339).

**| 오답 해설 |**

①, ②, ③의 사항은 「행정절차법」이 적용되지 않는다.

> **「행정절차법」 제3조 【적용 범위】** ② 이 법은 다음 각 호의 어느 하나에 해당하는 사항에 대하여는 적용하지 아니한다.
> 1. 국회 또는 지방의회의 의결을 거치거나 동의 또는 승인을 받아 행하는 사항
> 2. 법원 또는 군사법원의 재판에 의하거나 그 집행으로 행하는 사항
> 3. 헌법재판소의 심판을 거쳐 행하는 사항
> 4. 각급 선거관리위원회의 의결을 거쳐 행하는 사항
> 5. 감사원이 감사위원회의의 결정을 거쳐 행하는 사항
> 6. 형사(刑事), 행형(行刑) 및 보안처분 관계 법령에 따라 행하는 사항
> 7. 국가안전보장·국방·외교 또는 통일에 관한 사항 중 행정절차를 거칠 경우 국가의 중대한 이익을 현저히 해칠 우려가 있는 사항
> 8. 심사청구, 해양안전심판, 조세심판, 특허심판, 행정심판, 그 밖의 불복절차에 따른 사항
> 9. 「병역법」에 따른 징집·소집, 외국인의 출입국·난민인정·귀화, 공무원 인사 관계 법령에 따른 징계와 그 밖의 처분, 이해 조정을 목적으로 하는 법령에 따른 알선·조정·중재(仲裁)·재정(裁定) 또는 그 밖의 처분 등 해당 행정작용의 성질상 행정절차를 거치기 곤란하거나 거칠 필요가 없다고 인정되는 사항과 행정절차에 준하는 절차를 거친 사항으로서 대통령령으로 정하는 사항

## 20 ①

법령+판례

행정구제 > 손해전보 > 국가배상 하

**| 정답 해설 |**

① 의용소방대원은 「국가배상법」상의 공무원이 아니라는 것이 대법원의 입장이다(학설은 「국가배상법」상의 공무원으로 볼 수 있다는 견해가 있다).

> 「소방법」 제63조의 규정에 의하여 시, 읍, 면이 소방서장의 소방업무를 보조하게 하기 위하여 설치한 의용소방대를 국가기관이라고 할 수 없음은 물론 또 그것이 이를 설치한 시, 읍, 면에 예속된 기관이라고도 할 수 없다(대판 1978.7.11. 78다584).

**| 오답 해설 |**

② 서울시 산하 구청 소속의 청소차량 운전원이 지방잡급직원규정에 의하여 단순노무제공만을 행하는 기능직 잡급직원이라면 이는 「지방공무원법」 제2조 제2항 제7호 소정의 단순한 노무에 종사하는 별정직 공무원이다(대판 1980.9.2. 80다1051).

③ 국가나 지방자치단체에 근무하는 청원경찰은 「국가공무원법」이나 「지방공무원법」상의 공무원은 아니지만, 다른 청원경찰과는 달리 그 임용권자가 행정기관의 장이고, 국가나 지방자치단체로부터 보수를 받으며, 「산업재해보상보험법」이나 「근로기준법」이 아닌 「공무원연금법」에 따른 재해보상과 퇴직급여를 지급받고, 직무상의 불법행위에 대하여도 「민법」이 아닌 「국가배상법」이 적용되는 등의 특질이 있으며 그 외 임용자격, 직무, 복무의무 내용 등을 종합하여 볼 때, 그 근무관계를 사법상의 고용계약관계로 보기는 어려우므로 그에 대한 징계처분의 시정을 구하는 소는 행정소송의 대상이지 민사소송의 대상이 아니다(대판 1993.7.13. 92다47564).

④ 지방자치단체가 '교통할아버지 봉사활동 계획'을 수립한 후 관할 동장으로 하여금 '교통할아버지'를 선정하게 하여 어린이 보호, 교통안내, 거리질서 확립 등의 공무를 위탁하여 집행하게 하던 중 '교통할아버지'로 선정된 노인이 위탁받은 업무 범위를 넘어 교차로 중앙에서 교통정리를 하다가 교통사고를 발생시킨 경우, 지방자치단체가 「국가배상법」 제2조 소정의 배상책임을 부담한다(대판 2001.1.5. 98다39060).

# 2018 하반기 행정법총론 A형

특별히 난이도 '상(上)'에 해당한다고 할 만한 문항이 없으며, 난이도 '중(中)'에 해당하는 문항들도 문장이 짧아 풀이에 큰 지장이 없었으리라 생각됩니다. 행정법총론을 선택한 수험생들은 시간이 절약되는 아주 쉽고 편한 문제 구성이었습니다. 출제유형은 일반 공무원 시험보다 '법령'문제의 비중이 높고 '판례'문제의 비중은 적은 편이었습니다.

## 문항분석

| 문항 | 정답 | 영역 |
|---|---|---|
| 1 | ④ | 행정구제 > 행정쟁송 > 행정소송 |
| 2 | ③ | 행정의 실효성 확보수단 > 행정벌 > 행정질서벌 |
| 3 | ③ | 행정의 실효성 확보수단 > 행정강제 > 강제징수 |
| 4 | ② | 행정의 실효성 확보수단 > 행정강제 > 행정조사 |
| 5 | ② | 행정구제 > 손해전보 > 국가배상 |
| 6 | ④ | 행정작용 > 비권력적 행정 > 행정계획 |
| 7 | ② | 행정의 실효성 확보수단 > 행정벌 > 행정형벌 |
| 8 | ① | 행정구제 > 사전구제 > 행정절차법 |
| 9 | ① | 정보공개와 개인정보 > 정보공개 > 공공기관의 정보공개에 관한 법률 |
| 10 | ④ | 행정법 통칙 > 행정 > 통치행위 |
| 11 | ③ | 행정법 통칙 > 행정상 법률관계 > 사인의 공법행위 |
| 12 | ② | 행정구제 > 행정쟁송 > 행정소송 |
| 13 | ② | 행정구제 > 행정쟁송 > 행정소송 |
| 14 | ④ | 행정의 실효성 확보수단 > 행정강제 > 강제집행 |
| 15 | ③ | 행정작용 > 행정행위 > 행정행위의 내용 |
| 16 | ④ | 행정법 통칙 > 행정법의 법원 > 행정법의 일반원칙 |
| 17 | ③ | 행정구제 > 사전구제 > 행정절차법 |
| 18 | ② | 행정법 통칙 > 행정상 법률관계 > 사인의 공법행위 |
| 19 | ① | 행정법 통칙 > 행정법의 법원 > 성문법원 |
| 20 | ④ | 행정작용 > 행정입법 > 법규명령 |

## 합격예상 체크

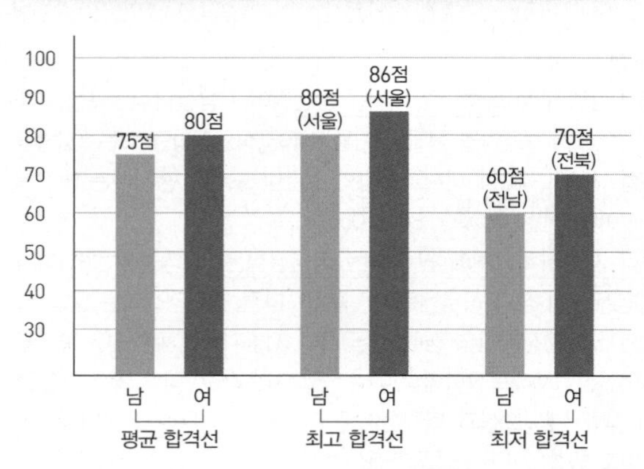


*5과목의 통합 평균 점수를 의미함

| 맞힌 문항 수 | /20문항 |
|---|---|
| 점수 | /100점 |

□ **합격** □ **불합격**

## 출제 트렌드

| 구분 | 행정법 통칙 | 행정작용 | 정보공개 개인정보 | 실효성 확보수단 | 행정구제 | 종합문제 |
|---|---|---|---|---|---|---|
| 2021 | 1문항 | 6문항 | 1문항 | 4문항 | 6문항 | 2문항 |
| 2020 | 3문항 | 8문항 | 0문항 | 4문항 | 4문항 | 1문항 |
| 2019 | 2문항 | 4문항 | 2문항 | 2문항 | 10문항 | 0문항 |
| **2018 하** | **5문항** | **3문항** | **1문항** | **5문항** | **6문항** | **0문항** |

보통 2~3문항 출제되는 '행정의 실효성 확보수단' 영역에서 5문항이나 출제된 것과 일반적으로 출제되는 행정심판에서의 출제가 없었다는 것이 2018 하반기 소방직의 특이점입니다.

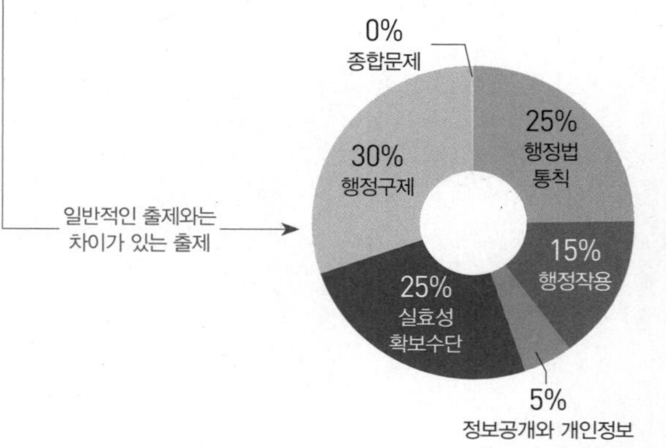

2018 하반기 행정법총론 P.32

| 01 | ④ | 02 | ③ | 03 | ③ | 04 | ② | 05 | ② |
|---|---|---|---|---|---|---|---|---|---|
| 06 | ④ | 07 | ② | 08 | ① | 09 | ① | 10 | ④ |
| 11 | ③ | 12 | ② | 13 | ② | 14 | ④ | 15 | ③ |
| 16 | ④ | 17 | ③ | 18 | ② | 19 | ① | 20 | ④ |

## 01 ④

판례

행정구제 > 행정쟁송 > 행정소송 중

**| 정답 해설 |**

④ 국가인권위원회의 성희롱결정과 이에 따른 시정조치의 권고는 불가분의 일체로 행하여지는 것인데 국가인권위원회의 이러한 결정과 시정조치의 권고는 성희롱 행위자로 결정된 자의 인격권에 영향을 미침과 동시에 공공기관의 장 또는 사용자에게 일정한 법률상의 의무를 부담시키는 것이므로 국가인권위원회의 성희롱결정 및 시정조치 권고는 행정소송의 대상이 되는 행정처분에 해당한다고 보지 않을 수 없다(대판 2005.7.8. 2005두487)

**| 오답 해설 |**

① 행정쟁송법(「행정심판법」, 「행정소송법」)에 공무수탁사인은 행정청으로 규정되어 있고, 공무수탁사인의 행위는 공권력 행사로서 행정처분이 될 수 있다.

> 「행정심판법」 제2조【정의】
> 4. "행정청"이란 행정에 관한 의사를 결정하여 표시하는 국가 또는 지방자치단체의 기관, 그 밖에 법령 또는 자치법규에 따라 행정권한을 가지고 있거나 위탁을 받은 공공단체나 그 기관 또는 사인(私人)을 말한다.

② 법규효력을 갖는 고시(행정규칙)는 그 자체로서 국민의 법률효과에 영향을 주는 경우 처분성이 인정된다.

> 어떠한 고시가 일반적·추상적 성격을 가질 때에는 법규명령 또는 행정규칙에 해당할 것이지만, 다른 집행행위의 매개 없이 그 자체로서 직접 국민의 구체적인 권리의무나 법률관계를 규율하는 성격을 가질 때에는 행정처분에 해당한다고 할 것이다(대판 2006.12.21. 2005두16161).

③ 청소년유해매체물 결정·고시는 불특정 다수인을 대상으로 하는 일반처분의 성질을 갖는다.

> (구)「청소년 보호법」(2001.5.24. 법률 제6479호로 개정되기 전의 것)에 따른 청소년유해매체물 결정 및 고시처분은 당해 유해매체물의 소유자 등 특정인만을 대상으로 한 행정처분이 아니라 일반 불특정 다수인을 상대방으로 하여 일률적으로 표시의무, 포장의무, 청소년에 대한 판매·대여 등의 금지의무 등 각종 의무를 발생시키는 행정처분이다(대판 2007.6.14. 2004두619).

**☑ 교수님 TIP**

청소년유해매체물 결정·고시와 관련한 문제의 출제빈도는 높다. 주로 출제되는 내용은 처분인지 여부, 이해관계인이 처분을 안 날은 언제인지, 이해관계인에게 처분 전에 행정절차를 준수하여야 하는지 등에 대한 것으로 종합적인 정리가 필요하다.

## 02 ③

법령

행정의 실효성 확보수단 > 행정벌 > 행정질서벌 중

**| 정답 해설 |**

③ 신분에 의하여 성립하는 질서위반행위에 신분이 없는 자가 가담한 때에는 신분이 없는 자에 대하여도 질서위반행위가 성립한다(「질서위반행위규제법」 제12조 제2항).

**| 오답 해설 |**

① 고의 또는 과실이 없는 질서위반행위는 과태료를 부과하지 아니한다(동법 제7조)

② 당사자와 검사는 과태료 재판에 대하여 즉시항고를 할 수 있다. 이 경우 항고는 집행정지의 효력이 있다(동법 제38조 제1항).

④ 신분에 의하여 과태료를 감경 또는 가중하거나 과태료를 부과하지 아니하는 때에는 그 신분의 효과는 신분이 없는 자에게는 미치지 아니한다(동법 제12조 제3항).

## 03 ③

이론+판례

행정의 실효성 확보수단 > 행정강제 > 강제징수 중

**| 정답 해설 |**

③ 국세징수와 관련된 불복은 「국세기본법」에 의해 이의신청(임의적 절차)을 할 수 있고, 심사청구나 심판청구 중 어느 하나를 거쳐 행정소송을 청구할 수 있다. 모두 거치는 것이 아니라 선택적 청구이다.

> 「국세기본법」 제55조【불복】 ③ 제1항과 제2항에 따른 처분이 국세청장이 조사·결정 또는 처리하거나 하였어야 할 것인 경우를 제외하고는 그 처분에 대하여 심사청구 또는 심판청구에 앞서 이 장의 규정에 따른 이의신청을 할 수 있다
> 「국세기본법」 제56조【다른 법률과의 관계】 ② 제55조에 규정된 위법한 처분에 대한 행정소송은 「행정소송법」 제18조 제1항 본문, 제2항 및 제3항에도 불구하고 이 법에 따른 심사청구 또는 심판청구와 그에 대한 결정을 거치지 아니하면 제기할 수 없다.

**| 오답 해설 |**

① 국세납부의무를 불이행한 경우에 강제징수는 「국세징수법」이 일반적 규정이다.

② 독촉은 압류의 전제요건이고 소멸시효를 중단시키는 효과가 있다.

④ 공매는 법률행위적 행정행위로서 대리에 해당되는 처분이고, 공매로 재산을 매수한 자는 공매가 취소되면 그로 인해 권익을 침해받게 되어 소송을 청구할 수 있는 법률상 이익이 있다.

> 과세관청이 체납처분으로서 행하는 공매는 우월한 공권력의 행사로서 행정소송의 대상이 되는 공법상의 행정처분이며 공매에 의하여 재산을 매수한 자는 그 공매처분이 취소된 경우에 그 취소처분의 위법을 주장하여 행정소송을 제기할 법률상 이익이 있다(대판 1984.9.25. 84누201).

**☑ 교수님 TIP**

강제징수에 관한 일반법과 구제에 관한 규정이 서로 다름을 유의하여야 한다. 강제징수의 일반법은 「국세징수법」이지만 구제에 관한 법은 「국세기본법」이다.

## 04 ②

법령+판례

행정의 실효성 확보수단 > 행정강제 > 행정조사 중

**| 정답 해설 |**

② 「행정절차법」에는 처분, 신고, 행정입법예고, 행정예고, 행정지도의 절차에 대해 규정하고 있다. 행정조사에 대한 규정은 없다.

> 「행정절차법」 제3조 【적용 범위】 ① 처분, 신고, 행정상 입법예고, 행정예고 및 행정지도의 절차(이하 "행정절차"라 한다)에 관하여 다른 법률에 특별한 규정이 있는 경우를 제외하고는 이 법에서 정하는 바에 따른다.

**| 오답 해설 |**

① 행정기관의 장은 제1항에 따른 시료채취로 조사대상자에게 손실을 입힌 때에는 대통령령으로 정하는 절차와 방법에 따라 그 손실을 보상하여야 한다(「행정조사기본법」 제12조 제2항).

③ 행정조사는 형사강제 등에 해당되지 않아 영장 없이 가능하다는 것이 대법원의 입장이다.

> 우편물 통관검사절차에서 이루어지는 우편물의 개봉, 시료채취, 성분분석 등의 검사는 수출입물품에 대한 적정한 통관 등을 목적으로 한 행정조사의 성격을 가지는 것으로서 수사기관의 강제처분이라고 할 수 없으므로, 압수·수색영장 없이 우편물의 개봉, 시료채취, 성분분석 등 검사가 진행되었다 하더라도 특별한 사정이 없는 한 위법하다고 볼 수 없다(대판 2013.9.26. 2013도7718).

④ 납세의무자로 하여금 개개의 과태료 처분에 대하여 불복하거나 조사종료 후의 과세처분에 대하여만 다툴 수 있도록 하는 것보다는 그에 앞서 세무조사결정에 대하여 다툼으로써 분쟁을 조기에 근본적으로 해결할 수 있는 점 등을 종합하면, 세무조사결정은 납세의무자의 권리·의무에 직접 영향을 미치는 공권력의 행사에 따른 행정작용으로서 항고소송의 대상이 된다고 할 것이다(대판 2011.3.10. 2009두23617, 23624).

## 05 ②

판례

행정구제 > 손해전보 > 국가배상 중

**| 정답 해설 |**

② 「국가배상법」 제2조 소정의 '공무원'이라 함은 「국가공무원법」이나 「지방공무원법」에 의하여 공무원으로서의 신분을 가진 자에 국한하지 않고, 널리 공무를 위탁받아 실질적으로 공무에 종사하고 있는 일체의 자를 가리키는 것으로서, 공무의 위탁이 일시적이고 한정적인 사항에 관한 활동을 위한 것이어도 달리 볼 것은 아니다(대판 2001.1.5. 98다39060).

**| 오답 해설 |**

① 국가나 지방자치단체는 공무원 또는 공무를 위탁받은 사인(이하 "공무원"이라 한다)이 직무를 집행하면서 고의 또는 과실로 법령을 위반하여 타인에게 손해를 입히거나, 「자동차손해배상 보장법」에 따라 손해배상의 책임이 있을 때에는 이 법에 따라 그 손해를 배상하여야 한다(「국가배상법」 제2조 제1항).

③ 우리 헌법이 채택하고 있는 의회민주주의하에서 국회는 다원적 의견이나 각가지 이익을 반영시킨 토론과정을 거쳐 다수결의 원리에 따라 통일적인 국가의사를 형성하는 역할을 담당하는 국가기관으로서 그 과정에 참여한 국회의원은 입법에 관하여 원칙적으로 국민 전체에 대한 관계에서 정치적 책임을 질 뿐 국민 개개인의 권리에 대응하여 법적 의무를 지는 것은 아니므로, 국회의원의 입법행위는 그 입법 내용이 헌법의 문언에 명백히 위반됨에도 불구하고 국회가 굳이 당해 입법을 한 것과 같은 특수한 경우가 아닌 한 「국가배상법」 제2조 제1항 소정의 위법행위에 해당된다고 볼 수 없다(대판 1997.6.13. 96다56115).

④ 기판력(실질적 확정력)이 발생한 확정판결에도 더 이상 시정조치 등의 불복절차가 없는 경우에는 국가배상이 인정될 수 있다는 것이 대법원의 입장이다.

> 재판에 대하여 불복절차 내지 시정절차 자체가 없는 경우에는 부당한 재판으로 인하여 불이익 내지 손해를 입은 사람은 국가배상 이외의 방법으로는 자신의 권리 내지 이익을 회복할 방법이 없으므로, 이와 같은 경우에는 배상책임의 요건이 충족되는 한 국가배상책임을 인정하지 않을 수 없다(대판 2003.7.11. 99다24218).

## 06 ④

이론

행정작용 > 비권력적 행정 > 행정계획 중

**| 정답 해설 |**

④ 행정주체는 구체적인 행정계획을 입안·결정함에 있어서 비교적 광범위한 형성의 자유를 가진다고 할 것이지만, 행정주체가 가지는 이와 같은 형성의 자유는 무제한적인 것이 아니라 그 행정계획에 관련되는 자들의 이익을 공익과 사익 사이에서는 물론이고 공익 상호간과 사익 상호간에도 정당하게 비교교량하여야 한다는 제한이 있는 것이고, 따라서 행정주체가 행정계획을 입안·결정함에 있어서 이익형량을 전혀 행하지 아니하거나 이익형량의 고려 대상에 마땅히 포함시켜야 할 사항을 누락한 경우 또는 이익형량을 하였으나 정당성과 객관성이 결여된 경우에는 그 행정계획결정은 형량에 하자가 있어 위법하다(대판 2007.1.25. 2004두12063).

**| 오답 해설 |**

① 행정계획은 형성의 자유가 인정되어 행정청에게 광범위한 재량이 주어져 있다. 이에 실체적 하자 입증이 곤란하여 사법적 통제의 어려움이 따른다. 따라서 행정청이 계획재량을 행사함에 있어 형량의 하자(형량의 해태, 형량의 흠결, 오형량)가 있었는지 여부는 사법적 통제에 중요한 의미를 갖게 된다.

☑ **교수님 TIP**

계획법규의 구조적인 특성상 요건과 효과가 대부분 공백으로 법이 규정되어 있다. 따라서 행정계획의 실체적 통제가 어려워 절차적 통제의 중요성이 강조되고 있으나, 우리 「행정절차법」에는 행정계획에 대한 일반적 절차를 규정하고, 있지 않아 많은 비판이 있다.

② 행정계획도 행정작용의 일종이다. 광범위한 재량이 부여되었다 하여 법치행정의 예외가 될 수 없고 일정한 법적 한계가 있다.

③ 계획재량을 행사함에 있어 공익과 공익, 공익과 사익, 사익과 사익 간의 필요한 이익형량을 공정하게 하여야 한다. 이러한 형량을 하지 않은 경우(= 형량의 해태), 주요형량을 누락시킨 경우(= 형량의 흠결), 형량에 객관성이나 공정성이 결여된 경우(= 오형량)에는 행정법의 일반원칙인 비례원칙에 반하여 위법하게 된다.

## 07 ②

이론+판례

행정의 실효성 확보수단 > 행정벌 > 행정형벌 하

**| 정답 해설 |**

② 통고처분은 벌금이나 과료 등의 재산형에 해당되는 형벌에 갈음하여 행정기관의 장이 부과하는 범칙금이다. 형벌이 아니다.

**| 오답 해설 |**

① 통고처분은 모든 형사범에 갈음되는 것은 아니고, 법에 규정된 경우에 한하여 부과할 수 있다. 현행법상 조세범, 관세범, 출입국사범, 경범죄사범, 교통사범 등에 인정되고 있다.

③ 통고처분은 항고소송 대상인 처분이 아니다. 불복의 경우 통고된 내용의 범칙금을 납부하지 않으면 정식형사재판이나 즉결심판 등의 절차로 나아가게 된다.

> 「도로교통법」 제118조에서 규정하는 경찰서장의 통고처분은 행정소송의 대상이 되는 행정처분이 아니므로 그 처분의 취소를 구하는 소송은 부적법하고, 「도로교통법」상의 통고처분을 받은 자가 그 처분에 대하여 이의가 있는 경우에는 통고처분에 따른 범칙금의 납부를 이행하지 아니함으로써 경찰서장의 즉결심판청구에 의하여 법원의 심판을 받을 수 있게 될 뿐이다(대판 1995.6.29. 95누4674).

④ 통고처분을 납부하게 되면 일사부재리의 효력이 발생하게 된다. 이는 통고처분의 납부에 확정판결과 같은 효력을 인정하는 취지로 볼 수 있다.

> 「도로교통법」 제119조 제3항은 그 법 제118조에 의하여 범칙금 납부통고서를 받은 사람이 그 범칙금을 납부한 경우 그 범칙행위에 대하여 다시 벌 받지 아니한다고 규정하고 있는바, 이는 범칙금의 납부에 확정재판의 효력에 준하는 효력을 인정하는 취지로 해석하여야 한다(대판 2002.11.22. 2001도849).

## 08 ①

법령

행정구제 > 사전구제 > 행정절차법 하

**| 정답 해설 |**

① 법령 등을 제정·개정 또는 폐지(이하 "입법"이라 한다)하려는 경우에는 해당 입법안을 마련한 행정청은 이를 예고하여야 한다(「행정절차법」 제41조 제1항).

**| 오답 해설 |**

> **「행정절차법」 제41조 【행정상 입법예고】** ① 법령 등을 제정·개정 또는 폐지(이하 "입법"이라 한다)하려는 경우에는 해당 입법안을 마련한 행정청은 이를 예고하여야 한다. 다만, 다음 각 호의 어느 하나에 해당하는 경우에는 예고를 하지 아니할 수 있다.
> 1. 신속한 국민의 권리 보호 또는 예측 곤란한 특별한 사정의 발생 등으로 입법이 긴급을 요하는 경우
> 2. 상위 법령 등의 단순한 집행을 위한 경우
> 3. 입법 내용이 국민의 권리·의무 또는 일상생활과 관련이 없는 경우
> 4. 단순한 표현·자구를 변경하는 경우 등 입법 내용의 성질상 예고의 필요가 없거나 곤란하다고 판단되는 경우
> 5. 예고함이 공공의 안전 또는 복리를 현저히 해칠 우려가 있는 경우

**| 같이 보는 이론 | 「행정절차법」상 행정입법예고를 하지 않아도 되는 경우vs행정예고를 하지 않아도 되는 경우**

| 행정입법예고를 하지 않아도 되는 경우(제41조) | 행정예고를 하지 않아도 되는 경우(제46조) |
|---|---|
| • 신속한 국민의 권리 보호 또는 예측 곤란한 특별한 사정의 발생 등으로 입법이 긴급을 요하는 경우<br>• 상위 법령 등의 단순한 집행을 위한 경우<br>• 입법 내용이 국민의 권리·의무 또는 일상생활과 관련이 없는 경우<br>• 단순한 표현·자구를 변경하는 경우 등 입법 내용의 성질상 예고의 필요가 없거나 곤란하다고 판단되는 경우<br>• 예고함이 공공의 안전 또는 복리를 현저히 해칠 우려가 있는 경우 | • 신속하게 국민의 권리를 보호하여야 하거나 예측이 어려운 특별한 사정이 발생하는 등 긴급한 사유로 예고가 현저히 곤란한 경우<br>• 법령 등의 단순한 집행을 위한 경우<br>• 정책 등의 내용이 국민의 권리·의무 또는 일상생활과 관련이 없는 경우<br>• 정책 등의 예고가 공공의 안전 또는 복리를 현저히 해칠 우려가 상당한 경우 |

## 09 ①

법령

정보공개와 개인정보 > 정보공개 > 공공기관의 정보공개에 관한 법률 중

**| 정답 해설 |**

① 공공기관은 제10조에 따라 정보공개의 청구를 받으면 그 청구를 받은 날부터 10일 이내에 공개 여부를 결정하여야 한다(「공공기관의 정보공개에 관한 법률」 제11항 제1항).

**| 오답 해설 |**

② 정보의 공개 및 우송 등에 드는 비용은 실비(實費)의 범위에서 청구인이 부담한다(동법 제17조 제1항).

③ 행정안전부장관은 전년도의 정보공개 운영에 관한 보고서를 매년 정기국회 개회 전까지 국회에 제출하여야 한다(동법 제26조 제1항).

④ 지방자치단체는 그 소관 사무에 관하여 법령의 범위에서 정보공개에 관한 조례를 정할 수 있다(동법 제4조 제2항).

## 10 ④

이론+판례

행정법 통칙 > 행정 > 통치행위 하

**| 정답 해설 |**

④ 통치행위를 포함하여 모든 국가작용은 국민의 기본권적 가치를 실현하기 위한 수단이라는 한계를 반드시 지켜야 하는 것이고, 헌법재판소는 헌법의 수호와 국민의 기본권 보장을 사명으로 하는 국가기관이므로 비록 고도의 정치적 결단에 의하여 행해지는 국가작용이라고 할지라도 그것이 국민의 기본권 침해와 직접 관련되는 경우에는 당연히 헌법재판소의 심판대상이 된다(헌재결 1996.2.29. 93헌마186).

**| 오답 해설 |**

① 통치행위는 국가작용 중 고도의 정치적 행위이다. 따라서 정치적 중립의무가 있는 사법기관을 제외하고 정부나 국회에 의해서 이루어질 수 있다.

② 일반사병의 이라크 파견 결정은 그 성격상 국방 및 외교에 관련된 고도의 정치적 결단을 요하는 문제로서, 헌법과 법률이 정한 절차를 지

켜 이루어진 것임이 명백하므로, 대통령과 국회의 판단은 존중되어야 하고 헌법재판소가 사법적 기준만으로 이를 심판하는 것은 자제되어야 한다. 이에 대하여는 설혹 사법적 심사의 회피로 자의적 결정이 방치될 수도 있다는 우려가 있을 수 있으나 그러한 대통령과 국회의 판단은 궁극적으로는 선거를 통해 국민에 의한 평가와 심판을 받게 될 것 이다(헌재결 2004.4.29. 2003헌마814).

③ 금융실명거래 및 비밀보장에 관한 긴급재정경제명령은 통치행위에 속한다고 할 수 있다(헌재결 1996.2.29. 93헌마186).

**| 같이 보는 이론 | 통치행위**

| 통치행위로 볼 수 있는 것 | 통치행위로 볼 수 없는 것 |
|---|---|
| • 국회의원의 자격심사 · 징계 · 제명 처분(헌법 제64조 제4항)<br>• 대통령의 법률안거부권 행사<br>• 대통령의 임시회 소집 요구<br>• 의회의 자율권에 속하는 사항<br>• 국무총리 · 국무위원의 해임건의<br>• 국무총리 및 국무위원 임명<br>• 대통령의 국민투표회부권<br>• 비상계엄선포 · 긴급명령<br>• 영예수여권의 행사<br>• 대통령의 사면 · 복권행위<br>• 전쟁선포 · 강화 등 군사에 관한 사항<br>• 외국정부의 승인 · 대사의 임명 등 외교에 관한 사항 등<br>• 대통령의 외교에 관한 행위(조약의 체결 · 비준) | • 대통령 · 국회의원선거(합성행위)<br>• 한국은행총재 임명(공법상 대리)<br>• 국회공무원 징계행위(행정처분)<br>• 지방의회의원 제명(제소가능)<br>• 도시계획 결정 · 공고(행정행위인 일반처분)<br>• 대통령령 제정(행정입법)<br>• 서울시장의 국제협약 체결행위<br>• 헌법재판소의 위헌법률심사<br>• 대법원장의 법관인사조치<br>• 대통령의 국회해산(학설상 인정되지만 현행법령상 부정)<br>• 국무총리의 부서거부행위, 국무총리의 총리령 제정행위<br>• 고등검찰청장의 파면<br>• 계엄관련 집행행위 |

## 11 ③

이론+판례

행정법 통칙 > 행정상 법률관계 > 사인의 공법행위 　중

**| 정답 해설 |**

③ 신고는 일정한 사실을 행정청에 알리는 행위로서 수리를 요하는 신고와 수리를 요하지 않는 신고로 나눌 수 있고, 양자는 원칙적으로 실질적 심사를 요하지 않으며 형식적 심사에 국한된다(일부 인허가의제로서의 신고는 실질적 심사를 하는 경우가 있다).

- 허가대상 건축물의 양수인이 (구)「건축법 시행규칙」(1992.6.1. 건설부령 제504호로 전문 개정되기 전의 것)에 규정되어 있는 형식적 요건을 갖추어 시장 · 군수에게 적법하게 건축주의 명의변경을 신고한 때에는 시장 · 군수는 그 신고를 수리하여야지 실체적인 이유를 내세워 신고의 수리를 거부할 수 없다(대판 1993.10.12. 93누883).
- 인 · 허가의제 효과를 수반하는 건축신고는 일반적인 건축신고와는 달리, 특별한 사정이 없는 한 행정청이 그 실체적 요건에 관한 심사를 한 후 수리하여야 하는 이른바 '수리를 요하는 신고'로 보는 것이 옳다(대판 2011.1.20. 2010두14954).

**| 오답 해설 |**

① 정당한 신청권에 근거한 신청에 대해 행정청은 개별법이 정하는 바에 따라 처리기간 내에 처리하여야 할 의무가 있다(단, 신청한대로 처리할 의무는 없다).

② 수리를 필요로 하지 않는 신고의 경우 법이 정한 요건을 갖추어 접수기간에 도달되면 신고의 효력이 발생한다. 따라서 법이 정한 형식적 요건을 갖추지 못한 경우에는 신고의 효력이 인정될 수 없으며 하자를 보정하여야 신고의 효력이 발생하게 될 것이다.

④ 영업정지나 영업장폐쇄명령 모두 대물적 처분으로 보아야 할 이치이고, 공중위생영업자가 영업소를 개설한 후 시장 등에게 영업소개설사실을 통보하도록 규정하는 외에 공중위생영업에 대한 어떠한 제한규정도 두고 있지 아니한 것은 공중위생영업의 양도가 가능함을 전제로 한 것이라 할 것이므로, 양수인이 그 양수 후 행정청에 새로운 영업소개설통보를 하였다 하더라도, 그로 인하여 영업양도 · 양수로 영업소에 관한 권리의무가 양수인에게 이전하는 법률효과까지 부정되는 것은 아니라 할 것인바, 만일 어떠한 공중위생영업에 대하여 그 영업을 정지할 위법사유가 있다면, 관할 행정청은 그 영업이 양도 · 양수되었다 하더라도 그 업소의 양수인에 대하여 영업정지처분을 할 수 있다고 봄이 상당하다(대판 2001.6.29. 2001두1611).

## 12 ②

판례

행정구제 > 행정쟁송 > 행정소송 　중

**| 정답 해설 |**

② 「행정소송법」상 항고소송의 피고는 행정청이다. 판례는 시 · 도선관위원장이 국민권익위원회를 상대로 한 소청구에서 당사자능력과 원고적격을 인정하였으나 대학교 총장의 원고적격은 부정하였다.

- **국민권익위원회의 시 · 도선관위원장에 대한 조치요구에 시 · 도선관위원장이 소를 청구할 수 있는 원고적격이 있는지 여부**
  甲이 국민권익위원회에 「부패방지 및 국민권익위원회의 설치와 운영에 관한 법률」에 따른 신고와 신분보장조치를 요구하였고, 국민권익위원회가 乙 시 · 도선거관리위원회 위원장에게 '甲에 대한 중징계요구를 취소하고 향후 신고로 인한 신분상 불이익처분 및 근무조건상의 차별을 하지 말 것을 요구'하는 내용의 조치요구를 한 사안에서, 국가기관인 乙에게 위 조치요구의 취소를 구하는 소를 제기할 당사자능력, 원고적격 및 법률상 이익을 인정한 원심판단은 정당하다(대판 2013.7.25. 2011두1214).
- **충북대학교 총장의 원고적격 인정 여부**
  총장의 소는, 원고 충북대학교 총장이 원고 대한민국이 설치한 충북대학교의 대표자일뿐 항고소송의 원고가 될 수 있는 당사자능력이 없어 부적법하다(대판 2007.9.20. 2005두69350).

**| 오답 해설 |**

① 행정처분에 대한 무효확인과 취소청구는 서로 양립할 수 없는 청구로서 주위적 · 예비적 청구로서만 병합이 가능하고 선택적 청구로서의 병합이나 단순병합은 허용되지 아니한다(대판 1999.8.20. 97누6889).

③ 조례가 집행행위의 개입 없이도 그 자체로서 직접 국민의 구체적인 권리의무나 법적 이익에 영향을 미치는 등의 법률상 효과를 발생하는 경우 그 조례는 항고소송의 대상이 되는 행정처분에 해당하고, 이러한 조례에 대한 무효확인소송을 제기함에 있어서 피고적격이 있는 처분 등을 행한 행정청은, 행정주체인 지방자치단체 또는 지방자치단체의 내부적 의결기관으로서 지방자치단체의 의사를 외부에 표시한 권한이 없는 지방의회가 아니라, 지방자치단체의 집행기관으로서 조례로서의 효력을 발생시키는 공포권이 있는 지방자치단체의 장이다(대판 1996.9.20. 95누8003).

④ 보건복지부 고시인 약제급여·비급여목록 및 급여상한금액표(보건복지부 고시 제2002-46호로 개정된 것)는 다른 집행행위의 매개 없이 그 자체로서 국민건강보험가입자, 국민건강보험공단, 요양기관 등의 법률관계를 직접 규율하는 성격을 가지므로 항고소송의 대상이 되는 행정처분에 해당한다(대판 2006.9.22. 2005두2506).

## 13 ②

판례

행정구제 > 행정쟁송 > 행정소송 중

**| 정답 해설 |**

ㄱ. 목욕탕영업허가는 강학상 허가로서 이를 통해 얻어지는 이익은 반사적 이익에 해당된다. 경업자관계로서 원고적격이 인정될 수 없다.

> 원고가 이 사건 허가처분에 의하여 목욕장업에 의한 이익이 사실상 감소된다 하여도 이 불이익은 본 건 허가처분의 단순한 사실상의 반사적 결과에 불과하고 이로 말미암아 원고의 권리를 침해하는 것이라고는 할 수 없으므로, 원고는 목욕장업허가처분에 대하여 그 취소를 구할 법률상 이익이 없다(대판 1963.8.31. 63누101).

ㄴ. 같은 학과 교수로서 교수회의 구성원만으로 구체적인 권익침해가 없어 법률상 이익이 인정될 수 없다.

> 소외인을 서울대학교 인문대학 언어학과 부교수로 신규임용한 피고의 이 사건 처분에 대하여, 원고가 같은 학과 교수로서 교수회의의 구성원이라는 사정만으로는 원고에게 그 취소를 구할 구체적인 법률상의 이익이 있다고 할 수 없다(대판 1995.12.12. 95누11856).

ㄷ. 의원 등의 허가는 강학상 허가로서 이로 인한 이익은 반사적 이익에 해당되어 법률상 이익이 인정될 수 없다.

> 「의료법」상 의료인은 신고만으로 의원이나 치과의원을 개설할 수 있고 「건축법」 기타 건축관계 법령상 의원 상호 간의 거리나 개소에 아무런 제한을 두고 있지 아니하므로 치과의원을 경영하는 원고로서는 그 치과의원과 같은 아파트단지 내에서 30미터 정도의 거리에 있는 건물에 대하여 당초에 상품매도점포로서의 근린생활시설로 되어 있던 용도를 원고와 경합관계에 있는 치과의원을 개설할 수 있도록 의원으로서의 근린생활시설로 변경한 서울특별시장의 용도변경처분으로 인하여 받게 될 불이익은 간접적이거나 사실적, 경제적인 불이익에 지나지 아니하여 그것만으로는 원고에게 위 용도변경처분의 취소를 구할 소익이 있다고 할 수 없다(대판 1990.5.22. 90누813).

**| 오답 해설 |**

ㄹ. 교도소에 미결수용된 자는 소장의 허가를 받아 타인과 접견할 수 있으므로(이와 같은 접견권은 헌법상 기본권의 범주에 속하는 것이다) 구속된 피고인이 사전에 접견신청한 자와의 접견을 원하지 않는다는 의사표시를 하였다는 등의 특별한 사정이 없는 한 구속된 피고인은 교도소장의 접견허가거부처분으로 인하여 자신의 접견권이 침해되었음을 주장하여 위 거부처분의 취소를 구할 원고적격을 가진다(대판 1992.5.8. 91누7552).

## 14 ④

이론+판례

행정의 실효성 확보수단 > 행정강제 > 강제집행 하

**| 정답 해설 |**

④ 이행강제금은 행정강제에 해당되고, 형벌은 제재에 해당되어 양자가 추구하는 보호법익이나 목적, 성질에 차이가 있어 병과할 수 있다.

> 개발제한구역 내의 건축물에 대하여 허가를 받지 않고 한 용도변경행위에 대한 형사처벌과 「건축법」 제83조 제1항에 의한 시정명령 위반에 대한 이행강제금의 부과는 그 처벌 내지 제재대상이 되는 기본적 사실관계로서의 행위를 달리하며, 또한 그 보호법익과 목적에서도 차이가 있으므로 이중처벌에 해당한다고 할 수 없다(대결 2005.8.19. 2005마30).

**| 오답 해설 |**

① 순수히 건물의 명도나 인도의무를 목적으로 하는 행정대집행은 허용하지 않는다.

> 이러한 명도의무는 그것을 강제적으로 실현하면서 직접적인 실력행사가 필요한 것이지 대체적 작위의무라고 볼 수 없으므로 특별한 사정이 없는 한 「행정대집행법」에 의한 대집행의 대상이 될 수 있는 것이 아니다(대판 2005.8.19. 2004다2809).

② 최초의 계고는 처분이지만 제2차, 제3차 계고는 처분이 아니고 단순히 계고를 연기함에 그친다.

> 건물의 소유자에게 위법건축물을 일정기간까지 철거할 것을 명함과 아울러 불이행할 때에는 대집행한다는 내용의 철거대집행 계고처분을 고지한 후 이에 불응하자 다시 제2차, 제3차 계고서를 발송하여 일정 기간까지의 자진철거를 촉구하고 불이행하면 대집행을 한다는 뜻을 고지하였다면 「행정대집행법」상의 건물철거의무는 제1차 철거명령 및 계고처분으로서 발생하였고 제2차, 제3차의 계고처분은 새로운 철거의무를 부과한 것이 아니고 다만 대집행기한의 연기통지에 불과하므로 행정처분이 아니다(대판 1994.10.28. 94누5144).

③ 이행강제금은 비대체적 작위의무와 부작위의무에 부과하는 행정강제이지만 대체적 작위의무에도 부과할 수 있다는 것이 헌법재판소의 입장이며, 또한 「건축법」 등 다수의 법에 규정되어 있다.

> 전통적으로 행정대집행은 대체적 작위의무에 대한 강제집행수단으로, 이행강제금은 부작위의무나 비대체적 작위의무에 대한 강제집행수단으로 이해되어 왔으나, 이는 이행강제금제도의 본질에서 오는 제약은 아니며, 이행강제금은 대체적 작위의무의 위반에 대하여도 부과될 수 있다. 현행 「건축법」상 위법건축물에 대한 이행강제수단으로 대집행과 이행강제금이 인정되고 있는데, 양 제도는 각각의 장단점이 있으므로 행정청은 개별사건에 있어서 위반 내용, 위반자의 시정의지 등을 감안하여 대집행과 이행강제금을 선택적으로 활용할 수 있으며, 이처럼 그 합리적인 재량에 의해 선택하여 활용하는 이상 중첩적인 제재에 해당한다고 볼 수 없다(헌재결 2004.2.26. 2001헌바80).

**| 같이 보는 이론 | 병과가 가능한지 여부**

> 행정벌은 타강제집행수단인 집행벌·징계벌과 병과할 수 있으나, 형사벌과는 병과할 수 없다.
> - 행정벌과 징계벌: O
> - 행정벌과 집행벌: O
> - 행정형벌과 형사벌: X
> - 행정질서벌과 형사벌(행정형벌): O (다만, 헌재와 다수설은 부정)

## 15 ③

이론

행정작용 > 행정행위 > 행정행위의 내용 하

**| 정답 해설 |**

③ 불가쟁력은 쟁송기간이 경과되면 더 이상 쟁송을 제기할 수 없는 효력으로서 행정행위의 상대방이나 이해관계인에 대한 구속력이고, 불가변력은 특정의 행정행위는 행정청 자신도 취소나 변경 등을 할 수 없는 효력으로서 처분청 등이 구속되는 효력이다.

**| 오답 해설 |**

① 불가쟁력은 처분의 위법이나 적법 여부와 상관없이 쟁송기간이 경과하는 등의 더 이상의 불복절차가 없어 처분의 효력이 확정되는 효력이다. 처분의 실체적 내용과 상관없이 이에 확정되는 효력이라 하여 형식적 확정력, 절차적 효력 등이라 한다.

② 불가변력은 법령에 규정이 있거나(예 토지수용위원회의 수용재결) 법령에 규정이 없더라도 준사법적 행정작용, 수익적 행정행위에 인정되는 효력이다. 행정심판 재결은 준사법적 작용인 확인에 해당되는 처분으로서 불가변력의 효력이 인정된다.

④ 행정처분을 한 처분청은 그 행위에 하자가 있는 경우에는 원칙적으로 별도의 법적 근거가 없더라도 스스로 이를 직권으로 취소할 수 있는 것이고, 행정처분에 대한 법정의 불복기간이 지나면 직권으로도 취소할 수 없게 되는 것은 아니므로, 처분청은 토지에 대한 개별토지가격의 산정에 명백한 잘못이 있다면 이를 직권으로 취소할 수 있다(대판 1995.9.15. 95누6311).

## 16 ④

판례

행정법 통칙 > 행정법의 법원 > 행정법의 일반원칙 중

**| 정답 해설 |**

④ 「국세기본법」 제18조 제3항에 규정된 비과세관행이 성립하려면, 상당한 기간에 걸쳐 과세를 하지 아니한 객관적 사실이 존재할 뿐만 아니라, 과세관청 자신이 그 사항에 관하여 과세할 수 있음을 알면서도 어떤 특별한 사정 때문에 과세하지 않는다는 의사가 있어야 하며, 위와 같은 공적 견해나 의사는 명시적 또는 묵시적으로 표시되어야 하지만 묵시적 표시가 있다고 하기 위하여는 단순한 과세누락과는 달리 과세관청이 상당기간의 불과세 상태에 대하여 과세하지 않겠다는 의사표시를 한 것으로 볼 수 있는 사정이 있어야 한다(대판 1991.5.28. 90누8947).

**| 오답 해설 |**

① 단지 1회 훈령에 위반하여 요정 출입을 하다가 적발된 것만으로는 공무원의 신분을 보유케 할 수 없을 정도로 공무원의 품위를 손상케 한 것이라 단정하기 어려운 점 등에 비추어 총리 훈령에 위반하여 요정에서 음주한 공무원을 파면한 것은 비례의 원칙에 위반한 것이다(대판 1967.5.2. 67누24).

② 행정의 자기구속의 법리는 대법원이나 헌재에 의하면 재량준칙이 평등이나 신뢰보호원칙에 따라 형성된 것으로 본다.

> • 헌법재판소의 입장
> 행정규칙이라도 재량권행사의 준칙으로서 그 정한 바에 따라 되풀이 시행되어 행정관행을 이루게 되면, 행정기관은 평등의 원칙이나 신뢰보호의 원칙에 따라 상대방에 대한 관계에서 그 규칙에 따라야 할 자기구속을 당하게 되는바, 이 경우에는 대외적 구속력을 가진 공권력의 행사가 된다(헌재결 2007.8.30. 2004헌마670).
>
> • 대법원의 입장
> 재량권 행사의 준칙인 행정규칙이 그 정한 바에 따라 되풀이 시행되어 행정관행이 이루어지게 되면 평등의 원칙이나 신뢰보호의 원칙에 따라 행정기관은 그 상대방에 대한 관계에서 그 규칙에 따라야 할 자기구속을 받게 되므로, 이러한 경우에는 특별한 사정이 없는 한 그를 위반하는 처분은 평등의 원칙이나 신뢰보호의 원칙에 위배되어 재량권을 일탈·남용한 위법한 처분이 된다(대판 2009.12.24. 2009두7967).

③ 부당결부금지원칙은 행정청이 공권력을 행사함에 있어 실질적 관련성이 없는 반대급부를 결부하여서는 안 된다는 원칙이다.

> 부당결부금지의 원칙이란 행정주체가 행정작용을 함에 있어서 상대방에게 이와 실질적인 관련이 없는 의무를 부과하거나 그 이행을 강제하여서는 아니 된다는 원칙을 말한다(대판 2009.2.12. 2005다65500).

## 17 ③

법령

행정구제 > 사전구제 > 행정절차법 중

**| 정답 해설 |**

③ 「민원사무처리규정」 제11조 제1항 소정의 보완 또는 보정의 대상이 되는 흠결은 보완 또는 보정할 수 있는 경우이어야 함은 물론이고, 그 내용 또한 형식적, 절차적인 요건에 한하고 실질적인 요건에 대하여까지 보완 또는 보정요구를 하여야 한다고 볼 수 없으며, 또한 흠결된 서류의 보완 또는 보정을 하면 이미 접수된 주요 서류의 대부분을 새로 작성함이 불가피하게 되어 사실상 새로운 신청으로 보아야 할 경우에는 그 흠결서류의 접수를 거부하거나 그것을 반려할 정당한 사유가 있는 경우에 해당하여 이의 접수를 거부하거나 반려하여도 위법이 되지 않는다(대판 1991.6.11. 90누8862).

**| 오답 해설 |**

① 처분을 구하는 신청이나 일반민원의 신청은 문서가 원칙이다.

> **「행정절차법」 제17조 【처분의 신청】** ① 행정청에 처분을 구하는 신청은 문서로 하여야 한다. 다만, 다른 법령 등에 특별한 규정이 있는 경우와 행정청이 미리 다른 방법을 정하여 공시한 경우에는 그러하지 아니하다.
> **「민원 처리에 관한 법률」 제8조 【민원의 신청】** 민원의 신청은 문서(「전자정부법」 제2조 제7호에 따른 전자문서를 포함한다. 이하 같다)로 하여야 한다. 다만, 기타 민원은 구술(口述) 또는 전화로 할 수 있다.

② 행정청은 신청을 받았을 때에는 다른 법령 등에 특별한 규정이 있는 경우를 제외하고는 그 접수를 보류 또는 거부하거나 부당하게 되돌려 보내서는 아니 되며, 신청을 접수한 경우에는 신청인에게 접수증을 주어야 한다. 다만, 대통령령으로 정하는 경우에는 접수증을 주지 아니할 수 있다(「행정절차법」 제17조 제4항).

④ 신청인은 처분이 있기 전에는 그 신청의 내용을 보완·변경하거나 취하(取下)할 수 있다. 다만, 다른 법령 등에 특별한 규정이 있거나 그 신청의 성질상 보완·변경하거나 취하할 수 없는 경우에는 그러하지 아니하다(동법 제17조 제8항).

## 18 ②

법령

행정법 통칙 > 행정상 법률관계 > 사인의 공법행위 하

**| 정답 해설 |**

② 행정청에 일정한 사항을 통지하면 의무가 끝나는 신고는 「행정절차법」상의 신고로서 자기완결적 신고에 해당한다. 현행 「행정절차법」에는 신고의 내용이 현저히 공익을 해치는 경우에 대한 규정은 없다.

> 「행정절차법」 제40조 【신고】 ① 법령 등에서 행정청에 일정한 사항을 통지함으로써 의무가 끝나는 신고를 규정하고 있는 경우 신고를 관장하는 행정청은 신고에 필요한 구비서류, 접수기관, 그 밖에 법령 등에 따른 신고에 필요한 사항을 게시(인터넷 등을 통한 게시를 포함한다)하거나 이에 대한 편람을 갖추어 두고 누구나 열람할 수 있도록 하여야 한다.
> ② 제1항에 따른 신고가 다음 각 호의 요건을 갖춘 경우에는 신고서가 접수기관에 도달된 때에 신고의무가 이행된 것으로 본다.
> 1. 신고서의 기재사항에 흠이 없을 것
> 2. 필요한 구비서류가 첨부되어 있을 것
> 3. 그 밖에 법령 등에 규정된 형식상의 요건에 적합할 것

**| 같이 보는 법령 | 수리가 필요한 신고에 대한 최근 시행된 법령**

> 「행정기본법」 제34조 【수리 여부에 따른 신고의 효력】 법령 등으로 정하는 바에 따라 행정청에 일정한 사항을 통지하여야 하는 신고로서 법률에 신고의 수리가 필요하다고 명시되어 있는 경우(행정기관의 내부 업무 처리 절차로서 수리를 규정한 경우는 제외한다)에는 행정청이 수리하여야 효력이 발생한다.

## 19 ①

이론

행정법 통칙 > 행정법의 법원 > 성문법원 하

**| 정답 해설 |**

① 감사원규칙은 헌법에 규정이 없고 국회가 제정한 「감사원법」에 근거를 두고 제정되었다(헌법에 규정이 없어 법규명령의 효력이 인정될 수 있는지에 대해 다툼이 있으나 헌법상의 위임입법을 예시로 보는 것이 다수설과 헌법재판소의 입장이라서 감사원규칙은 일반적으로 법규명령으로 인정되고 있다).

> 「감사원법」 제52조 【감사원규칙】 감사원은 감사에 관한 절차, 감사원의 내부 규율과 감사사무 처리에 관한 규칙을 제정할 수 있다.

**☑ 교수님 TIP**

이 문제는 행정법의 법원이라고 출제되어 있으나 행정입법과 연계된 지식을 묻고 있다. 헌법상에 규정된 위임입법의 형식을 알고 있는지 묻는 문제이다.

**| 오답 해설 |**

② 중앙선거관리위원회는 법령의 범위 안에서 선거관리·국민투표관리 또는 정당사무에 관한 규칙을 제정할 수 있으며, 법률에 저촉되지 아니하는 범위 안에서 내부규율에 관한 규칙을 제정할 수 있다(헌법 제114조 제6항).

③ 지방자치단체는 주민의 복리에 관한 사무를 처리하고 재산을 관리하며, 법령의 범위 안에서 자치에 관한 규정을 제정할 수 있다(동법 제117조 제1항).

④ 헌법 제75조와 제95조에 규정을 두고 있다.

| 제75조 – 대통령령 | 제95조 – 총리령, 부령 |
|---|---|
| 대통령은 법률에서 구체적으로 범위를 정하여 위임받은 사항과 법률을 집행하기 위하여 필요한 사항에 관하여 대통령령을 발할 수 있다. | 국무총리 또는 행정각부의 장은 소관사무에 관하여 법률이나 대통령령의 위임 또는 직권으로 총리령 또는 부령을 발할 수 있다. |

## 20 ④

이론+판례

행정작용 > 행정입법 > 법규명령 중

**| 정답 해설 |**

④ 처분의 근거법령이 위헌이나 위법하다는 무효선언이 있기 이전에는 처분의 하자는 명백성이 없어 무효라 할 수 없다(취소사유에 해당된다).

> 일반적으로 시행령이 헌법이나 법률에 위반된다는 사정은 그 시행령의 규정을 위헌 또는 위법하여 무효라고 선언한 대법원의 판결이 선고되지 아니한 상태에서는 그 시행령 규정의 위헌 내지 위법 여부가 해석상 다툼의 여지가 없을 정도로 명백하였다고 인정되지 아니하는 이상 객관적으로 명백한 것이라 할 수 없으므로, 이러한 시행령에 근거한 행정처분의 하자는 취소사유에 해당할 뿐 무효사유가 되지 아니한다(대판 2007.6.14. 2004두619).

**| 오답 해설 |**

① 명령·규칙 또는 처분이 헌법이나 법률에 위반되는 여부가 재판의 전제가 된 경우에는 대법원은 이를 최종적으로 심사할 권한을 가진다(헌법 제107조 제2항).

② 유신헌법에 근거한 긴급조치는 국회의 입법권 행사라는 실질을 전혀 가지지 못한 것으로서, 헌법재판소의 위헌심판대상이 되는 '법률'에 해당한다고 할 수 없고, 긴급조치의 위헌 여부에 대한 심사권은 최종적으로 대법원에 속한다(대판 2010.12.16. 2010도5986).

③ 행정소송에 대한 대법원판결에 의하여 명령·규칙이 헌법 또는 법률에 위반된다는 것이 확정된 경우에는 대법원은 지체 없이 그 사유를 행정안전부장관에게 통보하여야 한다(「행정소송법」 제6조 제1항).

계획하지 않는 것은
실패를 계획하는 것과 같다.

– 에피 닐 존스(Effie Neal Jones)

FIREFIGHTER

# 소방위 행정법

# 2020 소방위 행정법

압도적이라고 할 만큼 판례 중심의 출제였습니다. 일부 법령과 이론을 묻는 문제가 있기는 하였지만, 그러한 문제들에도 판례지문을 선지에 넣어 순순한 법령이나 이론만을 묻지는 않았습니다. 판례 중심의 선지 구성으로 문장이 길어, 실제 시험장에서는 체감난도가 높았을 수 있으나 실제 난이도는 '상(上)'에 해당하는 문항이 2개, '하(下)'에 해당하는 문항이 1개로 구성되었습니다.

## 문항분석

| 문항 | 정답 | 영역 |
|---|---|---|
| 1 | ① | 행정법 통칙 > 사인의 공법행위 > 신고 |
| 2 | ① | 행정작용 > 행정입법 > 행정규칙 |
| 3 | ③ | 행정법 통칙 > 행정상 법률관계 > 공법과 사법의 구분 |
| 4 | ④ | 행정구제 > 행정쟁송 > 행정심판 |
| 5 | ② | 행정의 실효성 확보수단 > 행정강제 > 강제집행 |
| 6 | ③ | 행정구제 > 행정쟁송 > 행정소송 |
| 7 | ① | 행정법 통칙 > 행정법의 법원 > 행정법의 일반원칙 |
| 8 | ③ | 행정구제 > 행정쟁송 > 행정소송 |
| 9 | ② | 행정작용 > 행정행위 > 부관 |
| 10 | ② | 행정구제 > 행정쟁송 > 행정소송 |
| 11 | ③ | 행정작용 > 비권력적 행정작용 > 행정계획 |
| 12 | ① | 행정작용 > 행정행위 > 행정행위의 하자 |
| 13 | ④ | 행정법 통칙 > 행정법의 효력 > 시간적 효력 |
| 14 | ② | 행정구제 > 손해전보 > 손해배상 |
| 15 | ③ | 행정구제 > 사전구제 > 행정절차 |
| 16 | ④ | 행정법 통칙 > 사인의 공법행위 > 신고 |
| 17 | ③ | 행정구제 > 손해전보 > 손실보상 |
| 18 | ① | 정보공개와 개인정보 > 정보공개 > 공개청구 |
| 19 | ③ | 행정의 실효성 확보수단 > 행정강제 > 행정조사 |
| 20 | ④ | 종합문제(행정행위의 내용, 철회, 공법상 계약, 행정소송) |

## 합격예상 체크

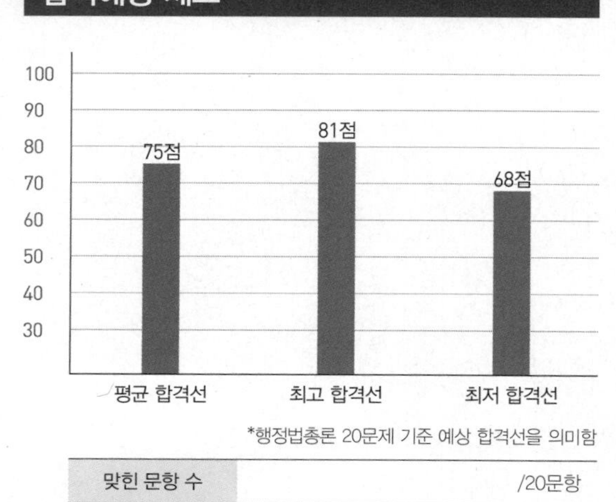


*행정법총론 20문제 기준 예상 합격선을 의미함

| 맞힌 문항 수 | /20문항 |
|---|---|
| 점수 | /100점 |

□ 합격 □ 불합격

## 출제 트렌드

| 구분 | 행정법 통칙 | 행정작용 | 정보공개 개인정보 | 실효성 확보수단 | 행정구제 | 종합문제 |
|---|---|---|---|---|---|---|
| **2020** | **5문항** | **4문항** | **1문항** | **2문항** | **7문항** | **1문항** |
| 2019 | 3문항 | 5문항 | 2문항 | 2문항 | 7문항 | 1문항 |
| 2018 | 3문항 | 5문항 | 2문항 | 5문항 | 5문항 | 0문항 |

영역별 출제비중에 맞게 비교적 영역별 고른 출제를 보였습니다. 다만 예년과 다른 점이 있다면 '사인의 공법행위' 중 신고를 묻는 문제가 2문항이나 출제되었다는 점입니다.

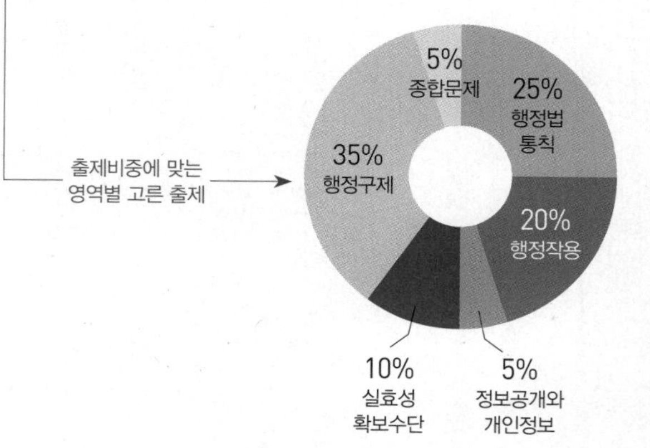

| 2020 소방위 행정법 | | | | | | | | | P.38 |
|---|---|---|---|---|---|---|---|---|---|
| 01 | ① | 02 | ① | 03 | ③ | 04 | ④ | 05 | ② |
| 06 | ③ | 07 | ① | 08 | ③ | 09 | ② | 10 | ② |
| 11 | ③ | 12 | ① | 13 | ④ | 14 | ② | 15 | ③ |
| 16 | ④ | 17 | ③ | 18 | ① | 19 | ③ | 20 | ④ |

## 01 ①

판례

행정법 통칙 > 사인의 공법행위 > 신고 중

**| 정답 해설 |**

① 대법원에 의하면 착공신고를 비롯한 건축신고는 수리를 요하지 않는 신고이지만 수리거부행위를 항고쟁송대상인 처분으로 인정하여 장래에 있을 분쟁을 미리 해결하는 것이 바람직하다는 입장이다.

> 착공신고 반려행위가 이루어진 단계에서 당사자로 하여금 반려행위의 적법성을 다투어 법적 불안을 해소한 다음 건축행위에 나아가도록 함으로써 장차 있을지도 모르는 위험에서 미리 벗어날 수 있도록 길을 열어 주고, 위법한 건축물의 양산과 철거를 둘러싼 분쟁을 조기에 근본적으로 해결할 수 있게 하는 것이 법치행정의 원리에 부합한다. 그러므로 행정청의 착공신고 반려행위는 항고소송의 대상이 된다(대판 2011.6.10. 2010두7321).

**| 오답 해설 |**

② (구)「유통산업발전법」의 입법 목적 등과 아울러, (구)「유통산업발전법」 제12조의2 제1항, 제2항, 제3항은 기존의 대규모 점포의 등록된 유형 구분을 전제로 '대형마트로 등록된 대규모 점포'를 일체로서 규제 대상으로 삼고자 하는 데 취지가 있는 점, 대규모 점포의 개설 등록은 이른바 '수리를 요하는 신고'로서 행정처분에 해당한다(대판 2015.11.19. 2015두295).

③ 전입신고자가 거주의 목적 이외에 다른 이해관계에 관한 의도를 가지고 있는지 여부, 무허가 건축물의 관리, 전입신고를 수리함으로써 당해 지방자치단체에 미치는 영향 등과 같은 사유는 「주민등록법」이 아닌 다른 법률에 의하여 규율되어야 하고, 주민등록전입신고의 수리 여부를 심사하는 단계에서는 고려 대상이 될 수 없다(대판 2009.6.18. 2008두10997).

④ 「건축법」 제14조 제2항에 의한 인·허가의제 효과를 수반하는 건축신고는, 행정청이 그 실체적 요건에 관한 심사를 한 후 수리하여야 하는 이른바 '수리를 요하는 신고'에 해당된다(대판 2011.1.20. 2010두14954).

**☑ 교수님 TIP**

대법원에 의하면 건축신고는 수리를 요하지 않는 신고이다. 하지만 수리거부는 처분에 해당한다는 사실을 암기하여야 한다. 또한 인·허가의제로서의 건축신고 역시 비교출제가 많이 된다.

## 02 ①

판례

행정작용 > 행정입법 > 행정규칙 중

**| 정답 해설 |**

① 대법원에 의하면 시행령에 규정된 처분기준은 법규명령의 효력으로, 시행규칙에 규정된 처분기준은 행정규칙으로 보는 경향이다. 하지만 예외적으로 부령에 규정된 시외버스사업계획 변경에 관한 인가기준에 대해서는 법규로 인정하였다.

> (구)「여객자동차 운수사업법 시행규칙」(2000.8.23. 건설교통부령 제259호로 개정되기 전의 것) 제31조 제2항 제1호, 제2호, 제6호는 (구)「여객자동차 운수사업법」(2000.1.28. 법률 제6240호로 개정되기 전의 것) 제11조 제4항의 위임에 따라 시외버스운송사업의 사업계획변경에 관한 절차, 인가기준 등을 구체적으로 규정한 것으로서, 대외적인 구속력이 있는 법규명령이라고 할 것이고, 그것을 행정청 내부의 사무처리준칙을 규정한 행정규칙에 불과하다고 할 수는 없다(대판 2006.6.27. 2003두4355).

**| 오답 해설 |**

② 「자동차 운수사업법」 제31조 등의 규정에 의한 사업면허의 취소 등의 처분에 관한 규칙(1985.3.11 개정 교통부령 제811호)은 부령의 형식으로 되어 있으나 그 규정의 성질과 내용이 자동차운수사업면허의 취소처분 등에 관한 사무처리기준과 처분절차 등 행정청 내의 사무처리준칙을 규정한 것에 불과하므로 이는 교통부장관이 관계 행정기관 및 직원에 대하여 그 직무권한 행사의 지침을 정하여 주기 위해 발한 행정조직 내부에 있어서의 행정명령의 성질을 가지는 것이라 할 것이다(대판 1986.5.27. 86누89).

③ 헌법이 인정하고 있는 위임입법의 형식은 예시적인 것으로 보아야 한다. 법률이 일정한 사항을 행정규칙에 위임하더라도 그 행정규칙은 위임된 사항만을 규율할 수 있으므로, 국회입법의 원칙과 상치되지 않는다. 다만 고시와 같은 행정규칙에 위임하는 것은 전문적·기술적 사항이나 경미한 사항으로서 업무의 성질상 위임이 불가피한 사항에 한정된다(헌재결 2016.3.31. 2014헌바382).

④ (구)「청소년 보호법」에 따른 같은 법 시행령 제40조 [별표 6]의 위반행위의 종별에 따른 과징금 처분기준은 법규명령이기는 하나 모법의 위임규정의 내용과 취지 및 헌법상의 과잉금지의 원칙과 평등의 원칙 등에 비추어 같은 유형의 위반행위라 하더라도 그 규모나 기간·사회적 비난 정도·위반행위로 인하여 다른 법률에 의하여 처벌받은 다른 사정·행위자의 개인적 사정 및 위반행위로 얻은 불법이익의 규모 등 여러 요소를 종합적으로 고려하여 사안에 따라 적정한 과징금의 액수를 정하여야 할 것이므로 그 수액은 정액이 아니라 최고한도액이다(대판 2001.3.9. 99두5207).

**| 같이 보는 판례 | 시행규칙에 규정된 처리기준에 대해 법규명령으로 본 대법원 판례**

> 「공익사업을 위한 토지 등의 취득 및 보상에 관한 법률」(이하 '공익사업법'이라 한다) 제68조 제3항은 협의취득의 보상액 산정에 관한 구체적 기준을 시행규칙에 위임하고 있고, 위임 범위 내에서 「공익사업을 위한 토지 등의 취득 및 보상에 관한 법률 시행규칙」 제22조는 토지에 건축물 등이 있는 경우에는 건축물 등이 없는 상태를 상정하여 토지를 평가하도록 규정하고 있는데, 이는 비록 행정규칙의 형식이나 공익사업법의 내용이 될 사항을 구체적으로 정하여 내용을 보충하는 기능을 갖는 것이므로, 공

익사업법 규정과 결합하여 대외적인 구속력을 가진다(대판 2012.3.29. 2011다104253).

## 03 ③

판례

행정법 통칙 > 행정상 법률관계 > 공법과 사법의 구분 하

**| 정답 해설 |**

③ 입찰보증금의 국고귀속조치는 국가가 사법상의 재산권의 주체로서 행위하는 것이지 공권력을 행사하는 것이거나 공권력작용과 일체성을 가진 것이 아니라 할 것이므로 이에 관한 분쟁은 행정소송이 아닌 민사소송의 대상이 될 수밖에 없다고 할 것이다(대판 1983.12.27. 81누366).

**| 오답 해설 |**

① 국유재산의 관리청이 그 무단 점유자에 대하여 하는 변상금부과처분은 순전히 사경제 주체로서 행하는 사법상의 법률행위라 할 수 없고, 이는 관리청이 공권력을 가진 우월적인 지위에서 행한 것으로서 행정소송의 대상이 되는 행정처분이라고 보아야 한다(대판 1988.2.23. 87누1046).

② 환매권은 재판상이든 재판 외이든 그 기간 내에 행사하면 이로써 매매의 효력이 생기고, 위 매매는 같은 조 제1항에 적힌 환매권자와 국가 간의 사법상의 매매라 할 것이다(대판 1992.4.24. 92다4673).

④ 공유재산의 관리청이 행정재산의 사용·수익에 대한 허가는 순전히 사경제주체로서 행하는 사법상의 행위가 아니라 관리청이 공권력을 가진 우월적 지위에서 행하는 행정처분으로서 특정인에게 행정재산을 사용할 수 있는 권리를 설정하여 주는 강학상 특허에 해당한다(대판 1998.2.27. 97누1105).

## 04 ④

법령+판례

행정구제 > 행정쟁송 > 행정심판 중

**| 정답 해설 |**

④ 「행정심판법」 제37조 제2항, 같은 법 시행령 제27조의2 제1항의 규정에 따라 재결청이 직접처분을 하기 위하여는 처분의 이행을 명하는 재결이 있었음에도 당해 행정청이 아무런 처분을 하지 아니하였어야 하므로, 당해 행정청이 어떠한 처분을 하였다면 그 처분이 재결의 내용에 따르지 아니하였다고 하더라도 재결청이 직접처분을 할 수는 없다(대판 2002.7.23. 2000두9151).

**| 오답 해설 |**

① 행정심판위원회의 의무이행심판의 청구에 대한 처분재결은 행정청의 별도 처분 없이 재결 자체로서 처분의 효력이 발생하여 형성재결의 성질을 갖게 되는데, 처분 이행명령의 재결을 하게 되면, 피청구인인 행정청은 이에 따라 처분을 이행하여야 할 의무가 발생하게 되어 이행재결의 성질을 갖게 된다.

② 재결에 의하여 취소되거나 무효 또는 부존재로 확인되는 처분이 당사자의 신청을 거부하는 것을 내용으로 하는 경우에는 그 처분을 한 행정청은 재결의 취지에 따라 다시 이전의 신청에 대한 처분을 하여야 한다(「행정심판법」 제49조 제2항).

③ 심판청구에 대한 재결이 있으면 그 재결 및 같은 처분 또는 부작위에 대하여 다시 행정심판을 청구할 수 없다(동법 제51조).

**| 같이 보는 법령 | 「행정심판법」상 직접처분에 대한 규정**

> 제50조【위원회의 직접처분】 ① 위원회는 피청구인이 제49조 제3항에도 불구하고 처분을 하지 아니하는 경우에는 당사자가 신청하면 기간을 정하여 서면으로 시정을 명하고 그 기간에 이행하지 아니하면 직접처분을 할 수 있다. 다만, 그 처분의 성질이나 그 밖의 불가피한 사유로 위원회가 직접처분을 할 수 없는 경우에는 그러하지 아니하다.
> ② 위원회는 제1항 본문에 따라 직접처분을 하였을 때에는 그 사실을 해당 행정청에 통보하여야 하며, 그 통보를 받은 행정청은 위원회가 한 처분을 자기가 한 처분으로 보아 관계 법령에 따라 관리·감독 등 필요한 조치를 하여야 한다.

## 05 ②

이론+판례

행정의 실효성 확보수단 > 행정강제 > 강제집행 중

**| 정답 해설 |**

② 토지나 건물의 인도 또는 명도의 의무는 직접강제의 대상은 될 수 있지만 행정대집행의 대상이 되지는 않는다.

> **도시공원시설 점유자의 퇴거 및 명도의무가 「행정대집행법」에 의한 대집행의 대상인지 여부 [소극]**
> 도시공원시설인 매점의 관리청이 그 공동점유자 중의 1인에 대하여 소정의 기간 내에 위 매점으로부터 퇴거하고 이에 부수하여 그 판매 시설물 및 상품을 반출하지 아니할 때에는 이를 대집행하겠다는 내용의 계고처분은 그 주된 목적이 매점의 원형을 보존하기 위하여 점유자가 설치한 불법 시설물을 철거하고자 하는 것이 아니라, 매점에 대한 점유자의 점유를 배제하고 그 점유이전을 받는 데 있다고 할 것인데, 이러한 의무는 그것을 강제적으로 실현함에 있어 직접적인 실력행사가 필요한 것이지 대체적 작위의무에 해당하는 것은 아니어서 직접강제의 방법에 의하는 것은 별론으로 하고 「행정대집행법」에 의한 대집행의 대상이 되는 것은 아니다(대판 1998.10.23. 97누157).

**| 오답 해설 |**

① (구)「공공용지의 취득 및 손실보상에 관한 특례법」에 따른 토지 등의 협의취득은 공공사업에 필요한 토지 등을 그 소유자와의 협의에 의하여 취득하는 것으로서 공공기관이 사경제주체로서 행하는 사법상 매매 내지 사법상 계약의 실질을 가지는 것이므로, 이러한 철거의무는 공법상의 의무가 될 수 없고, 이 경우에도 「행정대집행법」을 준용하여 대집행을 허용하는 별도의 규정이 없는 한 위와 같은 철거의무는 「행정대집행법」에 의한 대집행의 대상이 되지 않는다(대판 2006.10.13. 2006두7096).

③ 행정청이 행정대집행의 방법으로 건물철거의무의 이행을 실현할 수 있는 경우에는 건물철거 대집행 과정에서 부수적으로 건물의 점유자들에 대한 퇴거조치를 할 수 있고, 점유자들이 적법한 행정대집행을 위력을 행사하여 방해하는 경우 「형법」상 공무집행방해죄가 성립하므로 필요한 경우에는 「경찰관 직무집행법」에 근거한 위험발생 방지조치 또는 「형법」상 공무집행방해죄의 범행방지 내지 현행범체포의 차원에서 경찰의 도움을 받을 수도 있다(대판 2017.4.28. 2016다213916).

④ 건물을 철거하여 이 사건 공유수면을 원상회복하여야 할 의무는 대체적 작위의무에 해당하므로 행정대집행의 대상이 된다(대판 2017.4.28. 2016다213916).

## 06 ③

판례

행정구제 > 행정쟁송 > 행정소송 중

**| 정답 해설 |**

③ 행정청이 항고소송 대상이 아닌 행정작용을 항고소송 대상이라고 잘못 알린 경우라도 항고소송 대상인 처분이 될 수 없고, 행정법원의 관할이 생겨날 수 없다. 「농지법」상의 이행강제금은 「비송사건절차법」에 의한 불복절차가 규정되어 있어 항고소송 대상인 처분이 되지 않는다.

> 「농지법」 제62조 제1항에 따른 이행강제금 부과처분에 대한 불복절차는 「비송사건절차법」에 따른 재판이고 위 이행강제금 부과처분이 「행정소송법」상 항고소송의 대상이 될 수 없으며 관할청이 위 이행강제금 부과처분을 하면서 재결청에 행정심판을 청구하거나 관할 행정법원에 행정소송을 할 수 있다고 잘못 안내한 경우, 행정법원의 항고소송 재판관할이 생기지 않는다(대판 2019.4.11. 2018두42955).

**| 오답 해설 |**

① 행정소송의 대상이 되는 행정처분은, 행정청 또는 그 소속 기관이나 법령에 의하여 행정권한의 위임 또는 위탁을 받은 공공기관이 국민의 권리의무에 관계되는 사항에 관하여 공권력을 발동하여 행하는 공법상의 행위를 말하며, 그것이 상대방의 권리를 제한하는 행위라 하더라도 행정청 또는 그 소속 기관이나 권한을 위임받은 공공기관의 행위가 아닌 한 이를 행정처분이라고 할 수 없다(대결 2010.11.26. 2010무137).

② 이 사건 국가인권위원회의 각하결정은 법률상 신청권 있는 진정인의 권리행사에 중대한 지장을 초래하는 것으로서 항고소송의 대상이 되는 행정처분에 해당하므로 그에 대한 다툼은 우선 행정심판이나 행정소송에 따라 구제되어야 하는데(헌재결 2015.3.26. 2014헌마191 참조), 기록상 청구인이 이러한 구제절차를 거친 사실을 인정할 자료가 없으므로, 이 사건 심판청구는 「헌법재판소법」 제68조 제1항 단서가 정한 보충성 요건을 갖추지 못하였다(헌재결 2015.10.20. 2015헌마976).

④ 항고소송의 대상이 되는 행정처분은 행정청의 공법상의 행위로서 특정사항에 대하여 법률에 의하여 권리를 설정하고 의무를 명하며, 기타 법률상 효과를 발생케 하는 등 국민의 권리의무에 직접 관계가 있는 행위이어야 하고, 다른 집행행위의 매개 없이 그 자체로서 국민의 구체적인 권리의무나 법률관계에 직접적인 변동을 초래케 하는 것이 아닌 일반적·추상적인 법령 등은 그 대상이 될 수 없다(대판 2007.4.12. 2005두15168).

**☑ 교수님 TIP**

이행강제금은 개별법마다 불복절차가 다름을 유의하여야 한다. 항고소송의 대상이 되는 이행강제금으로는 「건축법」, 「장사 등에 관한 법률」 등이 해당되고, 「농지법」 등은 「비송사건절차법」에 의한 구제방법이다.

## 07 ①

판례

행정법 통칙 > 행정법의 법원 > 행정법의 일반원칙 상

**| 정답 해설 |**

① 1회용품은 생활·소비용품으로서 우리나라 쓰레기 수거 및 처리체계에 비추어 이를 수거하여 재활용하기가 매우 어려우므로 생산자보다는 이를 사용하는 특정의 사업자(음식점, 목욕탕, 백화점 등)에게 사용규제의무를 부과하는 것이 효과적인 반면, 포장재는 제품의 생산자나 수입자에게 감량이나 재활용의무를 부과하는 것이 보다 효율적인 점 등을 고려하면, 1회용품과 포장재 등을 서로 차별 취급함에는 합리적인 이유가 있다고 할 것이고, 또한 합성수지 컵과 합성수지 접시는 그 크기나 부피가 합성수지 도시락 용기에 비하여 매우 작고 배달 등의 경우에 사용될 가능성이 훨씬 낮은 점 등을 고려할 때 그와 같은 차별취급에 합리적인 이유가 있다고 할 것이다(헌재결 2007.2.22. 2003헌마428).

**| 오답 해설 |**

② 채석허가기준에 관한 관계 법령의 규정이 개정된 경우, 새로이 개정된 법령의 경과규정에서 달리 정함이 없는 한 처분 당시에 시행되는 개정 법령과 그에서 정한 기준에 의하여 채석허가 여부를 결정하는 것이 원칙이고, 그러한 개정 법령의 적용과 관련하여서는 개정 전 법령의 존속에 대한 국민의 신뢰가 개정 법령의 적용에 관한 공익상의 요구보다 더 보호가치가 있다고 인정되는 경우에 그러한 국민의 신뢰를 보호하기 위하여 그 적용이 제한될 수 있는 여지가 있을 따름이다(대판 2005.7.29. 2003두3550).

③ 재량권 행사의 준칙인 행정규칙이 그 정한 바에 따라 되풀이 시행되어 행정관행이 이루어지게 되면 평등의 원칙이나 신뢰보호의 원칙에 따라 행정기관은 그 상대방에 대한 관계에서 그 규칙에 따라야 할 자기구속을 받게 되므로, 이러한 경우에는 특별한 사정이 없는 한 그를 위반하는 처분은 평등의 원칙이나 신뢰보호의 원칙에 위배되어 재량권을 일탈·남용한 위법한 처분이 된다(대판 2009.12.24. 2009두7967).

④ 행정안전부의 지방조직 개편지침의 일환으로 청원경찰의 인원감축을 위한 면직처분대상자를 선정함에 있어서 초등학교 졸업 이하 학력소지자 집단과 중학교 중퇴 이상 학력소지자 집단으로 나누어 각 집단별로 같은 감원비율 상당의 인원을 선정한 것은 합리성과 공정성을 결여하고, 평등의 원칙에 위배하여 그 하자가 중대하다 할 것이나, 그렇게 한 이유가 시험문제 출제 수준이 중학교 학력 수준이어서 초등학교 졸업 이하 학력소지자에게 상대적으로 불리할 것이라는 판단 아래 이를 보완하기 위한 것이었으므로 그 하자가 객관적으로 명백하다고 보기는 어렵다(대판 2002.2.8. 2000두4057).

## 08 ③

판례

행정구제 > 행정쟁송 > 행정소송 중

**| 정답 해설 |**

③ 당연퇴직의 통보는 법률상 당연히 발생하는 퇴직사유를 공적으로 확인하여 알려 주는 사실의 통보에 불과한 것이지 그 통보 자체가 징계파면이나 직권면직과 같이 공무원의 신분을 상실시키는 새로운 형성적 행위는 아니므로 항고소송의 대상이 되는 독립한 행정처분이 될 수는 없다(대판 1985.7.23. 84누374).

**| 오답 해설 |**

① 감면불인정 통지가 이루어진 단계에서 신청인에게 그 적법성을 다투어 법적 불안을 해소한 다음 조사협조행위에 나아가도록 함으로써 장차 있을지도 모르는 위험에서 벗어날 수 있도록 하는 것이 법치행

정의 원리에도 부합한다. 따라서 부당한 공동행위 자진신고자 등의 시정조치 또는 과징금 감면신청에 대한 감면불인정 통지는 항고소송의 대상이 되는 행정처분에 해당한다고 보아야 한다(대판 2012.9.27. 2010두3541).

② 행정규칙에 의한 '불문경고조치'가 비록 법률상의 징계처분은 아니지만 위 처분을 받지 아니하였다면 차후 다른 징계처분이나 경고를 받게 될 경우 징계감경사유로 사용될 수 있었던 표창공적의 사용가능성을 소멸시키는 효과와 1년 동안 인사기록카드에 등재됨으로써 그 동안은 장관표창이나 도지사표창 대상자에서 제외시키는 효과 등이 있다는 이유로 항고소송의 대상이 되는 행정처분에 해당한다(대판 2002.7.26. 2001두3532).

④ 병무청장이 「병역법」 제81조의2 제1항에 따라 병역의무 기피자의 인적사항 등을 인터넷 홈페이지에 게시하는 등의 방법으로 공개한 경우 병무청장의 공개결정은 항고소송의 대상이 되는 행정처분으로 보아야 한다(대판 2019.6.27. 2018두49130).

**| 같이 보는 판례 | 처분성 여부**

- **처분성 부정(퇴직 인사명령)**
「국가안전기획부직원법」이 위헌이라고 볼 만한 아무런 이유가 없는 이상, 국가안전기획부장이 같은 법률에 따라 계급정년으로 인한 퇴직인사명령을 한 것은 그들이 같은 법률상 계급정년자에 해당하여 당연히 퇴직하였다는 것을 공적으로 확인하여 알려 주는 사실의 통보에 불과한 것이지 징계파면이나 직권면직과 같이 공무원의 신분을 상실시키는 새로운 형성적 행위가 아니어서 항고소송의 대상이 되는 행정처분에 해당하지 않는다(대판 1994.12.27. 91누9244).

- **처분성 긍정(임용기간의 만료통지)**
기간제로 임용되어 임용기간이 만료된 국·공립대학의 조교수는 교원으로서의 능력과 자질에 관하여 합리적인 기준에 의한 공정한 심사를 받아 위 기준에 부합되면 특별한 사정이 없는 한 재임용되리라는 기대를 가지고 재임용 여부에 관하여 합리적인 기준에 의한 공정한 심사를 요구할 법규상 또는 조리상 신청권을 가진다고 할 것이니, 임용권자가 임용기간이 만료된 조교수에 대하여 재임용을 거부하는 취지로 한 임용기간만료의 통지는 위와 같은 대학교원의 법률관계에 영향을 주는 것으로서 행정소송의 대상이 되는 처분에 해당한다(대판 2004.4.22. 2000두7735).

## 09 ②

판례

행정작용 > 행정행위 > 부관 　상

**| 정답 해설 |**

② 조건은 장래의 성취 불확실한 사실에 의해 처분의 존부가 좌우되는 부관이고, 기한은 성취 확실한 사실에 처분의 존부 여부가 이루어지는 부관이다. 따라서 부관에 표시된 사실의 발생에 따라 채무이행이 좌우되면 조건에 해당되고, 부관의 표시된 사실 발생과 상관없이 채무이행이 확정되면 기한으로 본다.

> 부관이 붙은 법률행위에 있어서 부관에 표시된 사실이 발생하지 아니하면 채무를 이행하지 아니하여도 된다고 보는 것이 상당한 경우에는 조건으로 보아야 하고, 표시된 사실이 발생한 때에는 물론이고 반대로 발생하지 아니하는 것이 확정된 때에도 그 채무를 이행하여야 한다고 보는 것이 상당한 경우에는 표시된 사실의 발생 여부가 확정되는 것을 불확정기한으로 정한 것으로 보아야 한다. 따라서 어떠한 법률행위에 불확정기한이 부관으로 붙여진 경우에는 특별한 사정이 없는 한 그 법률행위에 따른 채무는 이미 발생하여 있고 불확정기한은 그 변제기나 이행기를 유예한 것에 불과하다(대판 2014.10.15. 2012두22706).

**| 오답 해설 |**

① 부관도 처분의 일부에 해당된다. 따라서 처분 시를 기준으로 부관이 적법하면 이후에 법이 개정되어 부관을 붙일 수 없다고 해도 적법하여 소멸하지 않는다.

> 행정청이 수익적 행정처분을 하면서 부가한 부담의 위법 여부는 처분 당시 법령을 기준으로 판단하여야 하고, 부담이 처분 당시 법령을 기준으로 적법하다면 처분 후 부담의 전제가 된 주된 행정처분의 근거 법령이 개정됨으로써 행정청이 더 이상 부관을 붙일 수 없게 되었다 하더라도 곧바로 위법하게 되거나 그 효력이 소멸하게 되는 것은 아니다. 따라서 행정처분의 상대방이 수익적 행정처분을 얻기 위하여 행정청과 사이에 행정처분에 부가할 부담에 관한 협약을 체결하고 행정청이 수익적 행정처분을 하면서 협약상의 의무를 부담으로 부가하였으나 부담의 전제가 된 주된 행정처분의 근거 법령이 개정됨으로써 행정청이 더 이상 부관을 붙일 수 없게 된 경우에도 곧바로 협약의 효력이 소멸하는 것은 아니다(대판 2009.2.12. 2005다65500).

③ 행정행위의 부관은 부담의 경우를 제외하고는 독립하여 행정소송의 대상이 될 수 없는 것인바, 행정청이 한 공유수면매립준공인가 중 매립지 일부에 대하여 한 국가귀속처분은 매립준공인가를 함에 있어서 매립의 면허를 받은 자의 매립지에 대한 소유권취득을 규정한 「공유수면매립법」 제14조의 효과 일부를 배제하는 부관을 붙인 것이므로 이러한 행정행위의 부관에 대하여는 독립하여 행정소송의 대상으로 삼을 수 없다(대판 1991.12.13. 90누8503).

④ 일반적으로 행정처분에 효력기간이 정하여져 있는 경우에는 그 기간의 경과로 그 행정처분의 효력은 상실되고, 다만 허가에 붙은 기한이 그 허가된 사업의 성질상 부당하게 짧은 경우에는 이를 그 허가 자체의 존속기간이 아니라 그 허가조건의 존속기간(=갱신기간)으로 보아 그 기한이 도래함으로써 그 조건의 개정을 고려한다는 뜻으로 해석할 수는 있지만, 그와 같은 경우라 하더라도 그 허가기간이 연장되기 위해서는 그 종기가 도래하기 전에 그 허가기간의 연장에 관한 신청이 있어야 하며, 만일 그러한 연장신청이 없는 상태에서 허가기간이 만료하였다면 그 허가의 효력은 상실된다(대판 2007.10.11. 2005두12404).

## 10 ②

판례

행정구제 > 행정쟁송 > 행정소송 　중

**| 정답 해설 |**

② 기존의 행정처분을 변경하는 내용의 행정처분이 뒤따르는 경우, 후속처분이 종전처분을 완전히 대체하는 것이거나 주요 부분을 실질적으로 변경하는 내용인 경우에는 특별한 사정이 없는 한 종전처분은 효력을 상실하고 후속처분만이 항고소송의 대상이 되지만, 후속처분의 내용이 종전처분의 유효를 전제로 내용 중 일부만을 추가·철회·변경하는 것이고 추가·철회·변경된 부분이 내용과 성질상 나머지 부

분과 불가분적인 것이 아닌 경우에는, 후속처분에도 불구하고 종전처분이 여전히 항고소송의 대상이 된다(대판 2015.11.19. 2015두295).

**| 오답 해설 |**

① 행정처분의 취소 또는 무효확인을 구하는 행정소송은 다른 법률에 특별한 규정이 없는 한 그 처분을 행한 행정청을 피고로 하여야 하며, 행정처분을 행할 적법한 권한 있는 상급행정청으로부터 내부위임을 받은 데 불과한 하급행정청이 권한 없이 행정처분을 한 경우에도 실제로 그 처분을 행한 하급행정청을 피고로 하여야 할 것이지 그 처분을 행할 적법한 권한 있는 상급행정청을 피고로 할 것은 아니다(대판 1994.8.12. 94누2763).

③ 원천징수의무자에 대한 소득금액변동통지는 원천납세의무의 존부나 범위와 같은 원천납세의무자의 권리나 법률상 지위에 어떠한 영향을 준다고 할 수 없으므로 소득처분에 따른 소득의 귀속자는 법인에 대한 소득금액변동통지의 취소를 구할 법률상 이익이 없다(대판 2015.3.26. 2013두9267).

④ 국민권익위원회가 소방청장에게 인사와 관련하여 부당한 지시를 한 사실이 인정된다며 이를 취소할 것을 요구하기로 의결하고 그 내용을 통지한 것에 대하여 소방청장으로서는 조치요구의 취소를 구하는 항고소송을 제기하는 것이 유효·적절한 수단으로 볼 수 있으므로 소방청장은 예외적으로 당사자능력과 원고적격을 가진다(대판 2018.8.1. 2014두35379).

## 11 ③

이론+판례

행정작용 > 비권력적 행정작용 > 행정계획 중

**| 정답 해설 |**

③ 기관위임사무는 국가의 사무가 지방자치단체의 장에게 위임된 것이라서 국가는 지휘감독권의 입장에서 시정이나 취소를 할 수 있다. 취소소송의 제기는 인정되지 않는다.

> 건설교통부장관은 지방자치단체의 장이 기관위임사무인 국토이용계획 사무를 처리함에 있어 자신과 의견이 다를 경우 행정협의조정위원회에 협의·조정 신청을 하여 그 협의·조정 결정에 따라 의견불일치를 해소할 수 있고, 법원에 의한 판결을 받지 않고서도 「행정권한의 위임 및 위탁에 관한 규정」이나 (구)「지방자치법」에서 정하고 있는 지도·감독을 통하여 직접 지방자치단체의 장의 사무처리에 대하여 시정명령을 발하고 그 사무처리를 취소 또는 정지할 수 있으며, 지방자치단체의 장에게 기간을 정하여 직무이행명령을 하고 지방자치단체의 장이 이를 이행하지 아니할 때에는 직접 필요한 조치를 할 수도 있으므로, 국가가 국토이용계획과 관련한 지방자치단체의 장의 기관위임사무의 처리에 관하여 지방자치단체의 장을 상대로 취소소송을 제기하는 것은 허용되지 않는다(대판 2007.9.20. 2005두6935).

**| 오답 해설 |**

① 장래 일정한 기간 내에 관계 법령이 규정하는 시설 등을 갖추어 일정한 행정처분을 구하는 신청을 할 수 있는 법률상 지위에 있는 자의 국토이용계획변경신청을 거부하는 것이 실질적으로 당해 행정처분 자체를 거부하는 결과가 되는 경우에는 예외적으로 그 신청인에게 국토이용계획변경을 신청할 권리가 인정된다고 봄이 상당하므로, 이러한 신청에 대한 거부행위는 항고소송의 대상이 되는 행정처분에 해당한다(대판 2003.9.23. 2001두10936).

② 비구속적 행정계획안이나 행정지침이라도 국민의 기본권에 직접적으로 영향을 끼치고, 앞으로 법령의 뒷받침에 의하여 그대로 실시될 것이 틀림없을 것으로 예상될 수 있을 때에는, 공권력행위로서 예외적으로 헌법소원의 대상이 될 수 있다(헌재결 2000.6.1. 99헌마538).

④ 도시계획의 결정을 하는 행정청이 선행 도시계획의 결정·변경 등에 관한 권한을 가지고 있지 아니한 경우에 선행 도시계획과 서로 양립할 수 없는 내용이 포함된 후행 도시계획결정을 하는 것은 아무런 권한 없이 선행 도시계획결정을 폐지하고, 양립할 수 없는 새로운 내용이 포함된 후행 도시계획결정을 하는 것으로서, 선행 도시계획결정의 폐지 부분은 권한 없는 자에 의하여 행해진 것으로서 무효이고, 같은 대상지역에 대하여 선행 도시계획결정이 적법하게 폐지되지 아니한 상태에서 그 위에 다시 한 후행 도시계획결정 역시 위법하고, 그 하자는 중대하고도 명백하여 다른 특별한 사정이 없는 한 무효라고 보아야 한다(대판 2000.9.8. 99두11257).

## 12 ①

이론+판례

행정작용 > 행정행위 > 행정행위의 하자 중

**| 정답 해설 |**

① 헌법재판소 위헌결정은 모든 국가기관을 구속한다. 따라서 법률에 대한 위헌결정이 있은 후 조세채권을 집행하고자 하는 행위는 중대·명백한 하자로서 무효에 해당한다.

> 같은 법 전부에 대한 위헌결정으로 위 제30조 규정 역시 그 날로부터 효력을 상실하게 되었고, 나아가 위헌법률에 기한 행정처분의 집행이나 집행력을 유지하기 위한 행위는 위헌결정의 기속력에 위반되어 허용되지 않는다(대판 2002.8.23. 2001두2959).

**| 오답 해설 |**

② 절차상 또는 형식상 하자로 인하여 무효인 행정처분이 있은 후 행정청이 관계 법령에서 정한 절차 또는 형식을 갖추어 다시 동일한 행정처분을 하였다면 당해 행정처분은 종전의 무효인 행정처분과 관계없이 새로운 행정처분이라고 보아야 한다(대판 2014.3.13. 2012두1006).

③ 어느 행정처분에 대하여 그 행정처분의 근거가 된 법률이 위헌이라는 이유로 무효확인청구의 소가 제기된 경우에는 다른 특별한 사정이 없는 한 법원으로서는 그 법률이 위헌인지 여부에 대하여는 판단할 필요 없이 그 무효확인청구를 기각하여야 한다(대판 1994.10.28. 92누9463).

④ 법률에 근거하여 행정처분이 발하여진 후에 헌법재판소에 의해 그 법률이 위헌으로 되었다면 결과적으로 그 행정처분은 법률의 근거가 없이 행하여진 것과 마찬가지가 되어 하자가 있는 것이 되나, 그 하자가 중대하기는 하나 헌법재판소의 위헌결정이 있기 전에는 객관적으로 명백한 것이라고 할 수는 없으므로, 헌법재판소의 위헌결정 전에 행정처분의 근거가 되는 당해 법률이 헌법에 위반된다는 사유는 특별한 사정이 없는 한, 그 행정처분의 취소소송의 전제가 될 수 있을 뿐 당연무효사유는 아니다(대판 2000.6.9. 2000다16329).

**| 같이 보는 판례 | 처분의 근거법이 위헌인 경우에 대한 헌법재판소의 입장**

> • 원칙적 입장
> 행정처분의 근거법률이 헌법에 위반된다는 사정은 헌법재판소의 위헌결정이 있기 전에는 객관적으로 명백한 것이라고 할 수는 없으므로 특별한 사정이 없는 한 그러한 하자는 행정처분의 취소사유에 해당할 뿐 당연무효사유는 아니고, 제소기간이 경과한 뒤에는 행정처분의 근거 법률이 위헌임을 이유로 무효확인소송 등을 제기하더라도 행정처분의 효력에는 영향이 없음이 원칙이다(헌재결 2014.1.28. 2011헌바38).
>
> • 예외적 입장
> 행정처분 자체의 효력이 쟁송기간 경과 후에도 존속 중인 경우, 특히 그 처분이 위헌법률에 근거하여 내려진 것이고 그 행정처분의 목적달성을 위하여서는 후행(後行) 행정처분이 필요한데 후행(後行) 행정처분은 아직 이루어지지 않은 경우, 그 행정처분을 무효로 하더라도 법적 안정성을 크게 해치지 않는 반면에 그 하자가 중대하여 그 구제가 필요한 경우에 대하여서는 그 예외를 인정하여 이를 당연무효사유로 보아서 쟁송기간 경과 후에라도 무효확인을 구할 수 있는 것이라고 봐야 한다(헌재결 1994.6.30. 92헌바23).

## 13 ④

이론+판례

행정법 통칙 > 행정법의 효력 > 시간적 효력 | 중

**| 정답 해설 |**

④ 행위가 종료되지 않고 계속 중인 경우에, 해당 행위에 대한 법이 개정되면 이때 적용될 법은 새로운 법이며, 이는 부진정소급에 해당되어 법률불소급원칙에 반하지 않는다.

> 법인세는 과세기간인 사업연도 개시와 더불어 과세요건이 생성되어 사업연도 종료 시에 완성하고, 그 때 납세의무가 성립하며 그 확정절차도 과세기간 종료 후에 이루어지므로, 사업연도 진행 중 세법이 개정되었을 때에도 그 사업연도 종료 시의 법에 의하여 과세 여부 및 납세의무의 범위가 결정되는바, 이에 따라 사업연도 개시 시부터 개정법이 적용된다고 하여 이를 법적 안정성을 심히 해하는 소급과세라거나 「국세기본법」 제18조 제2항이 금하는 납세의무 성립 후의 새로운 세법에 의한 소급과세라 할 수 없고, 신의성실의 원칙에 위배되는 것이라 할 수도 없다(대판 1996.7.9. 95누13067).

**| 오답 해설 |**

① 구법을 개폐하는 신법이 제정된 경우에도 별도의 명문규정이 없는 이상 구법 시행 당시에 발생한 사유에 대하여는 개폐된 구법이 그대로 적용되어야 한다(대판 1994.3.11. 93누19719).

② 법령이 폐지되거나 개정되기 이전에 종결된 사실에 대해서는 이전의 법률을 적용하는 것이 원칙이다.

> **조세법령의 폐지 또는 개정 전에 종결된 과세요건 사실에 대하여 폐지 또는 개정 전의 조세법령을 적용하는 것이 조세법률주의에 위배되는지 여부 [소극]**
> 조세법률주의의 원칙상 조세의무는 각 세법에 정한 과세요건이 완성된 때에 성립된다고 할 것이나, 조세법령이 일단 효력을 발생하였다가 폐지 또는 개정된 경우 조세법령이 정한 과세요건 사실이 폐지 또는 개정된 당시까지 완료된 때에는 다른 경과규정이 없는 한 그 과세요건 사실에 대하여는 종전의 조세법령이 계속 효력을 가지며, 조세법령의 폐지 또는 개정 후에 발생된 행위사실에 대하여만 효력을 잃는 것이라고 보아야 할 것이므로, 조세법령의 폐지 또는 개정 전에 종결된 과세요건 사실에 대하여 폐지 또는 개정 전의 조세법령을 적용하는 것이 조세법률주의의 원칙에 위배된다고 할 수 없다(대판 1993.5.11. 92누18399).

③ 법령의 공포일과 시행일이 동일한 경우 통설과 판례는 최초구독가능시설을 취하고 있다. 그러나 양자가 다른 경우에는 관보가 실제로 인쇄된 날을 발행일, 즉 공포일로 본다(대판 1968.12.6. 68다1753).

## 14 ②

이론+판례

행정구제 > 손해전보 > 손해배상 | 중

**| 정답 해설 |**

② 항고소송에서 처분이 취소된 경우 판결의 기판력에 의해 처분의 위법은 확정되고 이 판단에 모순되는 주장이나 판단은 할 수 없다. 따라서 이에 국가배상소송에서도 처분의 위법은 인정되지만 배상은 위법에 고의나 과실이 있는 경우에 비로소 가능하여, 고의·과실에 대한 판단에 의해 고의·과실이 없는 경우에는 국가배상이 인정되지 않는다(항고소송에서 처분의 위법함이 판단되었다고 해도 당연히 고의·과실까지 인정되지는 않는다).

> 어떠한 행정처분이 후에 항고소송에서 취소되었다고 할지라도 그 기판력에 의하여 당해 행정처분이 곧바로 공무원의 고의 또는 과실로 인한 것으로서 불법행위를 구성한다고 단정할 수는 없는 것이다(대판 2000.5.12. 99다70600).

**| 오답 해설 |**

① 영조물의 설치나 관리상의 하자에 의한 국가배상은 손해의 원인에 대하여 책임을 질 자가 따로 있는 경우에는 구상권을 행사할 수 있다.

> 「국가배상법」 제5조 **【공공시설 등의 하자로 인한 책임】** ① 도로·하천, 그 밖의 공공의 영조물(營造物)의 설치나 관리에 하자(瑕疵)가 있기 때문에 타인에게 손해를 발생하게 하였을 때에는 국가나 지방자치단체는 그 손해를 배상하여야 한다. 이 경우 제2조 제1항 단서, 제3조 및 제3조의2를 준용한다.
> ② 제1항을 적용할 때 손해의 원인에 대하여 책임을 질 자가 따로 있으면 국가나 지방자치단체는 그 자에게 구상할 수 있다.

③ 국가배상책임은 공무원의 직무집행이 법령에 위반한 것임을 요건으로 하는 것으로서, 공무원의 직무집행이 법령이 정한 요건과 절차에 따라 이루어진 것이라면 특별한 사정이 없는 한 이는 법령에 적합한 것이고 그 과정에서 개인의 권리가 침해되는 일이 생긴다고 하여 그 법령 적합성이 곧바로 부정되는 것은 아니라고 할 것이다(대판 1997.7.25. 94다2480).

④ 법관의 재판에 법령의 규정을 따르지 아니한 잘못이 있다 하더라도 이로써 바로 그 재판상 직무행위가 「국가배상법」 제2조 제1항에서 말하는 위법한 행위로 되어 국가의 손해배상책임이 발생하는 것은 아니고, 그 국가배상책임이 인정되려면 당해 법관이 위법 또는 부당한 목적을 가지고 재판을 하는 등 법관이 그에게 부여된 권한의 취지에 명백히 어긋나게 이를 행사하였다고 인정할 만한 특별한 사정이 있어야 한다고 해석함이 상당하다(대판 2001.4.24. 2000다16114).

**| 같이 보는 판례 | 헌법재판소 재판관의 기산오류에 따른 국가배상 판례**

헌법소원심판을 청구한 자로서는 헌법재판소 재판관이 일자 계산을 정확하게 하여 본안판단을 할 것으로 기대하는 것이 당연하고, 따라서 헌법재판소 재판관의 위법한 직무집행의 결과 잘못된 각하결정을 함으로써 청구인으로 하여금 본안판단을 받을 기회를 상실하게 한 이상, 설령 본안판단을 하였더라도 어차피 청구가 기각되었을 것이라는 사정이 있다고 하더라도 잘못된 판단으로 인하여 헌법소원심판 청구인의 위와 같은 합리적인 기대를 침해한 것이고 이러한 기대는 인격적 이익으로서 보호할 가치가 있다고 할 것이므로 그 침해로 인한 정신상 고통에 대하여는 위자료를 지급할 의무가 있다(대판 2003.7.11. 99다24218).

## 15 ③

판례

행정구제 > 사전구제 > 행정절차 중

**| 정답 해설 |**

③ 납세고지서에 세액산출근거 등의 기재사항이 누락되었거나 과세표준과 세액의 계산명세서가 첨부되지 않았다면 적법한 납세의 고지라고 볼 수 없으며, 위와 같은 납세고지의 하자는 납세의무자가 그 나름대로 산출근거를 알고 있다거나 사실상 이를 알고서 쟁송에 이르렀다 하더라도 치유되지 않는다(대판 2002.11.13. 2001두1543).

**| 오답 해설 |**

① 산업기능요원 편입취소처분은 「행정절차법」상의 「병역법」에 의한 소집에 관한 사항이 아니어서 「행정절차법」상의 처분절차를 준수하여야 한다.

> 지방병무청장이 「병역법」 제41조 제1항 제1호, 제40조 제2호의 규정에 따라 산업기능요원에 대하여 한 산업기능요원 편입취소처분은 「행정절차법」의 적용이 배제되는 사항인 「행정절차법」 제3조 제2항 제9호, 같은 법 시행령 제2조 제1호에서 규정하는 '「병역법」에 의한 소집에 관한 사항'에는 해당하지 아니하므로, 「행정절차법」상의 '처분의 사전통지'와 '의견 제출 기회의 부여' 등의 절차를 거쳐야 한다(대판 2002.9.6. 2002두554).

② '고시'의 방법으로 불특정 다수인을 상대로 의무를 부과하거나 권익을 제한하는 처분은 성질상 의견 제출의 기회를 주어야 하는 상대방을 특정할 수 없으므로, 이와 같은 처분에 있어서까지 (구)「행정절차법」 제22조 제3항에 의하여 그 상대방에게 의견 제출의 기회를 주어야 한다고 해석할 것은 아니다(대판 2014.10.27. 2012두7745).

④ 신청에 따른 처분이 이루어지지 아니한 경우에는 아직 당사자에게 권익이 부과되지 아니하였으므로 특별한 사정이 없는 한 신청에 대한 거부처분이라고 하더라도 직접 당사자의 권익을 제한하는 것은 아니어서 신청에 대한 거부처분을 여기에서 말하는 '당사자의 권익을 제한하는 처분' 에 해당한다고 할 수 없는 것이어서 처분의 사전통지 대상이 된다고 할 수 없다(대판 2003.11.28. 2003두674).

☑ **교수님 TIP**

이유 제시의 구체적 조항이 명시되지 않아도 위법이 아니라는 판례가 있다. 이에 대한 대법원의 법리와 사실관계를 파악하고 있어야 한다.

**| 같이 보는 판례 | 법리문제 vs 사실문제**

- 법리문제

  「행정절차법」 제23조 제1항은 행정청은 처분을 하는 때에는 당사자에게 그 근거와 이유를 제시하여야 한다고 규정하고 있는바, 일반적으로 당사자가 근거규정 등을 명시하여 신청하는 인·허가 등을 거부하는 처분을 함에 있어 당사자가 그 근거를 알 수 있을 정도로 상당한 이유를 제시한 경우에는 당해 처분의 근거 및 이유를 구체적 조항 및 내용까지 명시하지 않았더라도 그로 말미암아 그 처분이 위법한 것이 된다고 할 수 없다(대판 2002.5.17. 2000두8912).

- 사실문제

  행정청이 토지형질변경허가신청을 불허하는 근거규정으로 「도시계획법 시행령」 제20조를 명시하지 아니하고 「도시계획법」이라고만 기재하였으나, 신청인이 자신의 신청이 개발제한구역의 지정목적에 현저히 지장을 초래하는 것이라는 이유로 (구)「도시계획법 시행령」(2000.7.1. 대통령령 제16891호로 전문 개정되기 전의 것) 제20조 제1항 제2호에 따라 불허된 것임을 알 수 있었던 경우, 그 불허처분은 위법하지 아니하다(대판 2002.5.17. 2000두8912).

## 16 ④

판례

행정법 통칙 > 사인의 공법행위 > 신고 중

**| 정답 해설 |**

ㄴ. 사업양도·양수계약이 무효이면 이에 따른 지위승계신고의 수리도 무효이다.

> 사업양도·양수에 따른 허가관청의 지위승계신고의 수리는 적법한 사업의 양도·양수가 있었음을 전제로 하는 것이므로 그 수리대상인 사업양도·양수가 존재하지 아니하거나 무효인 때에는 수리를 하였다 하더라도 그 수리는 유효한 대상이 없는 것으로서 당연히 무효라 할 것이고, 사업의 양도행위가 무효라고 주장하는 양도자는 민사쟁송으로 양도·양수행위의 무효를 구함이 없이 막바로 허가관청을 상대로 하여 행정소송으로 위 신고수리처분의 무효확인을 구할 법률상 이익이 있다(대판 2005.12.23. 2005두3554).

ㄹ. 양도·양수에 의한 영업자지위승계신고가 수리되지 않은 경우라도, 양도인의 위법을 이유로 허가 등이 취소된 경우, 이를 양수한 양수인은 취소소송을 청구할 법률상 이익이 인정된다.

> 수허가자의 지위를 양수받아 명의변경신고를 할 수 있는 양수인의 지위는 단순한 반사적 이익이나 사실상의 이익이 아니라 산림법령에 의하여 보호되는 직접적이고 구체적인 이익으로서 법률상 이익이라고 할 것이고, 채석허가가 유효하게 존속하고 있다는 것이 양수인의 명의변경신고의 전제가 된다는 의미에서 관할 행정청이 양도인에 대하여 채석허가를 취소하는 처분을 하였다면 이는 양수인의 지위에 대한 직접적 침해가 된다고 할 것이므로 양수인은 채석허가를 취소하는 처분의 취소를 구할 법률상 이익을 가진다(대판 2003.7.11. 2001두6289).

**| 오답 해설 |**

ㄱ. 양도인이 그의 의사에 따라 양수인에게 영업을 양도하면서 양수인으로 하여금 영업을 하도록 허락하였다면 그 양수인의 영업 중 발생한 위반행위에 대한 행정적인 책임은 양도인에게 귀속된다고 보아야 할 것이다(대판 1995.2.24. 94누9146).

ㄷ. (구)「식품위생법」(1997.12.13. 법률 제5453호로 개정되기 전의 것) 제25조 제1항, 제3항에 의하여 영업양도에 따른 지위승계신고를 수리하는 허가관청의 행위는, 단순히 양도·양수인 사이에 이미 발생한 사법상의 사업양도의 법률효과에 의하여 양수인이 그 영업을 승계하였다는 사실의 신고를 접수하는 행위에 그치는 것이 아니라, 실질에 있어서 양도자의 사업허가를 취소함과 아울러 양수자에게 적법히 사업을 할 수 있는 권리를 설정하여 주는 행위로서 사업허가자의 변경이라는 법률효과를 발생시키는 행위라고 할 것이다(대판 2001.2.9. 2000도2050).

## 17 ③

판례

행정구제 > 손해전보 > 손실보상 중

**| 정답 해설 |**

③ 공공용물의 일반사용은 반사적 이익에 해당하여, 적법한 개발로 종전보다 일반사용이 제한을 받는다고 해도 보상대상이 되는 특별한 희생이 아니다.

> 일반 공중의 이용에 제공되는 공공용물에 대하여 특허 또는 허가를 받지 않고 하는 일반사용은 다른 개인의 자유이용과 국가 또는 지방자치단체 등의 공공목적을 위한 개발 또는 관리·보존행위를 방해하지 않는 범위 내에서만 허용된다 할 것이므로, 공공용물에 관하여 적법한 개발행위 등이 이루어짐으로 말미암아 이에 대한 일정범위의 사람들의 일반사용이 종전에 비하여 제한받게 되었다 하더라도 특별한 사정이 없는 한 그로 인한 불이익은 손실보상의 대상이 되는 특별한 손실에 해당한다고 할 수 없다(대판 2002.2.26. 99다35300).

**| 오답 해설 |**

① 도시계획사업허가의 공고 시에 토지세목의 고시를 누락하거나 사업인정을 함에 있어 수용 또는 사용할 토지의 세목을 공시하는 절차를 누락한 경우, 이는 절차상의 위법으로서 수용재결 단계 전의 사업인정 단계에서 다툴 수 있는 취소사유에 해당하기는 하나 더 나아가 그 사업인정 자체를 무효로 할 중대하고 명백한 하자라고 보기는 어렵고, 따라서 이러한 위법을 들어 수용재결처분의 취소를 구하거나 무효확인을 구할 수는 없다(대판 1988.12.27. 87누1141).

② (구)공익사업법 등에 규정된 재결절차를 거친 다음 그 재결에 대하여 불복이 있는 때에 비로소 (구)공익사업법 제83조 내지 제85조에 따라 권리구제를 받을 수 있을 뿐, 이러한 재결절차를 거치지 않은 채 곧바로 사업시행자를 상대로 손실보상을 청구하는 것은 허용되지 않는다(대판 2011.9.29. 2009두10963).

④ (구)「하천법」(1971.1.19. 법률 제2292호로 전문 개정된 것)의 시행으로 국유로 된 제외지 안의 토지에 대하여는 관리청이 그 손실을 보상하도록 규정하였고, … 위 각 규정들에 의한 손실보상청구권은 모두 종전의 「하천법」 규정 자체에 의하여 하천구역으로 편입되어 국유로 되었으나 그에 대한 보상규정이 없었거나 보상청구권이 시효로 소멸되어 보상을 받지 못한 토지들에 대하여, 국가가 반성적 고려와 국민의 권리구제 차원에서 그 손실을 보상하기 위하여 규정한 것으로서, 그 법적 성질은 「하천법」 본칙(本則)이 원래부터 규정하고 있던 하천구역에의 편입에 의한 손실보상청구권과 하등 다를 바가 없는 것이어서 공법상의 권리임이 분명하므로 그에 관한 쟁송도 행정소송절차에 의하여야 한다(대판 2006.5.18. 2004다6207).

**☑ 교수님 TIP**

공공용물은 일반대중이 이용할 수 있는 행정재산으로 일반사용과 특별사용으로 이용할 수 있다. 일반사용은 자유사용을 원칙으로 하여 이에 대한 이용은 반사적 이익에 불과하고 특별한 사정이 없으면 제한이 있더라도 보상대상이 아니다.

## 18 ①

법령+판례

정보공개와 개인정보 > 정보공개 > 공개청구 중

**| 정답 해설 |**

① 직무를 수행한 공무원의 성명이나 직위는 공개 대상이 된다.

> 「공공기관의 정보공개에 관한 법률」 제9조【비공개 대상 정보】 ① 공공기관이 보유·관리하는 정보는 공개 대상이 된다. 다만, 다음 각 호의 어느 하나에 해당하는 정보는 공개하지 아니할 수 있다.
> 6. 해당 정보에 포함되어 있는 성명·주민등록번호 등 「개인정보 보호법」 제2조 제1호에 따른 개인정보로서 공개될 경우 사생활의 비밀 또는 자유를 침해할 우려가 있다고 인정되는 정보. 다만, 다음 각 목에 열거한 사항은 제외한다.
> 라. 직무를 수행한 공무원의 성명·직위

**| 오답 해설 |**

② 청구인은 제18조에 따른 이의신청 절차를 거치지 아니하고 행정심판을 청구할 수 있다(동법 제19조 제2항).

③ 국민의 정보공개청구권은 법률상 보호되는 구체적인 권리이므로, 공공기관에 대하여 정보의 공개를 청구하였다가 공개거부처분을 받은 청구인은 행정소송을 통하여 그 공개거부처분의 취소를 구할 법률상의 이익이 있고, 공개청구의 대상이 되는 정보가 이미 다른 사람에게 공개되어 널리 알려져 있다거나 인터넷 등을 통하여 공개되어 인터넷검색 등을 통하여 쉽게 알 수 있다는 사정만으로는 소의 이익이 없다거나 비공개결정이 정당화될 수 없다(대판 2010.12.23. 2008두13101).

④ 정보공개제도는 공공기관이 보유·관리하는 정보를 그 상태대로 공개하는 제도로서 공개를 구하는 정보를 공공기관이 보유·관리하고 있을 상당한 개연성이 있다는 점에 대하여 원칙적으로 공개청구자에게 증명책임이 있다고 할 것이지만, 공개를 구하는 정보를 공공기관이 한 때 보유·관리하였으나 후에 그 정보가 담긴 문서 등이 폐기되어 존재하지 않게 된 것이라면 그 정보를 더 이상 보유·관리하고 있지 아니하다는 점에 대한 증명책임은 공공기관에게 있다(대판 2004.12.9. 2003두12707).

## 19 ③

법령+판례

행정의 실효성 확보수단 > 행정강제 > 행정조사 중

**| 정답 해설 |**

③ 우편물 통관검사절차에서 이루어지는 우편물의 개봉, 시료채취, 성분분석 등의 검사는 수출입물품에 대한 적정한 통관 등을 목적으로 한 행정조사의 성격을 가지는 것으로서 수사기관의 강제처분이라고 할 수 없으므로, 압수·수색영장 없이 우편물의 개봉, 시료채취, 성분분석 등 검사가 진행되었다 하더라도 특별한 사정이 없는 한 위법하다고 볼 수 없다(대판 2013.9.26. 2013도7718).

**| 오답 해설 |**

① 행정기관의 장이 제5조 단서에 따라 조사대상자의 자발적인 협조를 얻어 행정조사를 실시하고자 하는 경우 조사대상자는 문서·전화·구두 등의 방법으로 당해 행정조사를 거부할 수 있다(「행정조사기본법」 제20조 제1항).

② 행정기관의 장은 법령 등에 특별한 규정이 있는 경우를 제외하고는 행정조사의 결과를 확정한 날부터 7일 이내에 그 결과를 조사대상자에게 통지하여야 한다(동법 제24조).

④ 납세자에 대한 부가가치세 부과처분은 종전의 부가가치세 경정조사와 같은 세목 및 같은 과세기간에 대하여 중복하여 실시된 위법한 세무조사에 기초하여 이루어진 것이어서 위법하다(대판 2006.6.2. 2004두12070).

## 20 ④

판례

**종합문제(행정행위의 내용, 철회, 공법상 계약, 행정소송)** 중

**| 정답 해설 |**

ㄱ. 행정행위를 한 처분청은 비록 그 처분 당시에 별다른 하자가 없었고, 또 그 처분 후에 이를 철회할 별도의 법적 근거가 없다 하더라도 원래의 처분을 존속시킬 필요가 없게 된 사정변경이 생겼거나 또는 중대한 공익상의 필요가 발생한 경우에는 그 효력을 상실케 하는 별개의 행정행위로 이를 철회할 수 있다고 할 것이다(대판 2004.11.26. 2003두10251,10268).

ㄷ. 취소소송은 처분 등이 있음을 안 날부터 90일 이내에 제기하여야 하고, 처분 등이 있은 날부터 1년을 경과하면 제기하지 못하며(「행정소송법」 제20조 제1항, 제2항), 청구취지를 변경하여 구 소가 취하되고 새로운 소가 제기된 것으로 변경되었을 때에 새로운 소에 대한 제소기간의 준수 등은 원칙적으로 소의 변경이 있은 때를 기준으로 하여야 한다(대판 2004.11.25. 2004두7023).

**| 오답 해설 |**

ㄴ. 공중보건의사 채용계약 해지의 의사표시에 대하여는 대등한 당사자간의 소송 형식인 공법상의 당사자소송으로 그 의사표시의 무효확인을 청구할 수 있는 것이지, 이를 항고소송의 대상이 되는 행정처분이라는 전제하에서 그 취소를 구하는 항고소송을 제기할 수는 없다(대판 1996.5.31. 95누10617).

ㄹ. 인가는 기본행위인 재단법인의 정관변경에 대한 법률상의 효력을 완성시키는 보충행위로서, 그 기본이 되는 정관변경 결의에 하자가 있을 때에는 그에 대한 인가가 있었다 하여도 기본행위인 정관변경 결의가 유효한 것으로 될 수 없다(대판 1996.5.16. 95누4810).

# 2019 소방위 행정법

난이도 '상(上)'에 해당하는 1문항을 제외하고는 난이도 '하(下)'에 해당하는 문항을 6개나 배치하였습니다. 특히 핵심적인 단원에서의 출제로, 익숙한 지문들로 구성되어 있었기 때문에 수월하게 풀이할 수 있었으리라 생각됩니다. 문제의 유형은 낮은 난도의 법령문제가 6문항가량 출제되었고, 판례문제 역시 최신판례 없이 까다롭지 않은 판례들로 구성되었습니다.

## 문항분석

| 문항 | 정답 | 영역 |
|---|---|---|
| 1 | ① | 행정구제 > 사전구제 > 행정절차 |
| 2 | ① | 행정구제 > 행정쟁송 > 행정소송 |
| 3 | ③ | 행정구제 > 행정쟁송 > 행정소송 |
| 4 | ④ | 행정작용 > 행정행위 > 행정행위의 하자 |
| 5 | ② | 행정작용 > 행정행위 > 행정행위의 하자 |
| 6 | ④ | 정보공개와 개인정보 > 개인정보 보호법 > 개인정보처리의 동의 |
| 7 | ① | 정보공개와 개인정보 > 정보공개 > 정보공개와 입증책임 |
| 8 | ② | 행정구제 > 행정쟁송 > 행정소송 |
| 9 | ④ | 행정작용 > 행정행위 > 행정행위의 내용 |
| 10 | ③ | 행정의 실효성 확보수단 > 행정강제 > 강제집행 |
| 11 | ③ | 행정구제 > 행정쟁송 > 행정심판 |
| 12 | ① | 행정법 통칙 > 사인의 공법행위 > 신고 |
| 13 | ④ | 행정작용 > 행정행위 > 부관 |
| 14 | ② | 행정작용 > 행정행위 > 행정행위의 하자 |
| 15 | ① | 행정구제 > 행정쟁송 > 행정심판 |
| 16 | ② | 행정의 실효성 확보수단 > 행정벌 > 행정질서벌 |
| 17 | ③ | 행정법 통칙 > 행정 > 통치행위 |
| 18 | ① | 행정구제 > 손해전보 > 국가배상 |
| 19 | ③ | 종합문제(행정행위, 행정입법, 행정절차 등) |
| 20 | ④ | 행정법 통칙 > 행정상 법률관계 > 공법과 사법의 구분 |

## 합격예상 체크

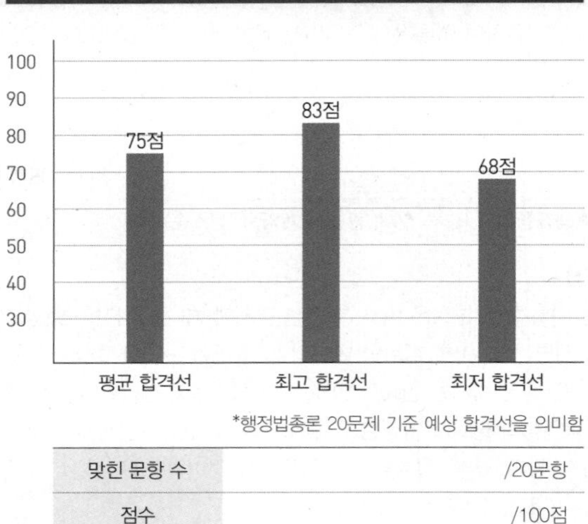


*행정법총론 20문제 기준 예상 합격선을 의미함

| 맞힌 문항 수 | /20문항 |
|---|---|
| 점수 | /100점 |

□ 합격 □ 불합격

## 출제 트렌드

| 구분 | 행정법 통칙 | 행정작용 | 정보공개 개인정보 | 실효성 확보수단 | 행정구제 | 종합문제 |
|---|---|---|---|---|---|---|
| 2020 | 5문항 | 4문항 | 1문항 | 2문항 | 7문항 | 1문항 |
| **2019** | **3문항** | **5문항** | **2문항** | **2문항** | **7문항** | **1문항** |
| 2018 | 3문항 | 5문항 | 2문항 | 5문항 | 5문항 | 0문항 |

행정작용에서 5문항, 행정구제에서 7문항, 정보공개와 개인정보·행정의 실효성 확보수단에서 각각 2문항이 출제되어 행정법 핵심 영역에서 70% 가량이 출제되었습니다.

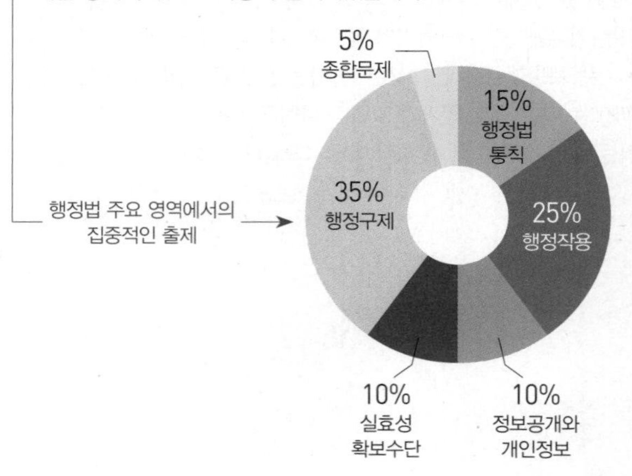

| 2019 소방위 행정법 | | | | | | | | | P.44 |
|---|---|---|---|---|---|---|---|---|---|
| 01 | ① | 02 | ① | 03 | ③ | 04 | ④ | 05 | ② |
| 06 | ④ | 07 | ① | 08 | ② | 09 | ④ | 10 | ③ |
| 11 | ③ | 12 | ① | 13 | ④ | 14 | ② | 15 | ① |
| 16 | ② | 17 | ③ | 18 | ① | 19 | ③ | 20 | ④ |

## 01 ①

법령

행정구제 > 사전구제 > 행정절차 중

**| 정답 해설 |**

① 행정청은 소속 직원 또는 대통령령으로 정하는 자격을 가진 사람 중에서 청문 주재자를 공정하게 선정하여야 한다(「행정절차법」 제28조 제1항).

**| 오답 해설 |**

② 행정청은 청문이 시작되는 날부터 7일 전까지 청문 주재자에게 청문과 관련한 필요한 자료를 미리 통지하여야 한다(동법 제28조 제2항).

③ 행정청은 처분을 할 때에 당사자 등이 제출한 의견이 상당한 이유가 있다고 인정하는 경우에는 이를 반영하여야 한다(동법 제27조의2 제1항).

④ 청문 주재자는 직권으로 또는 당사자의 신청에 따라 필요한 조사를 할 수 있으며, 당사자 등이 주장하지 아니한 사실에 대하여도 조사할 수 있다(동법 제33조 제1항).

## 02 ①

법령

행정구제 > 행정쟁송 > 행정소송 중

**| 정답 해설 |**

① 이 법에 의한 기간의 계산에 있어서 국외에서의 소송행위 추완에 있어서는 그 기간을 14일에서 30일로, 제3자에 의한 재심청구에 있어서는 그 기간을 30일에서 60일로, 소의 제기에 있어서는 그 기간을 60일에서 90일로 한다(「행정소송법」 제5조).

**| 오답 해설 |**

② 토지의 수용 기타 부동산 또는 특정의 장소에 관계되는 처분 등에 대한 취소소송은 그 부동산 또는 장소의 소재지를 관할하는 행정법원에 이를 제기할 수 있다(동법 제9조 제3항).

③ 법원은 당사자의 신청이 있는 때에는 결정으로써 재결을 행한 행정청에 대하여 행정심판에 관한 기록의 제출을 명할 수 있다(동법 제25조 제1항).

④ 법원은 필요하다고 인정할 때에는 직권으로 증거조사를 할 수 있고, 당사자가 주장하지 아니한 사실에 대하여도 판단할 수 있다(동법 제26조).

**☑ 교수님 TIP**

불고불리원칙과 직권심리원칙을 혼돈해서는 안 된다. 불고불리원칙은 청구하지 않은 것은 심리할 수 없다는 원칙으로서 법원의 소극적인 작용을 의미하나, 직권심리원칙은 소장의 기록범위 내에서는 주장하지 않아도 심리할 수 있다는 원칙이다.

## 03 ③

판례

행정구제 > 행정쟁송 > 행정소송 상

**| 정답 해설 |**

③ 사증발급의 법적 성질, 「출입국관리법」의 입법 목적, 사증발급 신청인의 대한민국과의 실질적 관련성, 상호주의원칙 등을 고려하면, 우리 「출입국관리법」의 해석상 외국인에게는 사증발급 거부처분의 취소를 구할 법률상 이익이 인정되지 않는다(대판 2018.5.15. 2014두42506).

**| 오답 해설 |**

① 행정청이 당초의 분뇨 등 관련 영업 허가신청 반려처분의 취소를 구하는 소의 계속 중, 사정변경을 이유로 위 반려처분을 직권취소함과 동시에 위 신청을 재반려하는 내용의 재처분을 한 경우, 당초의 반려처분의 취소를 구하는 소는 더 이상 소의 이익이 없게 되었다(대판 2006.9.28. 2004두5317).

② 과세관청이 직권으로 상대방에 대한 소득처분을 경정하면서 일부 항목에 대한 증액과 다른 항목에 대한 감액을 동시에 한 결과 전체로서 소득처분금액이 감소된 경우에는 그에 따른 소득금액변동통지가 납세자인 당해 법인에 불이익을 미치는 처분이 아니므로 당해 법인은 그 소득금액변동통지의 취소를 구할 이익이 없다(대판 2012.4.13. 2009두5510).

④ 행정처분의 근거 법규 또는 관련 법규에 그 처분으로써 이루어지는 행위 등 사업으로 인하여 환경상 침해를 받으리라고 예상되는 영향권의 범위가 구체적으로 규정되어 있는 경우에는, 그 영향권 내의 주민들에 대하여는 당해 처분으로 인하여 직접적이고 중대한 환경피해를 입으리라고 예상할 수 있고, 이와 같은 환경상의 이익은 주민 개개인에 대하여 개별적으로 보호되는 직접적·구체적 이익으로서 그들에 대하여는 특단의 사정이 없는 한 환경상 이익에 대한 침해 또는 침해 우려가 있는 것으로 사실상 추정되어 법률상 보호되는 이익으로 인정됨으로써 원고적격이 인정되며, 그 영향권 밖의 주민들은 당해 처분으로 인하여 그 처분 전과 비교하여 수인한도를 넘는 환경피해를 받거나 받을 우려가 있다는 자신의 환경상 이익에 대한 침해 또는 침해 우려가 있음을 입증하여야만 법률상 보호되는 이익으로 인정되어 원고적격이 인정된다(대판 2009.9.24. 2009두2825).

## 04 ④

판례

행정작용 > 행정행위 > 행정행위의 하자 중

**| 정답 해설 |**

④ 법률에 근거하여 행정처분이 발하여진 후에 헌법재판소에 의해 그 법률이 위헌으로 되었다면 결과적으로 그 행정처분은 법률의 근거가 없이 행하여진 것과 마찬가지가 되어 하자가 있는 것이 되나, 그 하자가 중대하기는 하나 헌법재판소의 위헌결정이 있기 전에는 객관적으로 명백한 것이라고 할 수는 없으므로, 헌법재판소의 위헌결정 전에 행정처분의 근거가 되는 당해 법률이 헌법에 위반된다는 사유는 특별한 사정이 없는 한, 그 행정처분의 취소소송의 전제가 될 수 있을 뿐 당연무효사유는 아니다(대판 2000.6.9. 2000다16329).

**| 오답 해설 |**

① 모든 국가기관은 헌법재판소 위헌결정에 기속된다. 위헌결정에 반하

는 행위는 기속력 위반으로 무효가 된다.

> 같은 법 전부에 대한 위헌결정으로 위 제30조 규정 역시 그 날로부터 효력을 상실하게 되었고, 나아가 위헌법률에 기한 행정처분의 집행이나 집행력을 유지하기 위한 행위는 위헌결정의 기속력에 위반되어 허용되지 않는다(대판 2002.8.23. 2001두2959).

② 헌법재판소는 처분의 근거법이 위헌결정이 있게 된 경우, 처분의 효력이 존속되고 있고 행정목적을 위해서는 후행처분이 필요한데 아직 후행처분이 발령되지 않은 상태에서 처분을 무효로 하여도 행정청의 안정성은 해쳐지지 않는 반면 국민의 권익구제 필요성이 높은 경우에는 예외적으로 무효로 할 수 있다는 입장이다.

> 행정처분의 집행이 이미 종료되었고 그것이 번복될 경우 법적 안정성을 크게 해치게 되는 경우에는 후에 행정처분의 근거가 된 법규가 헌법재판소에서 위헌으로 선고된다고 하더라도 그 행정처분이 당연무효가 되지는 않음이 원칙이라고 할 것이나, 행정처분 자체의 효력이 쟁송기간 경과 후에도 존속 중인 경우, 특히 그 처분이 위헌법률에 근거하여 내려진 것이고 그 행정처분의 목적달성을 위하여서는 후행 행정처분이 필요한데 후행 행정처분은 아직 이루어지지 않은 경우와 같이 그 행정처분을 무효로 하더라도 법적 안정성을 크게 해치지 않는 반면에 그 하자가 중대하여 그 구제가 필요한 경우에 대하여서는 그 예외를 인정하여 이를 당연무효사유로 보아서 쟁송기간 경과 후에라도 무효확인을 구할 수 있는 것이라고 봐야 할 것이다(헌재결 1994.6.30. 92헌바23)

③ 헌법재판소의 위헌결정의 효력은 위헌제청을 한 당해 사건만 아니라 위헌결정이 있기 전에 이와 동종의 위헌 여부에 관하여 헌법재판소에 위헌여부심판제청이 되어 있거나 법원에 위헌여부심판제청신청이 되어 있는 경우의 당해 사건과 별도의 위헌제청신청 등은 하지 아니하였으나 당해 법률 또는 법조항이 재판의 전제가 되어 법원에 계속된 모든 일반 사건에까지 미친다(대판 1992.2.14. 91누1462).

## 05 ② 판례

행정작용 > 행정행위 > 행정행위의 하자 중

**| 정답 해설 |**

ㄱ. 내부위임(전결)의 경우 수임기관은 자신의 명의로 처분할 수 없으며 자신의 명의로 이루어진 처분은 무권한으로서 무효에 해당한다.

> 권한위임의 경우에는 수임관청이 자기의 이름으로 그 권한행사를 할 수 있지만 내부위임의 경우에는 수임청은 위임관청의 이름으로만 그 권한을 행사할 수 있을 뿐 자기의 이름으로는 그 권한을 행사할 수 없는 것이므로 원심이 같은 취지에서 피고의 이 사건 처분이 권한 없는 자에 의하여 행하여진 위법무효의 처분이라고 판시한 것은 정당하고, 논지는 이유 없다(대판 1995.11.28. 94누6475).

ㄷ. 5급 이상의 국가정보원 직원에 대한 의원면직처분이 임면권자인 대통령이 아닌 국가정보원장에 의해 행해진 것으로 위법하고, 나아가 국가정보원 직원의 명예퇴직원 내지 사직서 제출이 직위해제 후 1년 여에 걸친 국가정보원장 측의 종용에 의한 것이었다는 사정을 감안한다 하더라도 그러한 하자가 중대한 것이라고 볼 수는 없으므로, 대통령의 내부결재가 있었는지에 관계없이 당연무효는 아니다(대판 2007.7.26. 2005두15748).

**| 오답 해설 |**

ㄴ. 전결과 같은 행정권한의 내부위임은 법령상 처분권자인 행정관청이 내부적인 사무처리의 편의를 도모하기 위하여 그의 보조기관 또는 하급 행정관청으로 하여금 그의 권한을 사실상 행사하게 하는 것으로서 법률이 위임을 허용하지 않는 경우에도 인정되는 것이므로, 설사 행정관청 내부의 사무처리규정에 불과한 전결규정에 위반하여 원래의 전결권자 아닌 보조기관 등이 처분권자인 행정관청의 이름으로 행정처분을 하였다고 하더라도 그 처분이 권한 없는 자에 의하여 행하여진 무효의 처분이라고는 할 수 없다(대판 1998.2.27. 97누1105).

ㄹ. 무효인 조례에 의해 이루어진 처분은 중대성은 있으나 명백성이 없어 무효라 할 수 없다(처분이 있은 후 조례의 무효가 확인된다).

> 무효인 서울특별시 행정권한위임조례의 규정에 근거한 관리처분계획의 인가 등 처분은 결과적으로 적법한 위임 없이 권한 없는 자에 의하여 행하여진 것과 마찬가지가 되어 그 하자가 중대하나, 위 처분의 위임과정의 하자가 객관적으로 명백한 것이라고 할 수 없으므로 결국 당연무효 사유는 아니라고 봄이 상당하다(대판 1995.8.22. 94누5694).

**| 같이 보는 판례 | 무권한이지만 무효가 아닌 판례**

> • 세관출장소장의 관세 부과
> 세관출장소장에게 관세부과처분을 할 권한이 있다고 객관적으로 오인할 여지가 다분하다고 인정되므로 결국 적법한 권한 위임 없이 행해진 이 사건 처분은 그 하자가 중대하기는 하지만 객관적으로 명백하다고 할 수는 없어 당연무효는 아니라고 보아야 할 것이다(대판 2004.11.26. 2003두2403).
>
> • 구청장의 택시운전 자격정지
> 구청장이 서울특별시 조례에 의한 적법한 위임 없이 택시운전자격정지처분을 한 경우, 그 하자가 비록 중대하다고 할지라도 객관적으로 명백하다고 할 수는 없으므로 당연무효 사유가 아니다(대판 2002.12.10. 2001두4566).

## 06 ④ 법령

정보공개와 개인정보 > 개인정보 보호법 > 개인정보처리의 동의 중

**| 정답 해설 |**

④ 제3자가 동의를 받는 것이 아니라 정보처리자가 정보주체로부터 동의를 받는 경우에는 제3자에게 개인정보를 제공할 수 있다(「개인정보 보호법」 제17조 제1항).

> **「개인정보 보호법」 제17조 【개인정보의 제공】** ① 개인정보처리자는 다음 각 호의 어느 하나에 해당되는 경우에는 정보주체의 개인정보를 제3자에게 제공(공유를 포함한다. 이하 같다)할 수 있다.
> 1. 정보주체의 동의를 받은 경우
> 2. 제15조 제1항 제2호·제3호·제5호 및 제39조의3 제2항 제2호·제3호에 따라 개인정보를 수집한 목적 범위에서 개인정보를 제공하는 경우

**| 오답 해설 |**

① 위원의 임기는 3년으로 하되, 한 차례만 연임할 수 있다(동법 제7조의4 제1항).

② 위원에게 심의·의결의 공정을 기대하기 어려운 사정이 있는 경우 당

사자는 기피 신청을 할 수 있고, 보호위원회는 의결로 이를 결정한다(동법 제7조의11 제2항).

③ 개인정보처리자는 개인정보의 처리 목적에 필요한 범위에서 개인정보의 정확성, 완전성 및 최신성이 보장되도록 하여야 한다(동법 제3조 제3항).

## 07 ①

판례

정보공개와 개인정보 > 정보공개 > 정보공개와 입증책임 중

**| 정답 해설 |**

① 공개청구자는 그가 공개를 구하는 정보를 공공기관이 보유·관리하고 있을 상당한 개연성이 있다는 점에 대하여 입증할 책임이 있으나, 공개를 구하는 정보를 공공기관이 한때 보유·관리하였으나 후에 그 정보가 담긴 문서들이 폐기되어 존재하지 않게 된 것이라면 그 정보를 더 이상 보유·관리하고 있지 않다는 점에 대한 증명책임은 공공기관에 있다(대판 2013.1.24. 2010두18918).

**| 오답 해설 |**

② (구)「공공기관의 정보공개에 관한 법률」(2013.8.6. 법률 제11991호로 개정되기 전의 것. 이하 정보공개법이라 한다) 제3조, 제5조 제1항, 제6조의 규정 내용과 입법 목적, 정보공개법이 정보공개청구권의 행사와 관련하여 정보의 사용 목적이나 정보에 접근하려는 이유에 관한 어떠한 제한을 두고 있지 아니한 점 등을 고려하면, 국민의 정보공개청구는 정보공개법 제9조에 정한 비공개 대상 정보에 해당하지 아니하는 한 원칙적으로 폭넓게 허용되어야 한다(대판 2014.12.24. 2014두9349).

③ 권리능력 없는 사단이나 재단도 정보공개청구권이 있다. 이 경우 설립목적도 불문한다.

> 「공공기관의 정보공개에 관한 법률」에 "모든 국민은 정보의 공개를 청구할 권리를 가진다."고 규정하고 있는데, 여기에서 말하는 국민에는 자연인은 물론 법인, 권리능력 없는 사단·재단도 포함되고, 법인, 권리능력 없는 사단·재단 등의 경우에는 설립목적을 불문하며, 한편 정보공개청구권은 법률상 보호되는 구체적인 권리이므로 청구인이 공공기관에 대하여 정보공개를 청구하였다가 거부처분을 받은 것 자체가 법률상 이익의 침해에 해당한다(대판 2003.12.12. 2003두8050).

④ 개인에 관한 정보는 비공개이다.

> 지방자치단체의 업무추진비 세부항목별 집행내역 및 그에 관한 증빙서류에 포함된 개인에 관한 정보는 '공개하는 것이 공익을 위하여 필요하다고 인정되는 정보'에 해당하지 않는다(대판 2003.3.11. 2001두6425).

## 08 ②

법령+판례

행정구제 > 행정쟁송 > 행정소송 하

**| 정답 해설 |**

② 집행정지는 처분의 하자가 취소나 무효와 상관없다. 거부처분이나 부작위의 경우가 아니라면 무효인 하자의 경우에도 집행정지의 요건이 충족되면 가능하고, 또한 「행정소송법」에는 그러한 규정을 두고 있지 않다.

**| 오답 해설 |**

① 취소소송이 제기된 경우에 처분 등이나 그 집행 또는 절차의 속행으로 인하여 생길 회복하기 어려운 손해를 예방하기 위하여 긴급한 필요가 있다고 인정할 때에는 본안이 계속되고 있는 법원은 당사자의 신청 또는 직권에 의하여 처분 등의 효력이나 그 집행 또는 절차의 속행의 전부 또는 일부의 정지(이하 "집행정지"라 한다)를 결정할 수 있다(「행정소송법」 제23조 제2항).

③ 「행정소송법」 제23조 제2항에서 정하고 있는 집행정지 요건인 '회복하기 어려운 손해'란 특별한 사정이 없는 한 금전으로 보상할 수 없는 손해로서 이는 금전보상이 불능인 경우 내지는 금전보상으로는 사회관념상 행정처분을 받은 당사자가 참고 견딜 수 없거나 또는 참고 견디기가 현저히 곤란한 경우의 유형, 무형의 손해를 일컫는다 할 것이고, '처분 등이나 그 집행 또는 절차의 속행으로 인하여 생길 회복하기 어려운 손해를 예방하기 위하여 긴급한 필요'가 있는지 여부는 처분의 성질과 태양 및 내용, 처분 상대방이 입는 손해의 성질·내용 및 정도, 원상회복·금전배상의 방법 및 난이 등은 물론 본안청구의 승소 가능성의 정도 등을 종합적으로 고려하여 구체적·개별적으로 판단하여야 한다(대결 2010.5.14. 2010무48).

④ 제2항의 규정에 의한 집행정지의 결정 또는 기각의 결정에 대하여는 즉시항고 할 수 있다. 이 경우 집행정지의 결정에 대한 즉시항고에는 결정의 집행을 정지하는 효력이 없다(동법 제23조 제5항).

**☑ 교수님 TIP**

집행정지결정(인용, 기각결정)에 불복하여 즉시항고 할 수 있으나, 즉시항고에 의한 집행정지결정(인용, 기각결정)은 아무런 영향이 없다(집행부정지).

**| 같이 보는 판례 | 집행정지와 관련된 판례**

> • **본안소송이 취하될 경우에 집행정지 효력**
> 행정처분의 집행정지는 행정처분집행 부정지의 원칙에 대한 예외로서 인정되는 일시적인 응급처분이라 할 것이므로 집행정지결정을 하려면 이에 대한 본안소송이 법원에 제기되어 계속 중임을 요건으로 하는 것이므로 집행정지결정을 한 후에라도 본안소송이 취하되어 소송이 계속하지 아니한 것으로 되면 집행정지결정은 당연히 그 효력이 소멸되는 것이고 별도의 취소조치를 필요로 하는 것이 아니다(대판 1975.11.11. 75누97).
>
> • **집행정지와 인용 또는 기각이 확정된 경우, 행정청이 취할 조치**
> 제재처분에 대한 행정쟁송절차에서 처분에 대해 집행정지결정이 이루어졌더라도 본안에서 해당 처분이 최종적으로 적법한 것으로 확정되어 집행정지결정이 실효되고 제재처분을 다시 집행할 수 있게 되면, 처분청으로서는 당초 집행정지결정이 없었던 경우와 동등한 수준으로 해당 제재처분이 집행되도록 필요한 조치를 취하여야 한다. …(중략)… 반대로, 처분 상대방이 집행정지결정을 받지 못했으나 본안소송에서 해당 제재처분이 위법하다는 것이 확인되어 취소하는 판결이 확정되면, 처분청은 그 제재처분으로 처분 상대방에게 초래된 불이익한 결과를 제거하기 위하여 필요한 조치를 취하여야 한다(대판 2020.9.3. 2020두34070).

## 09 ④

판례

행정작용 > 행정행위 > 행정행위의 내용 중

**| 정답 해설 |**

④ 당연퇴직의 통보는 법률상 당연히 발생하는 퇴직사유를 공적으로 확

인하여 알려주는 사실의 통보에 불과한 것이지 그 통보 자체가 징계 파면이나 직권면직과 같이 공무원의 신분을 상실시키는 새로운 형성적 행위는 아니므로 항고소송의 대상이 되는 독립한 행정처분이 될 수는 없다(대판 1985.7.23. 84누374).

**| 오답 해설 |**

① 토지대장은 토지에 대한 공법상의 규제, 개발부담금의 부과대상, 지방세의 과세대상, 공시지가의 산정, 손실보상가액의 산정 등 토지행정의 기초자료로서 공법상의 법률관계에 영향을 미칠 뿐만 아니라, 토지에 관한 소유권보존등기 또는 소유권이전등기를 신청하려면 이를 등기소에 제출해야 하는 점 등을 종합해 보면, 토지대장은 토지의 소유권을 제대로 행사하기 위한 전제요건으로서 토지 소유자의 실체적 권리관계에 밀접하게 관련되어 있으므로, 이러한 토지대장을 직권으로 말소한 행위는 국민의 권리관계에 영향을 미치는 것으로서 항고소송의 대상이 되는 행정처분에 해당한다(대판 2013.10.24. 2011두13286).

**| 같이 보는 판례 | 토지대장 소유자명의 변경신청 거부**

> 토지대장에 기재된 일정한 사항을 변경하는 행위는, 그것이 지목의 변경이나 정정 등과 같이 토지소유권 행사의 전제요건으로서 토지소유자의 실체적 권리관계에 영향을 미치는 사항에 관한 것이 아닌 한 행정사무집행의 편의와 사실증명의 자료로 삼기 위한 것일 뿐이어서, 그 소유자 명의가 변경된다고 하여도 이로 인하여 당해 토지에 대한 실체상의 권리관계에 변동을 가져올 수 없고 토지 소유권이 지적공부의 기재만에 의하여 증명되는 것도 아니다. 따라서 소관청이 토지대장상의 소유자명의변경신청을 거부한 행위는 이를 항고소송의 대상이 되는 행정처분이라고 할 수 없다(대판 2012.1.12. 2010두12354).

② 관할관청이 무허가건물의 무허가건물관리대장 등재 요건에 관한 오류를 바로잡으면서 당해 무허가건물을 무허가건물관리대장에서 삭제하는 행위는 다른 특별한 사정이 없는 한 항고소송의 대상이 되는 행정처분이 아니다(대판 2009.3.12. 2008두11525).

③ 지목은 토지소유권을 제대로 행사하기 위한 전제요건으로서 토지소유자의 실체적 권리관계에 밀접하게 관련되어 있으므로 지적공부 소관청의 지목변경신청 반려행위는 국민의 권리관계에 영향을 미치는 것으로서 항고소송의 대상이 되는 행정처분에 해당한다(대판 2004.4.22. 2003두9015).

**☑ 교수님 TIP**

③ 선택지의 판례는 기존의 대법원이 처분성을 부정하였으나, 헌법재판소의 결정 이후에 대법원이 태도를 바꾸어 처분으로 인정한 경우이다. 따라서 출제가 많음을 유의하자.

## 10 ③ 판례

**행정의 실효성 확보수단 > 행정강제 > 강제집행** 중

**| 정답 해설 |**

③ 대법원에 의하면 대집행의 상대방이 위력으로 대집행 실행을 방해하는 경우에 행정청은 「경찰관 직무집행법」에 근거하여 경찰관의 도움을 받을 수 있다.

> 행정청이 행정대집행의 방법으로 건물철거의무의 이행을 실현할 수 있는 경우에는 건물철거 대집행 과정에서 부수적으로 건물의 점유자들에 대한 퇴거조치를 할 수 있고, 점유자들이 적법한 행정대집행을 위력을 행사하여 방해하는 경우 「형법」상 공무집행방해죄가 성립하므로 필요한 경우에는 「경찰관 직무집행법」에 근거한 위험발생 방지조치 또는 「형법」상 공무집행방해죄의 범행 방지 내지 현행범체포의 차원에서 경찰의 도움을 받을 수도 있다(대판 2017.4.28. 2016다213916).

**| 오답 해설 |**

① 행정강제가 허용되는 경우에는 민사강제는 원칙적으로 허용될 수 없다. 따라서 행정대집행이 가능한 경우에는 행정청의 자력으로 의무이행을 강제하여야 한다.

> 「토지수용법」(1999.2.8. 법률 제5909호로 개정되기 전의 것) 제18조의2 제2항에 위반하여 공작물을 축조하고 물건을 부가한 자에 대하여 관리청은 이러한 위반행위에 의하여 생긴 유형적 결과의 시정을 명하는 행정처분을 하여 이에 따르지 않는 경우에는 행정대집행의 방법으로 그 의무 내용을 실현할 수 있는 것이고, 이러한 행정대집행의 절차가 인정되는 경우에는 따로 민사소송의 방법으로 공작물의 철거, 수거 등을 구할 수는 없다(대판 2000.5.12. 99다18909).

② 최초의 계고는 항고소송 대상인 처분이지만, 반복된 계고는 처분이 아닌 단순한 계고의 연장이라 본다.

> 「행정대집행법」상의 건물철거의무는 제1차 철거명령 및 계고처분으로서 발생하였고 제2차, 제3차의 계고처분은 새로운 철거의무를 부과한 것이 아니고 다만 대집행기한의 연기통지에 불과하므로 행정처분이 아니다(대판 1994.10.28. 94누5144).

④ 장례식장의 사용중지의무는 부작위의무로서 대집행 대상인 대체적 작위의무가 아니다.

> 관계 법령에 위반하여 장례식장 영업을 하고 있는 자의 장례식장 사용 중지의무는 「행정대집행법」 제2조의 규정에 의한 대집행의 대상이 아니다(대판 2005.9.28. 2005두7464).

## 11 ③ 법령

**행정구제 > 행정쟁송 > 행정심판** 하

**| 정답 해설 |**

③ 행정심판에서 임시처분은 집행정지로 목적달성이 가능한 경우에는 허용하지 않는다(집행정지와의 보충성)(「행정심판법」 제31조 제3항).

> **「행정심판법」 제31조 【임시처분】** ③ 제1항에 따른 임시처분은 제30조 제2항에 따른 집행정지로 목적을 달성할 수 있는 경우에는 허용되지 아니한다.

**| 오답 해설 |**

① 법인이 아닌 사단 또는 재단으로서 대표자나 관리인이 정하여져 있는 경우에는 그 사단이나 재단의 이름으로 심판청구를 할 수 있다(동법 제14조).

② 위원회는 심판청구가 적법하지 아니하나 보정(補正)할 수 있다고 인정하면 기간을 정하여 청구인에게 보정할 것을 요구할 수 있다. 다만, 경미한 사항은 직권으로 보정할 수 있다(동법 제32조 제1항).

④ 위원회는 필요하면 관련되는 심판청구를 병합하여 심리하거나 병합된 관련 청구를 분리하여 심리할 수 있다(동법 제37조).

## 12 ①

판례

행정법 통칙 > 사인의 공법행위 > 신고 중

**| 정답 해설 |**

① 납골당설치 신고는 이른바 '수리를 요하는 신고'라 할 것이므로, 납골당설치 신고가 (구)「장사법」 관련 규정의 모든 요건에 맞는 신고라 하더라도 신고인은 곧바로 납골당을 설치할 수는 없고, 이에 대한 행정청의 수리처분이 있어야만 신고한 대로 납골당을 설치할 수 있다. 한편 수리란 신고를 유효한 것으로 판단하고 법령에 의하여 처리할 의사로 이를 수령하는 수동적 행위이므로 수리행위에 신고필증 교부 등 행위가 꼭 필요한 것은 아니다(대판 2011.9.8. 2009두6766).

**| 오답 해설 |**

② 골프장이용료 변경신고는 수리불요신고로서 법이 정한 요건을 구비하여 접수기관에 도달됨으로써 효력이 발생하는 것이지 행정청의 수리로써 신고효력이 발생하는 것은 아니다.

> 행정청에 대한 신고는 일정한 법률사실 또는 법률관계에 관하여 관계 행정청에 일방적으로 통고를 하는 것을 뜻하는 것으로서 법에 별도의 규정이 있거나 다른 특별한 사정이 없는 한 행정청에 대한 통고로서 그치는 것이고 그에 대한 행정청의 반사적 결정을 기다릴 필요가 없는 것이므로, 「체육시설의 설치·이용에 관한 법률」 제18조에 의한 변경신고서는 그 신고 자체가 위법하거나 그 신고에 무효사유가 없는 한 이것이 도지사에게 제출하여 접수된 때에 신고가 있었다고 볼 것이고, 도지사의 수이행위가 있어야만 신고가 있었다고 볼 것은 아니다(대결 1993.7.6. 93마635).

③ (구)「유통산업발전법」의 입법 목적 등과 아울러, (구)「유통산업발전법」 제12조의2 제1항, 제2항, 제3항은 기존의 대규모점포의 등록된 유형 구분을 전제로 '대형마트로 등록된 대규모점포'를 일체로서 규제 대상으로 삼고자 하는 데 취지가 있는 점, 대규모점포의 개설 등록은 이른바 '수리를 요하는 신고'로서 행정처분에 해당한다(대판 2015.11.19. 2015두295).

④ 「주민등록법」의 입법 목적에 관한 제1조 및 주민등록 대상자에 관한 제6조의 규정을 고려해 보면, 전입신고를 받은 시장·군수 또는 구청장의 심사 대상은 전입신고자가 30일 이상 생활의 근거로 거주할 목적으로 거주지를 옮기는지 여부만으로 제한된다고 보아야 한다(대판 2009.6.18. 2008두10997).

## 13 ④

판례

행정작용 > 행정행위 > 부관 중

**| 정답 해설 |**

ㄱ. 행정행위의 부관은 부담의 경우를 제외하고는 독립하여 행정소송의 대상이 될 수 없는 것인바, 행정청이 한 공유수면매립준공인가 중 매립지 일부에 대하여 한 국가귀속처분은 매립준공인가를 함에 있어서 매립의 면허를 받은 자의 매립지에 대한 소유권취득을 규정한 「공유수면매립법」 제14조의 효과 일부를 배제하는 부관을 붙인 것이므로 이러한 행정행위의 부관에 대하여는 독립하여 행정소송의 대상으로 삼을 수 없다(대판 1991.12.13. 90누8503).

ㄹ. 행정처분에 붙인 부담인 부관이 무효가 되면 그 부담의 이행으로 한 사법상 법률행위도 당연히 무효가 되는 것은 아니다(대판 2009.6.25. 2006다18174).

**| 오답 해설 |**

ㄴ. 행정행위의 부관은 부담인 경우를 제외하고는 독립하여 행정소송의 대상이 될 수 없는바, 기부채납 받은 행정재산에 대한 사용·수익허가에서 공유재산의 관리청이 정한 사용·수익허가의 기간은 그 허가의 효력을 제한하기 위한 행정행위의 부관으로서 이러한 사용·수익허가의 기간에 대해서는 독립하여 행정소송을 제기할 수 없다(대판 2001.6.15. 99두509).

ㄷ. 행정처분과 부관 사이에 실제적 관련성이 있다고 볼 수 없는 경우 공무원이 위와 같은 공법상의 제한을 회피할 목적으로 행정처분의 상대방과 사이에 사법상 계약을 체결하는 형식을 취하였다면 이는 법치행정의 원리에 반하는 것으로서 위법하다고 보지 않을 수 없다(대판 2010.1.28. 2007도9331).

**| 같이 보는 판례 | 부관이 무효가 아닌 취소사유인 경우, 이에 따른 사법상 법률행위를 취소할 수 있는지 여부**

> 토지소유자가 토지형질변경행위허가에 붙은 기부채납의 부관에 따라 토지를 국가나 지방자치단체에 기부채납(증여)한 경우, 기부채납의 부관이 당연무효이거나 취소되지 아니한 이상 토지소유자는 위 부관으로 인하여 증여계약의 중요 부분에 착오가 있음을 이유로 증여계약을 취소할 수 없다(대판 1999.5.25. 98다53134).

## 14 ②

판례

행정작용 > 행정행위 > 행정행위의 하자 하

**| 정답 해설 |**

② 개별공시지가결정과 양도소득세 부과처분은 예외적으로 하자의 승계가 인정된 판례지만 부정된 사례와 비교가 필요하다.

**| 같이 보는 판례 | 개별공시지가결정과 과세처분에 대한 하자승계 여부**

> • 긍정한 사례
> 위법한 개별공시지가결정에 대하여 그 정해진 시정절차를 통하여 시정하도록 요구하지 아니하였다는 이유로 위법한 개별공시지가를 기초로 한 과세처분 등 후행 행정처분에서 개별공시지가결정의 위법을 주장할 수 없도록 하는 것은 수인한도를 넘는 불이익을 강요하는 것으로서 국민의 재산권과 재판받을 권리를 보장한 헌법의 이념에도 부합하는 것이 아니라고 할 것이므로, 개별공시지가결정에 위법이 있는 경우에는 그 자체를 행정소송의 대상이 되는 행정처분으로 보아 그 위법 여부를 다툴 수 있음은 물론 이를 기초로 한 과세처분 등 행정처분의 취소를 구하는 행정소송에서도 선행처분인 개별공시지가결정의 위법을 독립된 위법사유로 주장할 수 있다고 해석함이 타당하다(대판 1994.1.25. 93누8542).
>
> • 부정한 사례
> 개별토지가격 결정에 대한 재조사 청구에 따른 감액조정에 대하여 더 이상 불복하지 아니한 경우, 이를 기초로 한 양도소득세 부과처분 취소소송에서 다시 개별토지가격 결정의 위법을 당해 과세처분의 위법사유로 주장할 수 없다(대판 1998.3.13. 96누6059).

☑ **교수님 TIP**

'재조사 청구에 따른 감액조정통지를 받고 불복하지 않았음'에 포인트를 두어야 하며, 이 문장이 들어가지 않으면 하자의 승계를 긍정한 것으로 보고 문제를 해결해야 한다.

**| 오답 해설 |**

① 과세처분과 체납처분은 각각 별개의 법효과를 목적으로 하는 것이라서 하자승계를 인정할 수 없다.

> 일정한 행정목적을 위하여 독립된 행위가 단계적으로 이루어진 경우에 선행행위인 과세처분의 하자는 당연무효사유를 제외하고는 집행행위인 체납처분에 승계되지 아니한다(대판 1961.10.26. 4292행상73).

③ 표준공시지가와 개별공시지가는 각각 별개의 법효과를 목적으로 하여 하자승계가 부정된다.

> 표준지로 선정된 토지의 공시지가에 대하여 불복하기 위하여는 「지가공시 및 토지 등의 평가에 관한 법률」 제8조 제1항 소정의 이의절차를 거쳐 처분청을 상대로 공시지가결정의 취소를 구하는 행정소송을 제기하여야 하고, 그러한 절차를 밟지 아니한 채 개별 토지가격 결정을 다투는 소송에서 개별 토지가격 산정의 기초가 된 표준지공시지가의 위법성을 다툴 수는 없다(대판 1996.5.10. 95누9808).

④ 보충역편입처분의 기초가 되는 신체등위판정에 잘못이 있다는 이유로 이를 다투기 위해서는 신체등위판정을 기초로 한 보충역편입처분에 대하여 쟁송을 제기하여야 할 것이며, 그 처분을 다투지 아니하여 이미 불가쟁력이 생겨 그 효력을 다툴 수 없게 된 경우에는, 병역처분변경신청에 의하는 경우는 별론으로 하고, 보충역편입처분에 하자가 있다고 할지라도 그것이 당연무효라고 볼 만한 특단의 사정이 없는 한 그 위법을 이유로 공익근무요원 소집처분의 효력을 다툴 수 없다(대판 2002.12.10. 2001두5422).

## 15 ①

법령

행정구제 > 행정쟁송 > 행정심판 하

**| 정답 해설 |**

① 「행정심판법」에 규정된 행정심판의 종류에는 취소심판, 무효등확인심판, 의무이행심판으로 처분이나 처분에 부작위에 관한 항고심판만 규정되어 있을 뿐 행정소송과 달리 당사자심판은 규정되어 있지 않다.

> **「행정심판법」 제3조【행정심판의 대상】** ① 행정청의 처분 또는 부작위에 대하여는 다른 법률에 특별한 규정이 있는 경우 외에는 이 법에 따라 행정심판을 청구할 수 있다.
> **「행정심판법」 제5조【행정심판의 종류】** 행정심판의 종류는 다음 각 호와 같다.
> 1. 취소심판: 행정청의 위법 또는 부당한 처분을 취소하거나 변경하는 행정심판
> 2. 무효등확인심판: 행정청의 처분의 효력 유무 또는 존재 여부를 확인하는 행정심판
> 3. 의무이행심판: 당사자의 신청에 대한 행정청의 위법 또는 부당한 거부처분이나 부작위에 대하여 일정한 처분을 하도록 하는 행정심판

**| 오답 해설 |**

② 행정심판의 결과에 이해관계가 있는 제3자나 행정청은 해당 심판청구에 대한 제7조 제6항 또는 제8조 제7항에 따른 위원회나 소위원회의 의결이 있기 전까지 그 사건에 대하여 심판참가를 할 수 있다(「행정심판법」 제20조 제1항).

③ 심판청구는 서면으로 하여야 한다(동법 제28조 제1항).

④ 청구인이 경제적 능력으로 인해 대리인을 선임할 수 없는 경우에는 위원회에 국선대리인을 선임하여 줄 것을 신청할 수 있다(동법 제18조의2 제1항).

## 16 ②

법령

행정의 실효성 확보수단 > 행정벌 > 행정질서벌 중

**| 정답 해설 |**

② 종래 대법원의 입장은 고의나 과실이 없어도 부과할 수 있다는 입장이었으나 「질서위반행위규제법」이 제정되어 고의나 과실이 없는 경우에는 부과할 수 없도록 규정하였다(「질서위반행위규제법」 제7조).

> **「질서위반행위규제법」 제7조【고의 또는 과실】** 고의 또는 과실이 없는 질서위반행위는 과태료를 부과하지 아니한다.

**| 오답 해설 |**

① 신분에 의하여 성립하는 질서위반행위에 신분이 없는 자가 가담한 때에는 신분이 없는 자에 대하여도 질서위반행위가 성립한다(동법 제12조 제2항). 신분에 의하여 과태료를 감경 또는 가중하거나 과태료를 부과하지 아니하는 때에는 그 신분의 효과는 신분이 없는 자에게는 미치지 아니한다(동조 제3항).

③ 행정청이 질서위반행위에 대하여 과태료를 부과하고자 하는 때에는 미리 당사자(제11조 제2항에 따른 고용주 등을 포함한다. 이하 같다)에게 대통령령으로 정하는 사항을 통지하고, 10일 이상의 기간을 정하여 의견을 제출할 기회를 주어야 한다. 이 경우 지정된 기일까지 의견 제출이 없는 경우에는 의견이 없는 것으로 본다(동법 제16조 제1항).

④ 행정청의 과태료 부과에 불복하는 당사자는 제17조 제1항에 따른 과태료 부과 통지를 받은 날부터 60일 이내에 해당 행정청에 서면으로 이의제기를 할 수 있다(동법 제20조 제1항). 제1항에 따른 이의제기가 있는 경우에는 행정청의 과태료 부과처분은 그 효력을 상실한다(동조 제2항).

**☑ 교수님 TIP**

수험생들의 많은 혼동 중의 하나가, 과태료에 대한 이의제기와 법원의 과태료결정에 대한 즉시항고의 효과이다. 행정청의 이의제기에 대한 효과는 과태료 효력의 상실이고, 법원의 과태료결정에 대한 즉시항고의 효력은 집행정지의 효력임을 구분하여야 한다.

## 17 ③

판례

행정법 통칙 > 행정 > 통치행위 하

**| 정답 해설 |**

③ 남북정상회담은 통치행위가 맞다. 하지만 남북정상회담을 위한 대북송금행위는 통치행위가 아니다.

**| 같이 보는 판례 | 통치행위의 여부**

> • 남북정상회담에서의 대북송금행위 – 부정
> 남북정상회담의 개최는 고도의 정치적 성격을 지니고 있는 행위라 할 것이므로 특별한 사정이 없는 한 그 당부를 심판하는 것은 사법권의 내재적·본질적 한계를 넘어서는 것이지만 남북정상회담의 개최과정에서 북한 측에 사업권의 대가 명목으로 송금한 행위 자체는 헌법상 법치국가의 원리와 법 앞의 평등원칙 등에 비추어 볼 때 사법심사의 대상이 된다(대판 2004.3.26. 2003도7878).

• 남북정상회담 – 긍정
남북정상회담의 개최는 고도의 정치적 성격을 지니고 있는 행위라 할 것이므로 특별한 사정이 없는 한 그 당부를 심판하는 것은 사법권의 내재적·본질적 한계를 넘어서는 것이 되어 적절하지 못하다(대판 2004.3.26. 20003도7878).

**| 오답 해설 |**

① 헌법재판소는 헌법의 수호와 국민의 기본권 보장을 사명으로 하는 국가기관이므로 비록 고도의 정치적 결단에 의하여 행해지는 국가작용이라고 할지라도 그것이 국민의 기본권 침해와 직접 관련되는 경우에는 당연히 헌법재판소의 심판대상이 된다(헌재결 1996.2.29. 93헌마186).

② 비상계엄선포나 확대가 국헌문란의 목적을 위한 경우에는 법원은 그 자체가 범죄행위에 해당하는지의 여부에 관하여 심사할 수 있다(대판 1997.4.17. 96도3376).

④ (구)「상훈법」(2011.8.4. 법률 제10985호로 개정되기 전의 것) 제8조는 서훈취소의 요건을 구체적으로 명시하고 있고 절차에 관하여 상세하게 규정하고 있다. 그리고 서훈취소는 서훈수여의 경우와는 달리 이미 발생된 서훈대상자 등의 권리 등에 영향을 미치는 행위로서 관련 당사자에게 미치는 불이익의 내용과 정도 등을 고려하면 사법심사의 필요성이 크다. 따라서 기본권의 보장 및 법치주의의 이념에 비추어 보면, 비록 서훈취소가 대통령이 국가원수로서 행하는 행위라고 하더라도 법원이 사법심사를 자제하여야 할 고도의 정치성을 띤 행위라고 볼 수는 없다(대판 2015.4.23. 2012두26920).

## 18 ①

판례

행정구제 > 손해전보 > 국가배상 중

**| 정답 해설 |**

① 「국가배상법」 제6조 제1항은 같은 법 제2조, 제3조 및 제5조의 규정에 의하여 국가 또는 지방자치단체가 손해를 배상할 책임이 있는 경우에 공무원의 선임·감독 또는 영조물의 설치·관리를 맡은 자와 공무원의 봉급·급여 기타의 비용 또는 영조물의 설치·관리의 비용을 부담하는 자가 동일하지 아니한 경우에는 그 비용을 부담하는 자도 손해를 배상하여야 한다고 규정하고 있으므로 교통신호기를 관리하는 지방경찰청장 산하 경찰관들에 대한 봉급을 부담하는 국가도 「국가배상법」 제6조 제1항에 의한 배상책임을 부담한다(대판 1999.6.25. 99다11120).

**| 오답 해설 |**

② 매향리 사격장에서 발생하는 소음 등으로 지역 주민들이 입은 피해는 사회통념상 참을 수 있는 정도를 넘는 것으로서 사격장의 설치 또는 관리에 하자가 있었다고 본다(대판 2004.3.12. 2002다14242).

③ 그 영조물의 결함이 영조물의 설치관리자의 관리행위가 미칠 수 없는 상황 아래에 있는 경우에는 영조물의 설치·관리상의 하자를 인정할 수 없다(대판 2007.9.21. 2005다65678).

④ 소음 등 공해의 위험지역으로 이주하였을 때 위험의 존재를 인식하고 피해를 용인하면서 접근한 것으로 볼 수 있는 경우, 가해자의 면책을 인정할 수 있다(대판 2015.10.15. 2013다23914).

## 19 ③

판례

종합문제(행정행위, 행정입법, 행정절차 등) 중

**| 정답 해설 |**

ㄱ. 구청장이 사회복지법인에 특별감사 결과 지적사항에 대한 시정지시와 그 결과를 관계서류와 함께 보고하도록 지시한 경우, 그 시정지시는 비권력적 사실행위가 아니라 항고소송의 대상이 되는 행정처분에 해당한다(대판 2008.4.24. 2008두3500).

ㄷ. 행정청이 당사자와 사이에 도시계획사업의 시행과 관련한 협약을 체결하면서 관계 법령 및 「행정절차법」에 규정된 청문의 실시 등 의견청취절차를 배제하는 조항을 두었다고 하더라도, 국민의 행정참여를 도모함으로써 행정의 공정성·투명성 및 신뢰성을 확보하고 국민의 권익을 보호한다는 「행정절차법」의 목적 및 청문제도의 취지 등에 비추어 볼 때, 위와 같은 협약의 체결로 청문의 실시에 관한 규정의 적용을 배제할 수 있다고 볼 만한 법령상의 규정이 없는 한, 이러한 협약이 체결되었다고 하여 청문의 실시에 관한 규정의 적용이 배제된다거나 청문을 실시하지 않아도 되는 예외적인 경우에 해당한다고 할 수 없다(대판 2004.7.8. 2002두8350).

**| 오답 해설 |**

ㄴ. 국세청이 국세체납을 이유로 토지를 압류한 후 공매처분한 경우, 그 소유권자는 국가 또는 매수인을 상대로 부당이득반환청구의 소나 소유권이전등기말소청구의 소를 제기하여 직접 위법상태를 제거할 수 있는지 여부에 관계없이 압류처분 및 매각처분에 대한 무효확인을 구할 수 있다(대판 2008.6.12. 2008두3685).

ㄹ. 법규명령은 행정입법으로 공정력의 효력이 없다. 따라서 법규명령에 하자가 있는 경우에는 취소가 아닌 무효가 된다.

## 20 ④

판례

행정법 통칙 > 행정상 법률관계 > 공법과 사법의 구분 하

**| 정답 해설 |**

④ 조세부과처분이 당연무효임을 전제로 하여 이미 납부한 세금의 반환을 청구하는 것은 민사상의 부당이득반환청구로서 민사소송절차에 따라야 한다(대판 1995.4.28. 94다55019).

**| 오답 해설 |**

① 국유재산의 관리청이 그 무단 점유자에 대하여 하는 변상금부과처분은 순전히 사경제 주체로서 행하는 사법상의 법률행위라 할 수 없고, 이는 관리청이 공권력을 가진 우월적인 지위에서 행한 것으로서 행정소송의 대상이 되는 행정처분이라고 보아야 한다(대판 1988.2.23. 87누1046).

② 「하천법」 부칙(1984.12.31.) 제2조와 '법률 제3782호 「하천법」 중 개정법률 부칙 제2조의 규정에 의한 보상청구권의 소멸시효가 만료된 하천구역 편입토지 보상에 관한 특별조치법' 제2조, 제6조의 각 규정들을 종합하면, 위 규정들에 의한 손실보상청구권은 1984.12.31. 전에 토지가 하천구역으로 된 경우에는 당연히 발생되는 것이지, 관리청의 보상금지급결정에 의하여 비로소 발생하는 것은 아니므로, 위 규정들에 의한 손실보상금의 지급을 구하거나 손실보상청구권의 확인을 구하는 소송은 「행정소송법」 제3조 제2호 소정의 당사자소송에 의하여야 한다(대판 2006.5.18. 2004다6207).

③ 공유재산의 관리청이 행정재산의 사용·수익에 대한 허가는 순전히 사경제주체로서 행하는 사법상의 행위가 아니라 관리청이 공권력을 가진 우월적 지위에서 행하는 행정처분으로서 특정인에게 행정재산을 사용할 수 있는 권리를 설정하여 주는 강학상 특허에 해당한다(대판 1998.2.27. 97누1105).

☑ **교수님 TIP**

행정상 법률관계에 있어 공적 권리로 해석하는 다수설과 달리, 대법원이 사적 권리로 인정하는 경우는 ㉠ 부당이득반환청구, ㉡ 손해배상청구, ㉢ 원상회복청구(결과제거청구), ㉣ 손실보상청구(예외적 판례 있음) 등이다. 이 4가지는 반드시 암기해야 한다.

# 2018 소방위 행정법



특별히 수험생들이 고민해야 할 여려운 문제없이 아주 평이한 출제였습니다. 기존에 출제되었던 지문들의 구성으로, 길이 역시 적절한 문장으로 출제되어 아주 수월하게 풀이했으리라 생각됩니다. 출제유형은 판례문제가 대부분이며, 순수하게 법령과 이론을 묻는 문제가 간혹 있었습니다. 주요 영역에서 핵심 내용을 잘 이해하고 법령을 숙지한 수험생은 고득점 했을 것으로 예상됩니다.

## 문항분석

| 문항 | 정답 | 영역 |
|---|---|---|
| 1 | ② | 행정작용법 > 행정행위 > 재량과 기속 |
| 2 | ④ | 행정의 실효성 확보수단 > 행정강제 > 이행강제금 |
| 3 | ② | 행정의 실효성 확보수단 > 새로운 수단 > 과징금 |
| 4 | ① | 행정구제 > 손해전보 > 손실보상 |
| 5 | ③ | 행정구제 > 행정쟁송 > 행정심판 |
| 6 | ① | 정보공개와 개인정보 > 정보공개 > 공공기관의 정보공개에 관한 법률 |
| 7 | ② | 행정법의 통칙 > 행정법의 법원 > 불문법원 |
| 8 | ④ | 행정구제 > 사전구제 > 행정절차 |
| 9 | ② | 행정법 통칙 > 행정법의 법원 > 법의 일반원칙 |
| 10 | ③ | 행정작용 > 비권력적 행정작용 > 행정지도 |
| 11 | ② | 행정작용 > 행정행위 > 행정행위의 하자 |
| 12 | ① | 행정작용 > 행정행위 > 행정행위의 효력 |
| 13 | ③ | 행정의 실효성 확보수단 > 행정벌 > 행정형벌 |
| 14 | ③ | 행정법 통칙 > 행정법의 법원 > 행정법의 일반원칙 |
| 15 | ① | 정보공개와 개인정보 > 정보공개 > 공공기관의 정보공개에 관한 법률 |
| 16 | ④ | 행정구제 > 손해전보 > 국가배상 |
| 17 | ② | 행정구제 > 행정쟁송 > 행정소송 |
| 18 | ③ | 행정의 실효성 확보수단 > 행정강제 > 강제집행 |
| 19 | ③ | 행정의 실효성 확보수단 > 행정벌 > 질서위반행위규제법 |
| 20 | ④ | 행정작용 > 행정행위 > 행정행위의 내용 |

## 합격예상 체크

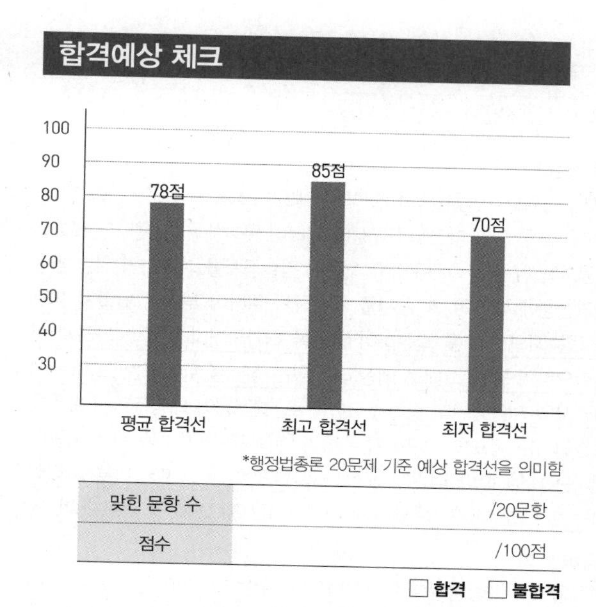


*행정법총론 20문제 기준 예상 합격선을 의미함

| 맞힌 문항 수 | /20문항 |
|---|---|
| 점수 | /100점 |

□ 합격 □ 불합격

## 출제 트렌드

| 구분 | 행정법 통칙 | 행정작용 | 정보공개 개인정보 | 실효성 확보수단 | 행정구제 | 종합문제 |
|---|---|---|---|---|---|---|
| 2020 | 5문항 | 4문항 | 1문항 | 2문항 | 7문항 | 1문항 |
| 2019 | 3문항 | 5문항 | 2문항 | 2문항 | 7문항 | 1문항 |
| **2018** | **3문항** | **5문항** | **2문항** | **5문항** | **5문항** | **0문항** |

행정의 실효성 확보수단에서 5문제나 출제되었고, 행정구제에서의 출제 수가 감소하였습니다. 또한 사인의 공법행위 출제가 한 문제도 없었다는 것이 특징입니다.

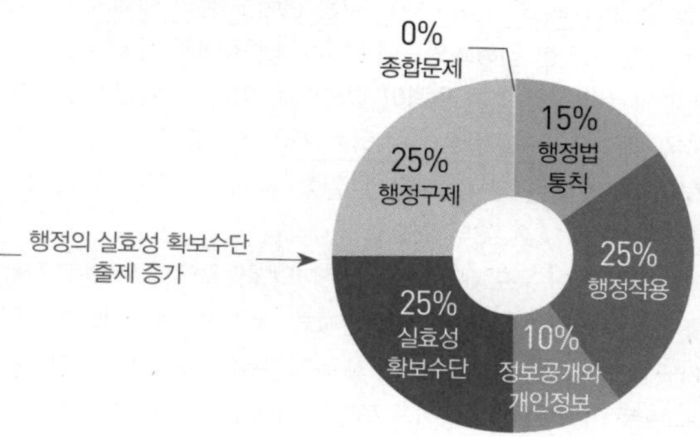

| 2018 소방위 행정법 | | | | | | | | | P.49 |
|---|---|---|---|---|---|---|---|---|---|
| 01 | ② | 02 | ④ | 03 | ② | 04 | ① | 05 | ③ |
| 06 | ① | 07 | ② | 08 | ④ | 09 | ② | 10 | ③ |
| 11 | ② | 12 | ① | 13 | ③ | 14 | ③ | 15 | ① |
| 16 | ④ | 17 | ② | 18 | ③ | 19 | ③ | 20 | ④ |

## 01 ②

판례

행정작용 > 행정행위 > 재량과 기속 중

**| 정답 해설 |**

② (구)「문화재보호법」(1999.1.29. 법률 제5719호로 개정되기 전의 것) 제44조 제1항 단서 제3호의 규정에 의하여 문화체육부장관 또는 그 권한을 위임받은 문화재관리국장 등이 건설공사를 계속하기 위한 발굴허가신청에 대하여 그 공사를 계속하기 위하여 부득이 발굴할 필요가 있는지의 여부를 결정하여 발굴을 허가하거나 이를 허가하지 아니함으로써 원형 그대로 매장되어 있는 상태를 유지하는 조치는 허가권자의 재량행위에 속하는 것이므로, 행정청이 매장문화재의 원형보존이라는 목표를 추구하기 위하여 「문화재보호법」 등 관계 법령이 정하는 바에 따라 내린 전문적·기술적 판단은 특별히 다른 사정이 없는 한 이를 최대한 존중하여야 한다(대판 2000.10.27. 99두264).

**| 오답 해설 |**

① 행정행위가 재량성의 유무 및 범위와 관련하여 이른바 기속행위 내지 기속재량행위와 재량행위 내지 자유재량행위로 구분된다고 할 때, 그 구분은 당해 행위의 근거가 된 법규의 체재·형식과 문언, 당해 행위가 속하는 행정 분야의 주된 목적과 특성, 당해 행위 자체의 개별적 성질과 유형 등을 모두 고려하여 판단하여야 한다(대판 2018.10.4. 2014두37702).

③ 도시의 무질서한 확산을 방지하고 도시주변의 자연환경을 보전하여 도시민의 건전한 생활환경을 확보하기 위하여 지정되는 개발제한구역 내에서는 구역 지정의 목적상 건축물의 건축이나 그 용도변경은 원칙적으로 금지되고, 다만 구체적인 경우에 위와 같은 구역 지정의 목적에 위배되지 아니할 경우 예외적으로 허가에 의하여 그러한 행위를 할 수 있게 되어 있음이 위와 같은 관련 규정의 체재와 문언상 분명한 한편, 이러한 건축물의 용도변경에 대한 예외적인 허가는 그 상대방에게 수익적인 것에 틀림이 없으므로, 이는 그 법률적 성질이 재량행위 내지 자유재량행위에 속하는 것이라고 할 것이고, 따라서 그 위법 여부에 대한 심사는 재량권 일탈·남용의 유무를 그 대상으로 한다(대판 2001.2.9. 98두17593).

④ 국토계획법이 정한 용도지역 안에서 토지의 형질변경행위·농지전용행위를 수반(의제)하는 건축허가는 「건축법」 제11조 제1항에 의한 건축허가와 위와 같은 개발행위허가 및 농지전용허가의 성질을 아울러 갖게 되므로 이 역시 재량행위에 해당한다(대판 2017.10.12. 2017두48956).

## 02 ④

판례

행정의 실효성 확보수단 > 행정강제 > 이행강제금 중

**| 정답 해설 |**

④ 「건축법」상의 이행강제금은 간접강제의 일종으로서, 그 이행강제금 납부의무는 일신전속적인 성질의 것이므로 이미 사망한 사람에게 이행강제금을 부과하는 내용의 처분은 당연무효이다.

> (구)「건축법」상의 이행강제금은 간접강제의 일종으로서 그 이행강제금 납부의무는 상속인 기타의 사람에게 승계될 수 없는 일신전속적인 성질의 것이므로 이미 사망한 사람에게 이행강제금을 부과하는 내용의 처분이나 결정은 당연무효이고, 이행강제금을 부과 받은 사람의 이의에 의하여 「비송사건절차법」에 의한 재판절차가 개시된 후에 그 이의한 사람이 사망한 때에는 사건 자체가 목적을 잃고 절차가 종료한다(대결 2006.12.8. 2006마470).

**| 오답 해설 |**

① 이행강제금은 행정강제이고, 형벌은 제재에 해당되어 목적이나 성질 등이 다르므로 병과한다고 해도 이를 이중적 제재에 해당한다고 할 수 없다.

> 무허가건축행위에 대한 형사처벌과 시정명령 위반에 대한 이행강제금의 부과는 그 처벌 내지 제재대상이 되는 기본적 사실관계로서의 행위를 달리하며, 또한 그 보호법익과 목적에서도 차이가 있으므로 이중처벌에 해당한다고 할 수 없다(헌재결 2004.2.26. 2001헌바80).

② 대체적 작위의무에 대집행, 이행강제금이 선택적으로 활용될 수 있다.

> 전통적으로 행정대집행은 대체적 작위의무에 대한 강제집행수단으로, 이행강제금은 부작위의무나 비대체적 작위의무에 대한 강제집행수단으로 이해되어 왔으나, 이는 이행강제금제도의 본질에서 오는 제약은 아니며, 이행강제금은 대체적 작위의무의 위반에 대하여도 부과될 수 있다(헌재결 2004.2.26. 2001헌바80).

③ 「건축법」에 의하면 이미 이행강제금이 부과된 경우에는 의무를 이행한 경우에도 부과된 금액은 징수한다.

> 「건축법」 제80조【이행강제금】 ⑥ 허가권자는 제79조(위반 건축물 등에 대한 조치 등) 제1항에 따라 시정명령을 받은 자가 이를 이행하면 새로운 이행강제금의 부과를 즉시 중지하되, 이미 부과된 이행강제금은 징수하여야 한다.

**☑ 교수님 TIP**

이행강제금에 대한 불복에 대하여 「건축법」 등은 별도의 규정을 두고 있지 않다. 따라서 「행정소송법」상의 항고소송 대상이 되지만, 「농지법」상의 이행강제금은 「비송사건절차법」에 따른 규정을 두고 있어서 항고소송 대상인 처분이라 할 수 없다.

**| 같이 보는 판례 | 「농지법」에 따른 이행강제금 부과처분에 대한 불복절차 및 「행정소송법」상 항고소송의 대상이 되는지 여부**

> 「농지법」은 농지 처분명령에 대한 이행강제금 부과처분에 불복하는 자가 그 처분을 고지받은 날부터 30일 이내에 부과권자에게 이의를 제기할 수 있고, 이의를 받은 부과권자는 지체 없이 관할 법원에 그 사실을 통보하여야 하며, 그 통보를 받은 관할 법원은 「비송사건절차법」에 따른 과태료 재판에 준하여 재판을 하도록 정하고 있다(제62조 제1항, 제6항, 제7항).

따라서 「농지법」 제62조 제1항에 따른 이행강제금 부과처분에 불복하는 경우에는 「비송사건절차법」에 따른 재판절차가 적용되어야 하고, 「행정소송법」상 항고소송의 대상은 될 수 없다(대판 2019.4.11. 2018두42955).

## 03 ②

판례

행정의 실효성 확보수단 > 새로운 수단 > 과징금 중

**| 정답 해설 |**

② 정지나 취소, 철회에 갈음하는 과징금(=변형된 형태의 과징금)은 원칙적으로 행정청의 재량으로서 운영정지 대신 행정청은 이에 해당되는 과징금을 부과할 수 있다.

(구)「영유아보육법」 제45조 제1항 각 호의 사유가 인정되는 경우, 행정청에는 운영정지 처분이 영유아 및 보호자에게 초래할 불편의 정도 또는 그 밖에 공익을 해칠 우려가 있는지 등을 고려하여 어린이집 운영정지 처분을 할 것인지 또는 이에 갈음하여 과징금을 부과할 것인지를 선택할 수 있는 재량이 인정된다(대판 2015.6.24. 2015두39378).

**| 오답 해설 |**

① 실권리자명의 등기의무를 위반한 명의신탁자에 대하여 부과하는 과징금의 감경에 관한 「부동산 실권리자명의 등기에 관한 법률 시행령」 제3조의2 단서는 임의적 감경규정임이 명백하므로, 그 감경사유가 존재하더라도 과징금 부과관청이 감경사유까지 고려하고도 과징금을 감경하지 않은 채 과징금 전액을 부과하는 처분을 한 경우에는 이를 위법하다고 단정할 수는 없으나, 위 감경사유가 있음에도 이를 전혀 고려하지 않았거나 감경사유에 해당하지 않는다고 오인한 나머지 과징금을 감경하지 않았다면 그 과징금 부과처분은 재량권을 일탈·남용한 위법한 처분이라고 할 수밖에 없다(대판 2010.7.15. 2010두7031).

③ 자동차운수사업면허조건 등을 위반한 사업자에 대하여 행정청이 행정제재수단으로 사업 정지를 명할 것인지, 과징금을 부과할 것인지, 과징금을 부과키로 한다면 그 금액은 얼마로 할 것인지에 관하여 재량권이 부여되었다 할 것이므로 과징금 부과처분이 법이 정한 한도액을 초과하여 위법할 경우 법원으로서는 그 전부를 취소할 수밖에 없고, 그 한도액을 초과한 부분이나 법원이 적정하다고 인정되는 부분을 초과한 부분만을 취소할 수 없다(대판 1998.4.10. 98두2270).

④ 공정거래법에서 형사처벌과 아울러 과징금의 병과를 예정하고 있더라도 이중처벌금지원칙에 위반된다고 볼 수 없으며, 이 과징금 부과처분에 대하여 공정력과 집행력을 인정한다고 하여 이를 확정판결 전의 형벌집행과 같은 것으로 보아 무죄추정의 원칙에 위반된다고도 할 수 없다(헌재결 2003.7.24. 2001헌가25).

## 04 ①

판례

행정구제 > 손해전보 > 손실보상 중

**| 정답 해설 |**

① 주거용 건물의 거주자에 대하여는 주거 이전에 필요한 비용과 가재도구 등 동산의 운반에 필요한 비용을 산정하여 보상하여야 한다(「공익사업을 위한 토지 등의 취득 및 보상에 관한 법률」 제78조 제5항).

**| 오답 해설 |**

② 토지수용으로 인한 손실보상액을 산정함에 있어서는 당해 공공사업의 시행을 직접 목적으로 하는 계획의 승인·고시로 인한 가격변동은 이를 고려함이 없이 수용재결 당시의 가격을 기준으로 하여 정하여야 한다(대판 2004.6.11. 2003두14703).

③ 「하천법」 부칙(1984.12.31.) 제2조 제1항 및 '법률 제3782호 「하천법」 중 개정법률 부칙 제2조의 규정에 의한 보상청구권의 소멸시효가 만료된 「하천구역 편입토지 보상에 관한 특별조치법」 제2조 제1항의 규정에 의한 손실보상금의 지급을 구하거나 손실보상청구권의 확인을 구하는 소송의 형태는 「행정소송법」 제3조 제2호의 당사자소송이다(대판 2006.5.18. 2004다6207).

④ 위법한 표준지공시지가결정에 대하여 그 정해진 시정절차를 통하여 시정하도록 요구하지 않았다는 이유로 위법한 표준지공시지가를 기초로 한 수용재결 등 후행 행정처분에서 표준지공시지가결정의 위법을 주장할 수 없도록 하는 것은 수인한도를 넘는 불이익을 강요하는 것으로서 국민의 재산권과 재판받을 권리를 보장한 헌법의 이념에도 부합하는 것이 아니다. 따라서 표준지공시지가결정이 위법한 경우에는 그 자체를 행정소송의 대상이 되는 행정처분으로 보아 그 위법 여부를 다툴 수 있음은 물론, 수용보상금의 증액을 구하는 소송에서도 선행처분으로서 그 수용대상 토지 가격 산정의 기초가 된 비교표준지공시지가결정의 위법을 독립한 사유로 주장할 수 있다(대판 2008.8.21. 2007두13845).

## 05 ③

법령

행정구제 > 행정쟁송 > 행정심판 중

**| 정답 해설 |**

③ 법제처가 아니라 관계 행정기관에 요청할 수 있다. 이 경우에 법제처장에게 통보하여야 한다.

「행정심판법」 제59조 **【불합리한 법령 등의 개선】** ① 중앙행정심판위원회는 심판청구를 심리·재결할 때에 처분 또는 부작위의 근거가 되는 명령 등(대통령령·총리령·부령·훈령·예규·고시·조례·규칙 등을 말한다. 이하 같다)이 법령에 근거가 없거나 상위 법령에 위배되거나 국민에게 과도한 부담을 주는 등 크게 불합리하면 관계 행정기관에 그 명령 등의 개정·폐지 등 적절한 시정조치를 요청할 수 있다. 이 경우 중앙행정심판위원회는 시정조치를 요청한 사실을 법제처장에게 통보하여야 한다.

**| 오답 해설 |**

① 이 법에 따른 서류의 송달에 관하여는 「민사소송법」 중 송달에 관한 규정을 준용한다(「행정심판법」 제57조).

② 심판청구에 대한 재결이 있으면 그 재결 및 같은 처분 또는 부작위에 대하여 다시 행정심판을 청구할 수 없다(동법 제51조).

④ 위원회는 심판청구의 대상이 되는 처분 또는 부작위 외의 사항에 대하여는 재결하지 못한다(동법 제47조 제1항).

☑ **교수님 TIP**

행정심판의 대상은 개괄주의로 특별히 법령에 규정이 없으면 심판대상이 된다. 하지만 「행정심판법」에는 2가지에 대해 심판청구를 할 수 없다고 규정하고 있어 암기가 필요하다.

**| 같이 보는 법령 | 「행정심판법」**

- **제3조 【행정심판의 대상】** ① 행정청의 처분 또는 부작위에 대하여는 다른 법률에 특별한 규정이 있는 경우 외에는 이 법에 따라 행정심판을 청구할 수 있다.
  ② 대통령의 처분 또는 부작위에 대하여는 다른 법률에서 행정심판을 청구할 수 있도록 정한 경우 외에는 행정심판을 청구할 수 없다.
- **제51조 【행정심판 재청구의 금지】** 심판청구에 대한 재결이 있으면 그 재결 및 같은 처분 또는 부작위에 대하여 다시 행정심판을 청구할 수 없다.

## 06 ①

법령+판례

**정보공개와 개인정보 > 정보공개 > 공공기관의 정보공개에 관한 법률** 상

**| 정답 해설 |**

① 부령에 규정된 경우에는 해당되지 않는다. 「공공기관의 정보공개에 관한 법률」에는 국회규칙·대법원규칙·헌법재판소규칙·중앙선거관리위원회규칙·대통령령 및 조례로 한정한다고 규정되어 있다.

> 「공공기관의 정보공개에 관한 법률」 제9조 **【비공개 대상 정보】** ① 공공기관이 보유·관리하는 정보는 공개 대상이 된다. 다만, 다음 각 호의 어느 하나에 해당하는 정보는 공개하지 아니할 수 있다.
> 1. 다른 법률 또는 법률에서 위임한 명령(국회규칙·대법원규칙·헌법재판소규칙·중앙선거관리위원회규칙·대통령령 및 조례로 한정한다)에 따라 비밀이나 비공개 사항으로 규정된 정보

**| 오답 해설 |**

② 「공공기관의 정보공개에 관한 법률 시행령」 제2조 제1호가 정보공개 의무를 지는 공공기관의 하나로 사립대학교를 들고 있는 것이 모법인 「공공기관의 정보공개에 관한 법률」의 위임범위를 벗어났다거나 사립대학교가 국비의 지원을 받는 범위 내에서만 공공기관의 성격을 가진다고 볼 수 없다. 따라서 사립대학교에 정보공개를 청구하였다가 거부되면 사립대학교 총장을 피고로 하여 취소소송을 제기할 수 있다(대판 2006.8.24. 2004두2783).

③ 정보공개법은, 청구인이 정보공개방법도 아울러 지정하여 정보공개를 청구할 수 있도록 하고 있고, 전자적 형태의 정보를 전자적으로 공개하여 줄 것을 요청한 경우에는 공공기관은 원칙적으로 그 요청에 응할 의무가 있고, 나아가 비전자적 형태의 정보에 관해서도 전자적 형태로 공개하여 줄 것을 요청하면 재량판단에 따라 전자적 형태로 변환하여 공개할 수 있도록 하고 있다. 이는 정보의 효율적 활용을 도모하고 청구인의 편의를 제고함으로써 정보공개법의 목적인 국민의 알 권리를 충실하게 보장하려는 것이므로, 청구인에게는 특정한 공개방법을 지정하여 정보공개를 청구할 수 있는 법령상 신청권이 있다고 보아야 한다. 따라서 공공기관이 공개청구의 대상이 된 정보를 공개는 하되, 청구인이 신청한 공개방법 이외의 방법으로 공개하기로 하는 결정을 하였다면, 이는 정보공개청구 중 정보공개방법에 관한 부분에 대하여 일부 거부처분을 한 것으로 보아야 하고, 청구인은 그에 대하여 항고소송으로 다툴 수 있다고 보아야 한다(대판 2016.11.10. 2016두44674).

④ 「공공기관의 정보공개에 관한 법률」 제5조 제1항에서 말하는 국민에는 자연인은 물론 법인, 권리능력 없는 사단·재단도 포함되고, 법인, 권리능력 없는 사단·재단 등의 경우에는 설립목적을 불문한다(대판 2003.12.12. 2003두8050).

## 07 ②

이론

**행정법의 통칙 > 행정법의 법원 > 불문법원** 하

**| 정답 해설 |**

② 법률의 위헌결정은 법원과 그 밖의 국가기관 및 지방자치단체를 기속(羈束)한다(「헌법재판소법」 제47조 제1항).

**| 오답 해설 |**

① "입어"란 입어자가 마을어업의 어장(漁場)에서 수산동식물을 포획·채취하는 것을 말한다(「수산업법」 제2조 제10호).

③ 행정법은 행정의 조직, 작용, 구제에 관한 법으로서 공통원리가 없는 것은 아니지만 통일된 법전은 없다.

④ 우리는 성문법을 중심으로 하고 있어, 불문법은 성문법의 흠결을 보충하는 열후적 효력만을 인정하는 입장이 일반적인 견해이다.

**☑ 교수님 TIP**

행정법은 통일된 법전을 두고 있지 않지만, 「행정기본법」이 제정되어(2021.3.23. 제정) 행정의 기본적인 기틀을 마련하였다.

## 08 ④

법령+판례

**행정구제 > 사전구제 > 행정절차** 중

**| 정답 해설 |**

ㄱ. 신청한 내용을 그대로 모두 인정하는 처분은 처분의 당사자가 요청하여도 이유 제시의 의무가 없다.

> 「행정절차법」 제23조 **【처분의 이유 제시】** ① 행정청은 처분을 할 때에는 다음 각 호의 어느 하나에 해당하는 경우를 제외하고는 당사자에게 그 근거와 이유를 제시하여야 한다.
> 1. 신청 내용을 모두 그대로 인정하는 처분인 경우
> 2. 단순·반복적인 처분 또는 경미한 처분으로서 당사자가 그 이유를 명백히 알 수 있는 경우
> 3. 긴급히 처분을 할 필요가 있는 경우
>
> ② 행정청은 제1항 제2호 및 제3호의 경우에 처분 후 당사자가 요청하는 경우에는 그 근거와 이유를 제시하여야 한다.

ㄹ. 최근 「행정절차법」 개정에 따라 다른 법률에 청문규정이 없더라도 일정한 경우에는 의견 제출기한 내에 당사자 등의 신청에 따라 청문을 실시한다.

> 「행정절차법」 제22조 **【의견청취】** ① 행정청이 처분을 할 때 다음 각 호의 어느 하나에 해당하는 경우에는 청문을 한다.
> 1. 다른 법령 등에서 청문을 하도록 규정하고 있는 경우
> 2. 행정청이 필요하다고 인정하는 경우
> 3. 다음 각 목의 처분 시 제21조 제1항 제6호에 따른 의견 제출기한 내에 당사자 등의 신청이 있는 경우
>    가. 인허가 등의 취소
>    나. 신분·자격의 박탈
>    다. 법인이나 조합 등의 설립허가의 취소

**| 오답 해설 |**

ㄴ. (구)「군인사법」상 보직해임처분은 (구)「행정절차법」 제3조 제2항 제9호, 같은 법 시행령 제2조 제3호에 의하여 당해 행정작용의 성질상 행정절차를 거치기 곤란하거나 불필요하다고 인정되는 사항 또는 행정절차에 준하는 절차를 거친 사항에 해당하므로, 처분의 근거와 이유 제시 등에 관한 (구)「행정절차법」의 규정이 별도로 적용되지 아니한다고 봄이 상당하다(대판 2014.10.15. 2012두5756).

ㄷ. 「행정절차법」 규정에 의해 당사자에게 의무를 부과하거나 권익을 제한하는 처분은 사전통지대상이 된다. 상대방의 귀책사유 여부는 사전통지와 무관한 내용이다.

**| 같이 보는 판례 | 「군인사법」상의 보직해임처분과 더불어 공무원의 직위해제처분도 「행정절차법」이 적용되는지 여부**

> 「국가공무원법」상 직위해제처분은 (구)「행정절차법」(2012.10.22. 법률 제11498호로 개정되기 전의 것) 제3조 제2항 제9호, (구)「행정절차법 시행령」(2011.12.21. 대통령령 제23383호로 개정되기 전의 것) 제2조 제3호에 의하여 당해 행정작용의 성질상 행정절차를 거치기 곤란하거나 불필요하다고 인정되는 사항 또는 행정절차에 준하는 절차를 거친 사항에 해당하므로, 처분의 사전통지 및 의견청취 등에 관한 「행정절차법」의 규정이 별도로 적용되지 않는다(대판 2014.5.16. 2012두26180).

## 09 ② 이론

행정법 통칙 > 행정법의 법원 > 법의 일반원칙 하

**| 정답 해설 |**

② 해당 내용은 「경찰관 직무집행법」상의 규정으로 비례원칙에 대한 규정이다.

> 과잉금지의 원칙이라 함은 국민의 기본권을 제한함에 있어서 국가작용의 한계를 명시한 것으로서 목적의 정당성·방법의 적정성·피해의 최소성·법익의 균형성 등을 의미하며 그 어느 하나에라도 저촉이 되면 위헌이 된다는 헌법상의 원칙을 말한다(헌재결 1997.3.27. 95헌가17).

## 10 ③ 법령+판례

행정작용 > 비권력적 행정작용 > 행정지도 중

**| 정답 해설 |**

③ 행정기관이 같은 행정목적을 실현하기 위하여 많은 상대방에게 행정지도를 하려는 경우에는 특별한 사정이 없으면 행정지도에 공통적인 내용이 되는 사항을 공표하여야 한다(「행정절차법」 제51조).

**| 오답 해설 |**

① 세무당국이 소외 회사에 대하여 원고와의 주류거래를 일정기간 중지하여 줄 것을 요청한 행위는 권고 내지 협조를 요청하는 권고적 성격의 행위로서 소외 회사나 원고의 법률상의 지위에 직접적인 법률상의 변동을 가져오는 행정처분이라고 볼 수 없는 것이므로 항고소송의 대상이 될 수 없다(대판 1980.10.27. 80누395).

② 교육인적자원부장관의 대학총장들에 대한 이 사건 학칙시정요구는 「고등교육법」 제6조 제2항, 동법 시행령 제4조 제3항에 따른 것으로서 그 법적 성격은 대학총장의 임의적인 협력을 통하여 사실상의 효과를 발생시키는 행정지도의 일종이지만, 그에 따르지 않을 경우 일정한 불이익조치를 예정하고 있어 사실상 상대방에게 그에 따를 의무를 부과하는 것과 다를 바 없으므로 단순한 행정지도로서의 한계를 넘어 규제적·구속적 성격을 상당히 강하게 갖는 것으로서 헌법소원의 대상이 되는 공권력의 행사라고 볼 수 있다(헌재결 2003.6.26. 2002헌마337, 2003헌마7).

④ 행정기관은 행정지도의 상대방이 행정지도에 따르지 아니하였다는 것을 이유로 불이익한 조치를 하여서는 아니 된다(동법 제48조 제2항).

## 11 ② 판례

행정작용 > 행정행위 > 행정행위의 하자 중

**| 정답 해설 |**

② 세액산출근거가 누락된 납세고지서에 의한 과세처분의 하자의 치유를 허용하려면 늦어도 과세처분에 대한 불복 여부의 결정 및 불복신청에 편의를 줄 수 있는 상당한 기간 내에 하여야 한다고 할 것이므로 위 과세처분에 대한 전심절차가 모두 끝나고 상고심의 계류 중에 세액산출근거의 통지가 있었다고 하여 이로써 위 과세처분의 하자가 치유되었다고는 볼 수 없다(대판 1984.4.10. 83누393).

**| 오답 해설 |**

① 원래 행정처분을 한 처분청은 그 처분에 하자가 있는 경우에는 원칙적으로 별도의 법적 근거가 없더라도 스스로 이를 직권으로 취소할 수 있지만, 그와 같이 직권취소를 할 수 있다는 사정만으로 이해관계인에게 처분청에 대하여 그 취소를 요구할 신청권이 부여된 것으로 볼 수는 없으므로, 처분청이 위와 같이 법규상 또는 조리상의 신청권이 없이 한 이해관계인의 복구준공통보 등의 취소신청을 거부하더라도, 그 거부행위는 항고소송의 대상이 되는 처분에 해당하지 않는다(대판 2006.6.30. 2004두701).

③ 행정처분을 한 처분청은 처분의 성립에 하자가 있는 경우 별도의 법적 근거가 없더라도 직권으로 이를 취소할 수 있다고 봄이 원칙이므로, 「국민연금법」이 정한 수급요건을 갖추지 못하였음에도 연금 지급결정이 이루어진 경우에는 이미 지급된 급여 부분에 대한 환수처분과 별도로 지급결정을 취소할 수 있다(대판 2017.3.30. 2015두43971).

④ 행정청이 청문서 도달기간을 다소 어겼다 하더라도 영업자가 이에 대하여 이의하지 아니한 채 스스로 청문일에 출석하여 그 의견을 진술하고 변명하는 등 방어의 기회를 충분히 가졌다면 청문서 도달기간을 준수하지 아니한 하자는 치유되었다고 봄이 상당하다(대판 1992.10.23. 92누2844).

☑ **교수님 TIP**

행정행위의 하자 치유와 국민의 쟁송제기의 하자 치유시점은 다르다. 행정행위의 하자는 쟁송제기 이전까지이고, 국민의 쟁송제기에서 요건의 보완은 사실심 변론종결 이전까지이다.

## 12 ① 이론+판례

행정작용 > 행정행위 > 행정행위의 효력 하

**| 정답 해설 |**

① 불가변력은 특정한 행정처분에 행정청이 취소나 변경을 할 수 없다

는 의미이지, 쟁송을 제기할 수 없다는 말은 아니다. 쟁송제기를 할 수 없는 것은 불가쟁력이다.

**| 오답 해설 |**

② 불가쟁력은 처분의 상대방이나 이해관계인이 더 이상 처분의 효력을 다툴 수 없음을 의미하는 것으로 처분청은 이와 상관없이 직권취소가 가능하다.

> 소제기기간이 도과하여 불가쟁력이 발생하면 행정행위 상대방은 다툴 수 없으나 행정청은 불가변력이 발생하지 않는 한 당해 행정행위를 직권으로 취소할 수 있다(대판 1995.9.15. 95누6311).

③ 처분의 기초가 된 사실관계나 법률적 판단의 확정은 확정판결의 효력이다(기판력). 불가쟁력에는 그러한 효력이 없다.

> 행정처분이나 행정심판 재결이 불복기간의 경과로 인하여 확정될 경우 그 확정력은, 그 처분으로 인하여 법률상 이익을 침해받은 자가 당해 처분이나 재결의 효력을 더 이상 다툴 수 없다는 의미일 뿐, 더 나아가 판결에 있어서와 같은 기판력이 인정되는 것은 아니어서 그 처분의 기초가 된 사실관계나 법률적 판단이 확정되고 당사자들이나 법원이 이에 기속되어 모순되는 주장이나 판단을 할 수 없게 되는 것은 아니다(대판 2004.7.8. 2002두11288).

④ 과세처분이 이의신청에 의해 행정청이 직권으로 취소하면, 취소에 하자가 있다고 해도 이를 다시 취소하여 과세처분을 되살릴 수 없다. 따라서 과세처분이 행정청에 의해 직권으로 취소되면 확정적으로 과세처분의 효력은 소멸한다(불가변력).

> 과세처분에 관한 이의신청절차에서 과세관청이 이의신청 사유가 옳다고 인정하여 과세처분을 직권으로 취소한 이상 그 후 특별한 사유 없이 이를 번복하고 종전 처분을 되풀이하는 것은 허용되지 않는다(대판 2010.9.30. 2009두1020).

**| 같이 보는 이론 | 불가쟁력 vs 불가변력**

| 불가쟁력 | 불가변력 |
|---|---|
| 형식적 확정력, 절차적 효력 | 실질적 확정력, 실체적 효력 |
| 모든 행정행위 | 특정의 행정행위 |
| 상대방과 이해관계인 구속 | 국가기관 |

## 13 ③

판례

행정의 실효성 확보수단 > 행정벌 > 행정형벌 중

**| 정답 해설 |**

③ 통고처분의 상대방이 범칙금을 납부하지 아니하여 즉결심판, 나아가 정식재판의 절차로 진행되었다면 당초의 통고처분은 그 효력을 상실한다 할 것이므로 이미 효력을 상실한 통고처분의 취소를 구하는 헌법소원은 권리보호의 이익이 없어 부적법하다(헌재결 2003.10.30. 2002헌마275).

**| 오답 해설 |**

① 다수설과 판례는 영업주에 대한 양벌규정은 자기책임설에 기반한다. 대위책임설에 의하면 종업원의 지위를 대신하여 종업원의 처벌에 대해 영업주가 책임을 지는 것으로서 이 학설에 의하면 영업주의 처벌은 종업원의 처벌을 전제로 한다. 반면 자기책임설은 영업주는 종업원에 대한 관리나 감독상의 해태를 이유로 책임을 지게 된다. 따라서 종업원의 처벌을 전제로 하는 것은 아니다.

> 양벌규정에 의한 영업주의 처벌은 금지위반 행위자인 종업원의 처벌에 종속하는 것이 아니라 독립하여 그 자신의 종업원에 대한 선임감독상의 과실로 인하여 처벌되는 것이므로 종업원의 범죄성립이나 처벌이 영업주 처벌의 전제조건이 될 필요는 없다(대판 1987.11.10. 87도1213).

② 행정청의 과태료 부과에 불복하는 당사자는 제17조 제1항에 따른 과태료 부과 통지를 받은 날부터 60일 이내에 해당 행정청에 서면으로 이의제기를 할 수 있다(「질서위반행위규제법」 제20조 제1항).

④ (구)「대기환경보전법」(1992.12.8. 법률 제4535호로 개정되기 전의 것)의 입법목적이나 제반 관계 규정의 취지 등을 고려하면, 법정의 배출허용기준을 초과하는 배출가스를 배출하면서 자동차를 운행하는 행위를 처벌하는 위 법 제57조 제6호의 규정은 자동차의 운행자가 그 자동차에서 배출되는 배출가스가 소정의 운행 자동차 배출허용기준을 초과한다는 점을 실제로 인식하면서 운행한 고의범의 경우는 물론 과실로 인하여 그러한 내용을 인식하지 못한 과실범의 경우도 함께 처벌하는 규정이다(대판 1993.9.10. 92도1136).

**| 같이 보는 판례 | 통고처분이 헌법소원뿐 아니라 항고소송의 대상도 되는지 여부**

> 통고처분은 상대방의 임의의 승복을 그 발효요건으로 하기 때문에 그 자체만으로는 통고이행을 강제하거나 상대방에게 아무런 권리·의무를 형성하지 않으므로 행정심판이나 행정소송의 대상으로서의 처분성을 부여할 수 없고, 통고처분에 대하여 이의가 있으면 통고 내용을 이행하지 않음으로써 고발되어 형사재판절차에서 통고처분의 위법·부당함을 얼마든지 다툴 수 있다. 따라서 통고처분은 행정쟁송 대상으로서의 처분성이 없고 통고처분 그 자체가 위법·부당하여 이의가 있는 경우에 그 취소·변경을 구하는 행정쟁송을 제기할 수 없다고 할 것이다(헌재결 1998.5.28. 96헌바4).

## 14 ③

판례

행정법 통칙 > 행정법의 법원 > 행정법의 일반원칙 중

**| 정답 해설 |**

③ 처분 시 부관이 유효·적법하였다면 이후 근거법이 개정되어 부관을 붙일 수 없게 되었다고 해도 부관의 효력이 소멸하지 않고 부당결부금지원칙에 반한다고도 할 수 없다.

> 고속국도 관리청이 고속도로 부지와 접도구역에 송유관 매설을 허가하면서 상대방과 체결한 협약에 따라 송유관 시설을 이전하게 될 경우 그 비용을 상대방에게 부담하도록 하였고, 그 후 「도로법 시행규칙」이 개정되어 접도구역에는 관리청의 허가 없이도 송유관을 매설할 수 있게 된 사안에서, 위 협약이 효력을 상실하지 않을 뿐만 아니라 위 협약에 포함된 부관이 부당결부금지의 원칙에도 반하지 않는다(대판 2009.2.12. 2005다65500).

**| 오답 해설 |**

① 지방자치단체장이 사업자에게 주택사업계획승인을 하면서 그 주택사업과는 아무런 관련이 없는 토지를 기부채납하도록 하는 부관을 주

택사업계획승인에 붙인 경우, 그 부관은 부당결부금지의 원칙에 위반되어 위법하지만, 지방자치단체장이 승인한 사업자의 주택사업계획은 상당히 큰 규모의 사업임에 반하여, 사업자가 기부채납한 토지 가액은 그 100분의 1 상당의 금액에 불과한데다가, 사업자가 그 동안 그 부관에 대하여 아무런 이의를 제기하지 아니하다가 지방자치단체장이 업무착오로 기부채납한 토지에 대하여 보상협조요청서를 보내자 그 때서야 비로소 부관의 하자를 들고 나온 사정에 비추어 볼 때 부관의 하자가 중대하고 명백하여 당연무효라고는 볼 수 없다(대판 1997.3.11. 96다49650).

② 행정처분과 부관 사이에 실제적 관련성이 있다고 볼 수 없는 경우 공무원이 위와 같은 공법상의 제한을 회피할 목적으로 행정처분의 상대방과 사이에 사법상 계약을 체결하는 형식을 취하였다면 이는 법치행정의 원리에 반하는 것으로서 위법하다(대판 2009.12.10. 2007다63966).

④ 부당결부금지의 원칙이란 행정주체가 행정작용을 함에 있어서 상대방에게 이와 실질적인 관련이 없는 의무를 부과하거나 그 이행을 강제하여서는 아니 된다는 원칙을 말한다(대판 2009.2.12. 2005다65500).

## 15 ①

법령+판례

정보공개와 개인정보 > 정보공개 > 공공기관의 정보공개에 관한 법률 중

**| 정답 해설 |**

① (구)「공공기관의 정보공개에 관한 법률」(2013.8.6. 법률 제11991호로 개정되기 전의 것, 이하 정보공개법이라 한다) 제10조 제1항 제2호는 정보의 공개를 청구하는 자는 정보공개청구서에 '공개를 청구하는 정보의 내용' 등을 기재하도록 규정하고 있다. 청구인이 이에 따라 청구대상 정보를 기재할 때에는 사회일반인의 관점에서 청구대상 정보의 내용과 범위를 확정할 수 있을 정도로 특정하여야 한다(대판 2018.4.12. 2014두5477).

**| 오답 해설 |**

② 국민의 정보공개청구권은 법률상 보호되는 구체적인 권리이므로, 공공기관에 대하여 정보의 공개를 청구하였다가 공개거부처분을 받은 청구인은 행정소송을 통하여 그 공개거부처분의 취소를 구할 법률상의 이익이 있다(대판 2010.12.23. 2008두13101).

③ 「공공기관의 정보공개에 관한 법률」상 공개청구의 대상이 되는 정보란 공공기관이 직무상 작성 또는 취득하여 현재 보유·관리하고 있는 문서에 한정되는 것이기는 하나, 그 문서가 반드시 원본일 필요는 없다(대판 2006.5.25. 2006두3049).

④ 공공기관은 전자적 형태로 보유·관리하는 정보에 대하여 청구인이 전자적 형태로 공개하여 줄 것을 요청하는 경우에는 그 정보의 성질상 현저히 곤란한 경우를 제외하고는 청구인의 요청에 따라야 한다(「공공기관의 정보공개에 관한 법률」 제15조 제1항).

## 16 ④

판례

행정구제 > 손해전보 > 국가배상 중

④ 「국가배상법」 제2조 소정의 '공무원'이라 함은 「국가공무원법」이나 「지방공무원법」에 의하여 공무원으로서의 신분을 가진 자에 국한하지 않고, 널리 공무를 위탁받아 실질적으로 공무에 종사하고 있는 일체의 자를 가리키는 것으로서, 공무의 위탁이 일시적이고 한정적인 사항에 관한 활동을 위한 것이어도 달리 볼 것은 아니다(대판 2001.1.5. 98다39060).

**| 오답 해설 |**

① 재판에 대하여 불복절차 내지 시정절차 자체가 없는 경우에는 부당한 재판으로 인하여 불이익 내지 손해를 입은 사람은 국가배상 이외의 방법으로는 자신의 권리 내지 이익을 회복할 방법이 없으므로, 이와 같은 경우에는 배상책임의 요건이 충족되는 한 국가배상책임을 인정하지 않을 수 없다(대판 2003.7.11. 99다24218).

② 법령에 대한 해석이 복잡, 미묘하여 워낙 어렵고, 이에 대한 학설, 판례조차 귀일되어 있지 않는 등의 특별한 사정이 없는 한 일반적으로 공무원이 관계 법규를 알지 못하거나 필요한 지식을 갖추지 못하고 법규의 해석을 그르쳐 행정처분을 하였다면 그가 법률전문가가 아닌 행정직 공무원이라고 하여 과실이 없다고는 할 수 없다(대판 1981.8.25. 80다1598).

③ 「국가배상법」 제2조 제1항의 '직무를 집행함에 당하여'라 함은 직접 공무원의 직무집행행위이거나 그와 밀접한 관련이 있는 행위를 포함하고, 이를 판단함에 있어서는 행위 자체의 외관을 객관적으로 관찰하여 공무원의 직무행위로 보여질 때에는 비록 그것이 실질적으로 직무행위가 아니거나 또는 행위자로서는 주관적으로 공무집행의 의사가 없었다고 하더라도 그 행위는 공무원이 '직무를 집행함에 당하여' 한 것으로 보아야 한다(대판 2005.1.14. 2004다26805).

**| 같이 보는 판례 | 「국가배상법」상의 '공무원'에 대한 최신판례**

> 대한변호사협회의 장(長)으로서 국가로부터 위탁받은 공행정사무인 '변호사등록에 관한 사무'를 수행하는 범위 내에서 「국가배상법」 제2조에서 정한 공무원에 해당하므로 경과실 공무원의 면책 법리에 따라 갑에 대한 배상책임을 부담하지 않는다(대판 2021.1.28. 2019다260197).

## 17 ②

판례

행정구제 > 행정쟁송 > 행정소송 중

**| 정답 해설 |**

ㄴ. 교도소장이 수형자 갑을 '접견 내용 녹음·녹화 및 접견 시 교도관 참여대상자'로 지정한 사안에서, 위 지정행위는 수형자의 구체적 권리의무에 직접적 변동을 가져오는 행정청의 공법상 행위로서 항고소송의 대상이 되는 '처분'에 해당한다(대판 2014.2.13. 2013두20899).

**| 오답 해설 |**

ㄱ. 정부의 수도권 소재 공공기관의 지방이전시책을 추진하는 과정에서 도지사가 도 내 특정시를 공공기관이 이전할 혁신도시 최종입지로 선정한 행위는 항고소송의 대상이 되는 행정처분이 아니다(대판 2007.11.15. 2007두10198).

ㄷ. 소관청이 토지대장상의 소유자명의변경신청을 거부한 행위는 이를 항고소송의 대상이 되는 행정처분이라고 할 수 없다(대판 2012.1.12. 2010두12354).

ㄹ. 「형사소송법」 제258조 제1항의 처분결과 통지 내지 「형사소송법」 제259조의 공소불제기 이유고지를 별도의 독립한 처분으로 볼 수 없다(대판 2018.9.28. 2017두47465).

## 18 ③

법령+판례

행정의 실효성 확보수단 > 행정강제 > 강제집행 중

**| 정답 해설 |**

③ 즉시강제에도 법적 근거를 요한다. 권력적 작용으로 국민의 안정성과 예측가능성이 적어 법적 근거는 필요하다는 입장이 일반적인 견해이다. 다만 영장에 대해서는 논란이 있으나 헌재는 불요설의 입장이다.

**| 오답 해설 |**

① 대집행의 실행은 원칙적으로 일출 이후부터 일몰 이전까지 허용되지만 일몰 이전에 시작된 대집행은 일몰 이후에도 가능하다.

> **「행정대집행법」 제4조【대집행의 실행 등】** ① 행정청(제2조에 따라 대집행을 실행하는 제3자를 포함한다. 이하 이 조에서 같다)은 해가 뜨기 전이나 해가 진 후에는 대집행을 하여서는 아니 된다. 다만, 다음 각 호의 어느 하나에 해당하는 경우에는 그러하지 아니하다.
> 1. 의무자가 동의한 경우
> 2. 해가 지기 전에 대집행을 착수한 경우
> 3. 해가 뜬 후부터 해가 지기 전까지 대집행을 하는 경우에는 대집행의 목적 달성이 불가능한 경우
> 4. 그 밖에 비상시 또는 위험이 절박한 경우

② 대집행권한을 위탁받아 공무인 대집행을 실시하기 위하여 지출한 비용을 「행정대집행법」 절차에 따라 「국세징수법」의 예에 의하여 징수할 수 있음에도 민사소송절차에 의하여 그 비용의 상환을 청구한 사안에서, 「행정대집행법」이 대집행비용의 징수에 관하여 민사소송절차에 의한 소송이 아닌 간이하고 경제적인 특별구제절차를 마련해 놓고 있으므로, 위 청구는 소의 이익이 없어 부적법하다(대판 2011.9.8. 2010다48240).

④ 하나의 납세고지서에 의하여 본세와 가산세를 함께 부과할 때에는 납세고지서에 본세와 가산세 각각의 세액과 산출근거 등을 구분하여 기재해야 하는 것이고, 또 여러 종류의 가산세를 함께 부과하는 경우에는 그 가산세 상호 간에도 종류별로 세액과 산출근거 등을 구분하여 기재함으로써 납세의무자가 납세고지서 자체로 각 과세처분의 내용을 알 수 있도록 하는 것이 당연한 원칙이다(대판 2012.10.18. 2010두12347).

**| 같이 보는 판례 | 즉시강제의 영장에 대한 헌법재판소의 입장**

> 이 사건의 법률조항[(구)「음반·비디오물 및 게임물에 관한 법률」 제24조 제4항]은 앞에서 본바와 같이 급박한 상황에 대처하기 위한 것으로서 그 불가피성과 정당성이 충분히 인정되는 경우이므로, 이 사건 법률조항이 영장 없는 수거를 인정한다고 하더라도 이를 두고 헌법상 영장주의에 위배되는 것으로는 볼 수 없고, 위 (구)「음반·비디오물 및 게임물에 관한 법률」 제24조 제4항에서 관계 공무원이 당해 게임물 등을 수거한 때에는 그 소유자 또는 점유자에게 수거증을 교부하도록 하고 있고, 동조 제6항에서 수거 등 처분을 하는 관계 공무원이나 협회 또는 단체의 임·직원은 그 권한을 표시하는 증표를 지니고 관계인에게 이를 제시하도록 하는 등의 절차적 요건을 규정하고 있으므로, 이 사건 법률조항이 적법절차의 원칙에 위배되는 것으로 보기도 어렵다(헌재결 2002.10.31. 2000헌가12).

## 19 ③

법령

행정의 실효성 확보수단 > 행정벌 > 질서위반행위규제법 중

**| 정답 해설 |**

③ 과태료의 부과·징수, 재판 및 집행 등의 절차에 관한 다른 법률의 규정 중 이 법의 규정에 저촉되는 것은 이 법으로 정하는 바에 따른다(「질서위반행위규제법」 제5조).

**| 오답 해설 |**

① 행정청의 과태료 처분이나 법원의 과태료 재판이 확정된 후 법률이 변경되어 그 행위가 질서위반행위에 해당하지 아니하게 된 때에는 변경된 법률에 특별한 규정이 없는 한 과태료의 징수 또는 집행을 면제한다(동법 제3조 제3항).

② 자신의 행위가 위법하지 아니한 것으로 오인하고 행한 질서위반행위는 그 오인에 정당한 이유가 있는 때에 한하여 과태료를 부과하지 아니한다(동법 제8조).

④ 하나의 행위가 2 이상의 질서위반행위에 해당하는 경우에는 각 질서위반행위에 대하여 정한 과태료 중 가장 중한 과태료를 부과한다(동법 제13조 제1항).

## 20 ④

판례

행정작용 > 행정행위 > 행정행위의 내용 중

**| 정답 해설 |**

④ 조합이 행하는 사업시행인가가 아닌 토지소유자들에 대한 사업시행인가처분은 설권행위로서 특허에 해당한다.

> 토지 등 소유자들이 직접 시행하는 도시환경정비사업에서 토지 등 소유자에 대한 사업시행인가처분은 단순히 사업시행계획에 대한 보충행위로서의 성질을 가지는 것이 아니라 (구)도시정비법상 정비사업을 시행할 수 있는 권한을 가지는 행정주체로서의 지위를 부여하는 일종의 설권적 처분의 성격을 가진다(대판 2013.6.13. 2011두19994).

**| 오답 해설 |**

① 「민법」 제45조와 제46조에서 말하는 재단법인의 정관변경 "허가"는 법률상의 표현이 허가로 되어 있기는 하나, 그 성질에 있어 법률행위의 효력을 보충해 주는 것이지 일반적 금지를 해제하는 것이 아니므로, 그 법적 성격은 인가라고 보아야 한다(대판 1996.5.16. 95누4810).

② 기본행위인 임시이사들에 의한 이사선임결의의 내용 및 그 절차에 하자가 있다는 이유로 이사선임결의의 효력에 관하여 다툼이 있는 경우, 그 보충행위인 임원취임승인처분의 무효확인이나 그 취소를 구할 법률상 이익이 없다(대판 2002.5.24. 2000두3641).

③ 「도시재개발법」 제34조에 의한 행정청의 인가는 주택개량재개발조합의 관리처분계획에 대한 법률상의 효력을 완성시키는 보충행위이다(대판 2001.12.11. 2001두7541).

**☑ 교수님 TIP**

토지 등 소유자들이 직접 사업을 시행하는 경우에서 사업시행인가는 강학상 특허에 해당되지만 조합이 시행하는 사업에 대한 사업시행인가는 보충행위에 해당한다.

**| 같이 보는 판례 | 조합이 수립한 사업시행계획에 대한 인가의 법적 성질**

「도시 및 주거환경정비법」(이하 '도시정비법'이라 한다)에 기초하여 주택재개발정비사업조합이 수립한 사업시행계획은 그것이 인가·고시를 통해 확정되면 이해관계인에 대한 구속적 행정계획으로서 독립된 행정처분에 해당하므로(대결 2009.11.2. 2009마596 참조), 사업시행계획을 인가하는 행정청의 행위는 주택재개발정비사업조합의 사업시행계획에 대한 법률상의 효력을 완성시키는 보충행위에 해당한다(대판 2010.12.9. 2009두4913).

# 2017 소방위 행정법

선지의 길이도 짧고 기존에 출제되었던 지문들의 구성으로, 전반적으로 쉬운 출제였습니다. 하지만 중간 중간에 난이도 '상(上)'에 해당하는 판례문제를 넣어 변별력으로 확보하고자 하였습니다. 출제유형은 전반적으로 판례문제 중심의 출제였고, 순수한 법령과 이론을 묻는 문제도 각 1개씩 출제되었습니다.

## 문항분석

| 문항 | 정답 | 영역 |
|---|---|---|
| 1 | ④ | 행정의 실효성 확보수단 > 행정강제 > 행정대집행 |
| 2 | ① | 행정작용 > 행정행위 > 행정행위의 내용 |
| 3 | ② | 행정구제 > 행정쟁송 > 행정심판 |
| 4 | ② | 행정작용 > 비권력적 행정작용 > 공법상 계약 |
| 5 | ③ | 행정작용 > 행정행위 > 부관 |
| 6 | ② | 행정구제 > 사전구제 > 행정절차 |
| 7 | ① | 행정작용 > 행정입법 > 법규명령 등 |
| 8 | ③ | 행정작용 > 행정행위 > 행정행위의 종류 |
| 9 | ① | 행정작용 > 행정행위 > 행정행위의 종류 |
| 10 | ② | 행정구제 > 손해전보 > 국가배상 |
| 11 | ③ | 행정법 통칙 > 행정법 > 법치행정 |
| 12 | ④ | 행정의 실효성 확보수단 > 제재 > 행정벌 |
| 13 | ① | 행정작용 > 행정행위 > 행정행위의 하자 |
| 14 | ③ | 행정작용 > 행정행위 > 확약 |
| 15 | ④ | 행정구제 > 손해전보 > 손실보상 |
| 16 | ③ | 정보공개와 개인정보 > 정보공개제도 > 공공기관의 정보공개에 관한 법률 |
| 17 | ① | 행정법 통칙 > 행정법의 효력 > 행정법의 시간적, 장소적 효력 |
| 18 | ② | 행정의 실효성 확보수단 > 행정벌 > 질서위반행위규제법 |
| 19 | ③ | 행정구제 > 행정쟁송 > 행정소송 |
| 20 | ④ | 종합문제(행정법의 일반원칙, 사인의 공법행위, 행정행위의 내용 등) |

## 합격예상 체크

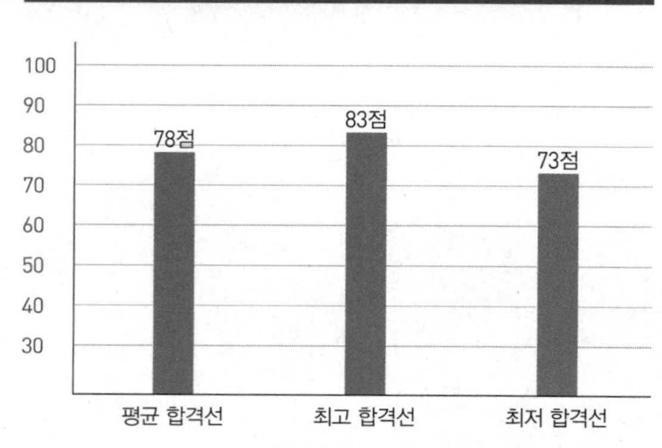


*행정법총론 20문제 기준 예상 합격선을 의미함

| 맞힌 문항 수 | /20문항 |
|---|---|
| 점수 | /100점 |

□ 합격 □ 불합격

## 출제 트렌드

| 구분 | 행정법 통칙 | 행정작용 | 정보공개 개인정보 | 실효성 확보수단 | 행정구제 | 종합문제 |
|---|---|---|---|---|---|---|
| 2020 | 5문항 | 4문항 | 1문항 | 2문항 | 7문항 | 1문항 |
| 2019 | 3문항 | 5문항 | 2문항 | 2문항 | 7문항 | 1문항 |
| 2018 | 3문항 | 5문항 | 2문항 | 5문항 | 5문항 | 0문항 |
| **2017** | **2문항** | **8문항** | **1문항** | **3문항** | **5문항** | **1문항** |

행정법 통칙과 행정의 실효성 확보수단에서의 문항이 감소하고, 행정작용 영역에 편중된 출제였습니다. 또한 행정입법, 정보공개제도, 공법상 계약 등에서 각 1문항씩 출제되었습니다.

행정작용에 편중된 출제 →

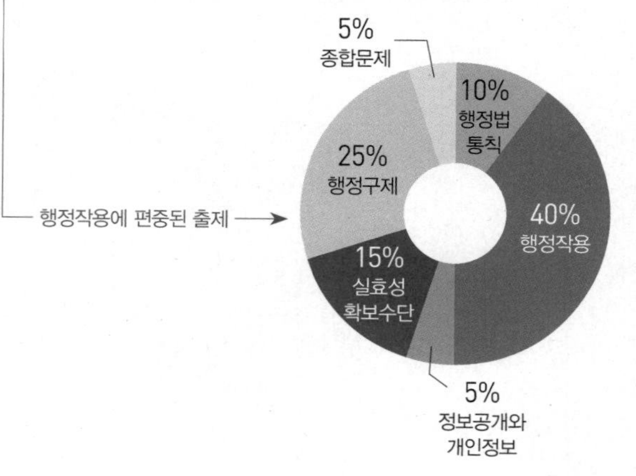

| 2017 소방위 행정법 | | | | | | | | | P.55 |
|---|---|---|---|---|---|---|---|---|---|
| 01 | ④ | 02 | ① | 03 | ② | 04 | ② | 05 | ③ |
| 06 | ② | 07 | ① | 08 | ③ | 09 | ① | 10 | ② |
| 11 | ③ | 12 | ④ | 13 | ① | 14 | ③ | 15 | ④ |
| 16 | ③ | 17 | ① | 18 | ② | 19 | ③ | 20 | ④ |

## 01 ④

이론+판례

**행정의 실효성 확보수단 > 행정강제 > 행정대집행** 중

**| 정답 해설 |**

ㄷ. 대부계약이 적법하게 해지된 이상 그 점유자의 공유재산에 대한 점유는 정당한 이유 없는 점유라 할 것이고, 따라서 지방자치단체의 장은 「지방재정법」 제85조에 의하여 행정대집행의 방법으로 그 지상물을 철거시킬 수 있다(대판 2001.10.12. 2001두4078).

ㄹ. 불법광고판의 철거는 대체적 작위의무로서 행정대집행의 대상이 된다.

**| 오답 해설 |**

ㄱ. 도시공원시설인 매점의 관리청이 그 공동점유자 중의 1인에 대하여 소정의 기간 내에 위 매점으로부터 퇴거하고 이에 부수하여 그 판매 시설물 및 상품을 반출하지 아니할 때에는 이를 대집행하겠다는 내용의 계고처분은 그 주된 목적이 매점의 원형을 보존하기 위하여 점유자가 설치한 불법 시설물을 철거하고자 하는 것이 아니라, 매점에 대한 점유자의 점유를 배제하고 그 점유이전을 받는 데 있다고 할 것인데, 이러한 의무는 그것을 강제적으로 실현함에 있어서 직접적인 실력행사가 필요한 것이지 대체적 작위의무에 해당하는 것은 아니어서 직접강제의 방법에 의하는 것은 별론으로 하고 「행정대집행법」에 의한 대집행의 대상이 되는 것은 아니다(대판 1998.10.23. 97누157).

ㄴ. 관계 법령에 위반하여 장례식장 영업을 하고 있는 자의 장례식장 사용중지의무는 「행정대집행법」 제2조의 규정에 의한 대집행의 대상이 아니다(대판 2005.9.28. 2005두7464).

## 02 ①

이론

**행정작용 > 행정행위 > 행정행위의 내용** 하

**| 정답 해설 |**

① 인가는 법률행위적 행정행위 중 형성적 행정행위이다. 형성적 행정행위에는 설권행위로서 특허, 보충행위로서 인가, 대리행위로서 대리가 있다.

**| 오답 해설 |**

② 공증은 준법률행위적 행정행위이다. 의문이나 분쟁, 다툼이 없는 사실관계 등에 대해 행정청이 공적으로 증명하는 행위를 말한다.

③ 통지는 준법률행위적 행정행위이다. 특정인 또는 불특정 다수인에게 특정사실을 알리는 행위로 그 자체가 독립된 행정행위이다.

④ 수리는 준법률행위적 행정행위이다. 행정청이 타인의 행위를 유효한 것으로 받아들이는 수동적 행위로서, 단순한 도달·접수와는 구별되는 인식 표시행위이다.

## 03 ②

법령+판례

**행정구제 > 행정쟁송 > 행정심판** 중

**| 정답 해설 |**

② 행정심판의 청구는 요식이나 엄격한 형식을 요하지는 않는다. 행정심판의 청구취지에 부합하는 내용이라면 형식에 일부 하자가 있다고 해도 행정심판의 청구로 인정된다.

> 「행정심판법」 제19조, 제23조의 규정 취지와 행정심판제도의 목적에 비추어 보면, 행정심판청구는 엄격한 형식을 요하지 않는 서면행위로 해석되므로, 위법·부당한 행정처분으로 인하여 권리나 이익을 침해당한 자로부터 그 처분의 취소나 변경을 구하는 서면이 제출되었을 때에는 그 표제와 제출기관의 여하를 불문하고 이를 「행정소송법」 제18조 소정의 행정심판청구로 보아야 하며, 심판청구인은 일반적으로 전문적 법률지식을 갖지 못하여 제출된 서면의 취지가 불명확한 경우가 적지 않을 것이나, 이러한 경우 행정청으로서는 그 서면을 가능한 한 제출자에게 이익이 되도록 해석하고 처리하여야 한다(대판 1995.9.5. 94누16250, 2000.6.9. 98두2621).

**| 오답 해설 |**

① 재결에 의하여 취소되거나 무효 또는 부존재로 확인되는 처분이 당사자의 신청을 거부하는 것을 내용으로 하는 경우에는 그 처분을 한 행정청은 재결의 취지에 따라 다시 이전의 신청에 대한 처분을 하여야 한다(「행정심판법」 제49조 제2항).

③ 법령의 규정에 따라 공고하거나 고시한 처분이 재결로써 취소되거나 변경되면 처분을 한 행정청은 지체 없이 그 처분이 취소 또는 변경되었다는 것을 공고하거나 고시하여야 한다(동법 제49조 제5항).

④ 심판청구에 대한 재결이 있으면 그 재결 및 같은 처분 또는 부작위에 대하여 다시 행정심판을 청구할 수 없다(동법 제51조).

## 04 ②

판례

**행정작용 > 비권력적 행정작용 > 공법상 계약** 중

**| 정답 해설 |**

② 공법상 계약은 비권력적 작용으로 상대방의 승낙 등에 의해 성립하는 행정작용이다. 따라서 공법상 계약의 내용을 계약의 상대방이 이행하지 않는다고 해도, 법령에 특별한 규정이 없는 한 행정주체로서는 행정강제를 통해 실현할 수 없고, 법원의 판결을 통해 의무이행을 강제하여야 한다.

**| 오답 해설 |**

① (구)「지방재정법」(2005.8.4. 법률 제7663호로 전문 개정되기 전의 것) 제63조가 준용하는 「국가를 당사자로 하는 계약에 관한 법률」 제11조는 지방자치단체가 당사자로서 계약을 체결하고자 할 때에는 계약서를 작성하여야 하고 그 경우 담당공무원과 계약당사자가 계약서에 기명날인 또는 서명함으로써 계약이 확정된다고 규정한다(대판 2006.6.29. 2005다41603).

③ 채용계약상 특별한 약정이 없는 한, 지방계약직 공무원에 대하여 「지방공무원법」, 「지방공무원 징계 및 소청 규정」에 정한 징계절차에 의하지 않고서는 보수를 삭감할 수 없다고 봄이 상당하다(대판 2008.6.12. 2006두16328).

④ 계약직 공무원에 관한 현행 법령의 규정에 비추어 볼 때, 계약직 공무원 채용계약해지의 의사표시는 일반공무원에 대한 징계처분과는 달라서 항고소송의 대상이 되는 처분 등의 성격을 가진 것으로 인정되지 아니하고, 일정한 사유가 있을 때에 국가 또는 지방자치단체가 채용계약 관계의 한쪽 당사자로서 대등한 지위에서 행하는 의사표시로 취급되는 것으로 이해되므로, 이를 징계해고 등에서와 같이 그 징계사유에 한하여 효력 유무를 판단하여야 하거나, 행정처분과 같이 「행정절차법」에 의하여 근거와 이유를 제시하여야 하는 것은 아니다(대판 2002.11.26. 2002두5948).

## 05 ③ 판례

행정작용 > 행정행위 > 부관 중

**| 정답 해설 |**

③ 수익적 처분은 법률에 근거가 없어도 부관의 한계 범위 내에서 부관을 붙일 수 있다.

> 「주택건설촉진법」 제33조에 의한 주택건설사업계획의 승인은 상대방에게 권리나 이익을 부여하는 효과를 수반하는 이른바 수익적 행정처분으로서 법령에 행정처분의 요건에 관하여 일의적으로 규정되어 있지 아니한 이상 행정청의 재량행위에 속한다 할 것이고 재량행위에 있어서는 법령상의 근거가 없다고 하더라도 부관을 붙일 수 있다(대판 1997.3.14. 96누16698).

**| 오답 해설 |**

① 취소소송이 제기된 경우에 처분 등이나 그 집행 또는 절차의 속행으로 인하여 생길 회복하기 어려운 손해를 예방하기 위하여 긴급한 필요가 있다고 인정할 때에는 본안이 계속되고 있는 법원은 당사자의 신청 또는 직권에 의하여 처분 등의 효력이나 그 집행 또는 절차의 속행의 전부 또는 일부의 정지(이하 "집행정지"라 한다)를 결정할 수 있다. 다만, 처분의 효력정지는 처분 등의 집행 또는 절차의 속행을 정지함으로써 목적을 달성할 수 있는 경우에는 허용되지 아니한다(「행정소송법」 제23조 제2항).

② 행정청이 수익적 행정처분을 하면서 부가한 부담의 위법 여부는 처분 당시 법령을 기준으로 판단하여야 하고, 부담이 처분 당시 법령을 기준으로 적법하다면 처분 후 부담의 전제가 된 주된 행정처분의 근거 법령이 개정됨으로써 행정청이 더 이상 부관을 붙일 수 없게 되었다 하더라도 곧바로 위법하게 되거나 그 효력이 소멸하게 되는 것은 아니다(대판 2009.2.12. 2005다65500).

④ 일반적으로 행정처분에 효력기간이 정하여져 있는 경우에는 그 기간의 경과로 그 행정처분의 효력은 상실되고, 다만 허가에 붙은 기한이 그 허가된 사업의 성질상 부당하게 짧은 경우에는 이를 그 허가 자체의 존속기간이 아니라 그 허가조건의 존속기간으로 보아 그 기한이 도래함으로써 그 조건의 개정을 고려한다는 뜻으로 해석할 수 있다(대판 2007.10.11. 2005두12404).

## 06 ② 법령+판례

행정구제 > 사전구제 > 행정절차 하

**| 정답 해설 |**

② 신청한 내용을 모두 그대로 인정하는 처분은 이유 제시 생략사유에 해당된다. 사전통지와는 별개의 문제이다.

> **「행정절차법」 제23조 【처분의 이유 제시】** ① 행정청은 처분을 할 때에는 다음 각 호의 어느 하나에 해당하는 경우를 제외하고는 당사자에게 그 근거와 이유를 제시하여야 한다.
> 1. 신청 내용을 모두 그대로 인정하는 처분인 경우
> 2. 단순·반복적인 처분 또는 경미한 처분으로서 당사자가 그 이유를 명백히 알 수 있는 경우
> 3. 긴급히 처분을 할 필요가 있는 경우

**| 오답 해설 |**

①, ④ 「행정절차법」 제21조 제4항 제1호, 제2호에 규정된 것으로 사전통지 대상이 아니다.

③ 신청에 따른 처분이 이루어지지 아니한 경우에는 아직 당사자에게 권익이 부과되지 아니하였으므로 특별한 사정이 없는 한 신청에 대한 거부처분을 여기에서 말하는 '당사자의 권익을 제한하는 처분'에 해당한다고 할 수 없는 것이어서 처분의 사전통지 대상이 된다고 할 수 없다(대판 2003.11.28. 2003두674).

> **「행정절차법」 제21조 【처분의 사전통지】** ④ 다음 각 호의 어느 하나에 해당하는 경우에는 제1항에 따른 통지를 하지 아니할 수 있다.
> 1. 공공의 안전 또는 복리를 위하여 긴급히 처분을 할 필요가 있는 경우
> 2. 법령 등에서 요구된 자격이 없거나 없어지게 되면 반드시 일정한 처분을 하여야 하는 경우에 그 자격이 없거나 없어지게 된 사실이 법원의 재판 등에 의하여 객관적으로 증명된 경우
> 3. 해당 처분의 성질상 의견청취가 현저히 곤란하거나 명백히 불필요하다고 인정될 만한 상당한 이유가 있는 경우

## 07 ① 판례

행정작용 > 행정입법 > 법규명령 등 상

**| 정답 해설 |**

① 법령에서 행정처분의 요건 중 일부 사항을 부령으로 정할 것을 위임한 데 따라 시행규칙 등 부령에서 이를 정한 경우에 그 부령의 규정은 국민에 대해서도 구속력이 있는 법규명령에 해당한다고 할 것이지만, 법령의 위임이 없음에도 법령에 규정된 처분 요건에 해당하는 사항을 부령에서 변경하여 규정한 경우에는 그 부령의 규정은 행정청 내부의 사무처리 기준 등을 정한 것으로서 행정조직 내에서 적용되는 행정명령의 성격을 지닐 뿐 국민에 대한 대외적 구속력은 없다고 보아야 한다(대판 2013.9.12. 2011두10584).

**| 오답 해설 |**

② 행정소송에 대한 대법원판결에 의하여 명령·규칙이 헌법 또는 법률에 위반된다는 것이 확정된 경우에는 대법원은 지체 없이 그 사유를 행정안전부장관에게 통보하여야 한다(「행정소송법」 제6조 제1항).

③ 법률이 주민의 권리의무에 관한 사항에 관하여 구체적으로 아무런

범위도 정하지 아니한 채 조례로 정하도록 포괄적으로 위임하였다고 하더라도, 행정관청의 명령과는 달라 조례도 주민의 대표기관인 지방의회의 의결로 제정되는 지방자치단체의 자주법인 만큼 지방자치단체가 법령에 위반되지 않는 범위 내에서 주민의 권리의무에 관한 사항을 조례로 제정할 수 있다(대판 2006.9.8. 2004두947).

④ 헌법소원은 「헌법재판소법」 제68조 제1항에 규정한 바와 같이 공권력의 불행사에 대하여서도 청구할 수 있지만, 입법부작위에 대한 헌법소원은 원칙적으로 인정될 수 없고, 다만 헌법에서 기본권 보장을 위해 명시적인 입법위임을 하였음에도 입법자가 이를 이행하지 않거나, 헌법해석상 특정인에게 구체적인 기본권이 생겨 이를 보장하기 위한 국가의 행위의무 내지 보호의무가 발생하였음이 명백함에도 입법자가 아무런 입법조치를 취하지 않고 있는 경우에만 예외적으로 인정될 수 있다(헌재결 1989.3.17. 88헌마1).

☑ **교수님 TIP**

헌법재판소의 행정입법부작위에 대한 헌법소원 사례로서 치과의사 전문의시험에 관한 경우와 군법무관 보수규정 사건이 있다. 특히 군법무관의 보수규정 사건은 국가배상으로 이어져 중요한 판례이다.

**| 같이 보는 판례 | 행정입법부작위에 대한 헌법재판소 사례**

- **치과의사전문의자격시험제도 사건**
  보건복지부장관이 「의료법」과 위 규정의 위임에 따라 치과전문의자격시험제도를 실시할 수 있는 절차를 마련하지 아니하는 입법부작위는 헌법에 위반됨을 확인한다(헌재결 1998.7.16. 96헌마246).
- **군법무관 보수규정 사건**
  (구)「군법무관 임용법」 제5조 제3항 및 「군법무관 임용 등에 관한 법률」 제6조가 군법무관의 봉급과 그 밖의 보수를 법관 및 검사의 예에 준하여 지급하도록 하는 대통령령을 제정할 것을 규정하였는데, 대통령이 지금까지 해당 대통령령을 제정하지 않는 것이 청구인들(군법무관들)의 기본권을 침해한다(헌재결 2004.2.26. 2001헌마718).

## 08 ③

이론+판례

행정작용 > 행정행위 > 행정행위의 종류 하

**| 정답 해설 |**

③ ㄴ. 일반음식점 영업허가와 ㄹ. 건축허가는 강학상 허가에 해당되어 특별히 규정하지 않는 한, 또는 공익과 관련이 없으면 기속에 해당한다.

**| 같이 보는 판례 |**

- **일반음식점 영업허가**
  「식품위생법」상 일반음식점영업허가는 성질상 일반적 금지의 해제에 불과하므로 허가권자는 허가신청이 법에서 정한 요건을 구비한 때에는 허가하여야 하고 관계 법령에서 정하는 제한사유 외에 공공복리 등의 사유를 들어 허가신청을 거부할 수는 없고, 이러한 법리는 일반음식점 허가사항의 변경허가에 관하여도 마찬가지이다(대판 2000.3.24. 97누12532).
- **건축허가**
  건축허가권자는 건축허가신청이 「건축법」 등 관계 법규에서 정하는 어떠한 제한에 배치되지 않는 이상 당연히 같은 법조에서 정하는 건축허가를 하여야 하고, 중대한 공익상의 필요가 없는데도 관계 법령에서 정하는 제한사유 이외의 사유를 들어 요건을 갖춘 자에 대한 허가를 거부할 수는 없다(대판 2009.9.24. 2009두8946).

**| 오답 해설 |**

ㄱ. 귀화허가의 근거 규정의 형식과 문언, 귀화허가의 내용과 특성 등을 고려해 보면, 법무부장관은 귀화신청인이 귀화 요건을 갖추었다 하더라도 귀화를 허가할 것인지 여부에 관하여 재량권을 가진다고 보는 것이 타당하다(대판 2010.10.28. 2010두6496).

ㄷ. 「자동차 운수사업법」에 의한 개인택시운송사업면허는 특정인에게 권리나 이익을 부여하는 행정행위로서 법령에 특별한 규정이 없으면 행정청의 재량에 속하는 것이고, 그 면허를 위하여 정하여진 순위 내에서의 운전경력 인정방법에 관한 기준설정 역시 행정청의 재량이므로, 그 설정된 기준이 객관적으로 합리적이 아니라거나 타당하지 않다고 보이지 않는 이상 이에 기하여 운전경력을 산정한 것을 위법하다고 할 수 없다(대판 1995.4.14. 93누16253).

☑ **교수님 TIP**

강학상 허가는 일반적인 금지를 일정한 경우에 해제하여 자연적 자유를 회복시키는 행위로서 기속이 원칙이고, 강학상 설권행위인 특허는 인위적인 권리나 능력, 법률상의 지위를 부여하는 행위로서 특별히 규정하고 있지 않는 한 재량이 원칙이다.

## 09 ①

판례

행정작용 > 행정행위 > 행정행위의 종류 중

**| 정답 해설 |**

① 교과서검정이 고도의 학술상, 교육상의 전문적인 판단을 요한다는 특성에 비추어 보면, 교과용 도서를 검정함에 있어서 법령과 심사기준에 따라서 심사위원회의 심사를 거치고, 또 검정상 판단이 사실적 기초가 없다거나 사회통념상 현저히 부당하다는 등 현저히 재량권의 범위를 일탈한 것이 아닌 이상 그 검정을 위법하다고 할 수 없다(대판 1992.4.24. 91누6634).

**| 오답 해설 |**

② 주된 인·허가가 기속인 경우에도 의제되어지는 인·허가가 재량이라면 주된 인·허가도 재량이 된다.

> 「국토계획법」이 정한 용도지역 안에서 토지의 형질변경행위·농지전용행위를 수반(의제)하는 건축허가는 「건축법」 제11조 제1항에 의한 건축허가와 위와 같은 개발행위허가 및 농지전용허가의 성질을 아울러 갖게 되므로 이 역시 재량행위에 해당한다(대판 2017.10.12. 2017두48956).

③ 사회복지법인의 정관변경을 허가할 것인지의 여부는 주무관청의 정책적 판단에 따른 재량에 맡겨져 있다고 할 것이고, 주무관청이 정관변경허가를 함에 있어서는 비례의 원칙 및 평등의 원칙에 적합하고 행정처분의 본질적 효력을 해하지 않는 한도 내에서 부관을 붙일 수 있다(대판 2002.9.24. 2000두5661).

④ 재량의 사법심사방식은 기속과 달리 법원이 일정한 결론을 도출할 수 없고, 재량의 일탈이나 남용 여부만 판단한다.

> 이렇게 구분되는 양자에 대한 사법심사는, 전자(기속)의 경우 그 법규에 대한 원칙적인 기속성으로 인하여 법원이 사실인정과 관련 법규의 해석·적용을 통하여 일정한 결론을 도출한 후 그 결론에 비추어 행정청이 한 판단의 적법 여부를 독자의 입장에서 판정하는 방식에 의하게 되나, 후자(재량)의 경우 행정청의 재량에 기한 공익판단의 여지를

감안하여 법원은 독자의 결론을 도출함이 없이 당해 행위에 재량권의 일탈·남용이 있는지 여부만을 심사하게 되고, 이러한 재량권의 일탈·남용 여부에 대한 심사는 사실오인, 비례·평등의 원칙 위배, 당해 행위의 목적 위반이나 동기의 부정 유무 등을 그 판단 대상으로 한다(대판 2001.2.9. 98두17593).

## 10 ②

판례

행정구제 > 손해전보 > 국가배상 중

**| 정답 해설 |**

② 「국가배상법」이 정한 손해배상청구의 요건인 '공무원의 직무'에는 국가나 지방자치단체의 권력적 작용뿐만 아니라 비권력적 작용도 포함되지만 단순한 사경제의 주체로서 하는 작용은 포함되지 않는다(대판 2004.4.9. 2002다10691).

**| 오답 해설 |**

① 법령에 대한 해석이 복잡, 미묘하여 워낙 어렵고, 이에 대한 학설, 판례조차 귀일되어 있지 않는 등의 특별한 사정이 없는 한 일반적으로 공무원이 관계 법규를 알지 못하거나 필요한 지식을 갖추지 못하고 법규의 해석을 그르쳐 행정처분을 하였다면 그가 법률전문가가 아닌 행정직 공무원이라고 하여 과실이 없다고 할 수 없다(대판 2001.2.9. 98다52988).

③ 어떠한 행정처분이 후에 항고소송에서 취소되었다고 할지라도 그 기판력에 의하여 당해 행정처분이 곧바로 공무원의 고의 또는 과실로 인한 것으로서 불법행위를 구성한다고 단정할 수는 없다(대판 2003.12.11. 2001다65236).

④ 공익근무요원은 「병역법」 제2조 제1항 제9호, 제5조 제1항의 규정에 의하면 국가기관 또는 지방자치단체의 공익목적수행에 필요한 경비·감시·보호 또는 행정업무 등의 지원과 국제협력 또는 예술·체육의 육성을 위하여 소집되어 공익분야에 종사하는 사람으로서 보충역에 편입되어 있는 자이기 때문에, 소집되어 군에 복무하지 않는 한 군인이라고 말할 수 없으므로, 비록 「병역법」 제75조 제2항이 공익근무요원으로 복무 중 순직한 사람의 유족에 대하여 「국가유공자 등 예우 및 지원에 관한 법률」에 따른 보상을 하도록 규정하고 있다고 하여도, 공익근무요원이 「국가배상법」 제2조 제1항 단서의 규정에 의하여 「국가배상법」상 손해배상청구가 제한되는 군인·군무원·경찰공무원 또는 예비군대원에 해당한다고 할 수 없다(대판 1997.3.28. 97다4036).

## 11 ③

이론+판례

행정법 통칙 > 행정법 > 법치행정 하

**| 정답 해설 |**

③ 텔레비전방송수신료는 대다수 국민의 재산권 보장의 측면이나 한국방송공사에게 보장된 방송자유의 측면에서 국민의 기본권 실현에 관련된 영역에 속하고, 수신료금액의 결정은 납부의무자의 범위 등과 함께 수신료에 관한 본질적인 중요한 사항이므로 국회가 스스로 행하여야 하는 사항에 속하는 것임에도 불구하고 「한국방송공사법」 제36조 제1항에서 국회의 결정이나 관여를 배제한 채 한국방송공사로 하여금 수신료금액을 결정해서 문화관광부장관의 승인을 얻도록 한 것은 법률유보원칙에 위반된다(헌재결 1999.5.27. 98헌바70).

**| 오답 해설 |**

① 산림훼손은 국토 및 자연의 유지와 수질 등 환경의 보전에 직접적으로 영향을 미치는 행위이므로, 법령이 규정하는 산림훼손 금지 또는 제한 지역에 해당하는 경우는 물론 금지 또는 제한 지역에 해당하지 않더라도 허가관청은 산림훼손허가신청 대상토지의 현상과 위치 및 주위의 상황 등을 고려하여 국토 및 자연의 유지와 환경의 보전 등 중대한 공익상 필요가 있다고 인정될 때에는 허가를 거부할 수 있고, 그 경우 법규에 명문의 근거가 없더라도 거부처분을 할 수 있다(대판 2003.3.28. 2002두12113).

② 법률유보는 행정조직이 자신의 권한의 범위 내에서도(조직법적 근거), 특정한 행정작용은 법률에 근거가 있어야 발동할 수 있다는 원칙이다.

④ 행정행위를 한 처분청은 그 처분 당시에 그 행정처분에 별다른 하자가 없었고 또 그 처분 후에 이를 취소할 별도의 법적 근거가 없다 하더라도 원래의 처분을 그대로 존속시킬 필요가 없게 된 사정변경이 생겼거나 또는 중대한 공익상의 필요가 발생한 경우에는 별개의 행정행위로 이를 철회하거나 변경할 수 있다(대판 1992.1.17. 91누3130).

## 12 ④

법령+판례

행정의 실효성 확보수단 > 제재 > 행정벌 중

**| 정답 해설 |**

④ 행정형벌은 행정의 직접적인 목적달성에 저해가 되어 「형법」상의 형벌을 부과하고, 행정질서벌은 행정의 간접적인 목적달성에 저해가 되어 과태료를 부과한다고 보는 것이 일반적이다. 이러한 행정형벌과 행정질서벌은 입법자의 입법적 정책에 따라 구분된다는 것이 헌법재판소의 입장이다.

**| 오답 해설 |**

① 양벌규정에 의한 영업주의 처벌은 금지위반 행위자인 종업원의 처벌에 종속하는 것이 아니라 독립하여 그 자신의 종업원에 대한 선임감독상의 과실로 인하여 처벌되는 것이므로 종업원의 범죄성립이나 처벌이 영업주 처벌의 전제조건이 될 필요는 없다(대판 1987.11.10. 87도1213).

② 행정청은 질서위반행위가 종료된 날(다수인이 질서위반행위에 가담한 경우에는 최종행위가 종료된 날을 말한다)부터 5년이 경과한 경우에는 해당 질서위반행위에 대하여 과태료를 부과할 수 없다(「질서위반행위규제법」 제19조 제1항).

③ 죄형법정주의는 무엇이 범죄이며 그에 대한 형벌이 어떠한 것인가는 국민의 대표로 구성된 입법부가 제정한 법률로써 정하여야 한다는 원칙인데, 「부동산등기특별조치법」 제11조 제1항 본문 중 제2조 제1항에 관한 부분이 정하고 있는 과태료는 행정상의 질서유지를 위한 행정질서벌에 해당할 뿐 형벌이라고 할 수 없어 죄형법정주의의 규율대상에 해당하지 아니한다(헌재결 1998.5.28. 96헌바83).

**| 같이 보는 판례 | 관련 헌법재판소의 입장**

어떤 행정법규 위반행위에 대하여 이를 단지 간접적으로 행정상의 질서에 장해를 줄 위험성이 있음에 불과한 경우로 보아 행정질서벌인 과태료를 과할 것인가, 아니면 직접적으로 행정목적과 공익을 침해한 행위로 보아 행정형벌을 과할 것인가는, 당해 위반행위가 위의 어느 경우에 해당하는가에 대한 법적 판단을 그르친 것이 아닌 한 그 처벌 내용은 기본적으로 입법권자가 그 입법목적이나 입법 당시의 제반사정을 고려하여 결정할 입법재량에 속하는 문제이다(헌재결 1997.8.21. 93헌바51, 1997.4.24. 95헌마90).

## 13 ①

판례

행정작용 > 행정행위 > 행정행위의 하자 중

**| 정답 해설 |**

① 직위해제처분과 같은 제3항에 의한 면직처분은 후자가 전자의 처분을 전제로 한 것이기는 하나 각각 단계적으로 별개의 법률효과를 발생하는 행정처분이어서 선행직위 해제처분의 위법사유가 면직처분에는 승계되지 아니한다 할 것이므로 선행된 직위해제 처분의 위법사유를 들어 면직처분의 효력을 다툴 수는 없다(대판 1984.9.11. 84누191).

**| 오답 해설 |**

② 개별공시지가결정은 이를 기초로 한 과세처분 등과는 별개의 독립된 처분으로서 서로 독립하여 별개의 법률효과를 목적으로 하는 것이나, 위법한 개별공시지가결정에 대하여 그 정해진 시정절차를 통하여 시정하도록 요구하지 아니하였다는 이유로 위법한 개별공시지가를 기초로 한 과세처분 등 후행 행정처분에서 개별공시지가결정의 위법을 주장할 수 없도록 하는 것은 수인한도를 넘는 불이익을 강요하는 것으로서 국민의 재산권과 재판받을 권리를 보장한 헌법의 이념에도 부합하는 것이 아니라고 할 것이므로, 개별공시지가결정에 위법이 있는 경우에는 그 자체를 행정소송의 대상이 되는 행정처분으로 보아 그 위법 여부를 다툴 수 있음은 물론 이를 기초로 한 과세처분 등 행정처분의 취소를 구하는 행정소송에서도 선행처분인 개별공시지가결정의 위법을 독립된 위법사유로 주장할 수 있다고 해석함이 타당하다(대판 1994.1.25. 93누8542).

③ 「도시계획법」에 의한 용도지역변경은 행정처분으로서 독립하여 행정쟁송의 대상이 되므로, 이에 대한 제소기간이 지난 후의 수용재결이나 이의재결의 단계에서는 용도지역변경처분에 당연무효라고 볼 만한 특별한 사정이 없는 한 그 변경처분의 위법을 이유로 재결의 취소를 구할 수 없다(대판 1997.4.8. 96누11396).

④ 관리처분계획에 불가쟁력이 생겨 그 효력을 다툴 수 없게 된 경우, 그 관리처분계획상의 하자를 이유로 후행처분인 청산금 부과처분의 위법을 주장할 수 없다(대판 2007.9.6. 2005두11951).

**☑ 교수님 TIP**

하자의 승계에서 예외적 판례인 개별공시지가결정과 과세처분사건은 중요도가 높다. 다만 '재조사청구에 따른 감액조정통지'에도 불구하고 아무런 조치를 취하지 않은 경우에는 하자승계가 되지 않는다는 것을 주의하여야 한다.

**| 같이 보는 판례 |**

개별토지가격 결정에 대한 재조사 청구에 따른 감액조정에 대하여 더 이상 불복하지 아니한 경우, 이를 기초로 한 양도소득세 부과처분 취소소송에서 다시 개별토지가격 결정의 위법을 당해 과세처분의 위법사유로 주장할 수 없다(대판 1998.3.13. 96누6059).

## 14 ③

이론+판례

행정작용 > 행정행위 > 확약 중

**| 정답 해설 |**

③ 어업권면허에 선행하는 우선순위결정은 행정청이 우선권자로 결정된 자의 신청이 있으면 어업권면허처분을 하겠다는 것을 약속하는 행위로서 강학상 확약에 불과하고 행정처분은 아니므로, 우선순위결정에 공정력이나 불가쟁력과 같은 효력은 인정되지 아니하며, 따라서 우선순위결정이 잘못되었다는 이유로 종전의 어업권면허처분이 취소되면 행정청은 종전의 우선순위결정을 무시하고 다시 우선순위를 결정한 다음 새로운 우선순위결정에 기하여 새로운 어업권면허를 할 수 있다(대판 1995.1.20. 94누6529).

**| 오답 해설 |**

① 「행정절차법」에는 처분절차, 신고절차, 행정입법예고절차, 행정예고절차, 행정지도절차에 대한 일반적 규정으로서 확약에 대한 규정은 없다.

**「행정절차법」 제3조 【적용 범위】** ① 처분, 신고, 행정상 입법예고, 행정예고 및 행정지도의 절차(이하 "행정절차"라 한다)에 관하여 다른 법률에 특별한 규정이 있는 경우를 제외하고는 이 법에서 정하는 바에 따른다.

② 행정청이 상대방에게 장차 어떤 처분을 하겠다고 확약 또는 공적인 의사표명을 하였다고 하더라도, 그 자체에서 상대방으로 하여금 언제까지 처분의 발령을 신청을 하도록 유효기간을 두었는데도 그 기간 내에 상대방의 신청이 없었다거나 확약 또는 공적인 의사표명이 있은 후에 사실적·법률적 상태가 변경되었다면, 그와 같은 확약 또는 공적인 의사표명은 행정청의 별다른 의사표시를 기다리지 않고 실효된다(대판 1996.8.20. 95누10877).

④ 확약은 본처분권이 있다면 별도의 법적 근거 없이 가능하다는 것이 일반적인 입장이다.

## 15 ④

판례

행정구제 > 손해전보 > 손실보상 상

**| 정답 해설 |**

④ 사업시행자 스스로 공익사업의 원활한 시행을 위하여 생활대책을 수립·실시할 수 있도록 하는 내부규정을 두고 이에 따라 생활대책대상자 선정기준을 마련하여 생활대책을 수립·실시하는 경우, 생활대책대상자 선정기준에 해당하는 자가 자신을 생활대책대상자에서 제외하거나 선정을 거부한 사업시행자를 상대로 항고소송을 제기할 수 있다(대판 2011.10.13. 2008두17905).

**| 오답 해설 |**

① 민간기업이 도시계획시설사업의 시행자로서 도시계획시설사업에 필요한 토지 등을 수용할 수 있도록 규정한 「국토계획법」 제95조 제1항의 "도시계획시설사업의 시행자" 중 "제86조 제7항"의 적용을 받는 부분(이하 '이 사건 수용조항'이라 한다)은 헌법 제23조 제3항 소정의 공공필요성 요건을 결여하거나 과잉금지원칙을 위반하여 재산권을 침해하지 않는다[헌재결 2011.6.30. 2008헌바166, 2011헌바35(병합)].

② 법에 의한 이주대책은 공익사업의 시행에 필요한 토지 등을 제공함으로 인하여 생활의 근거를 상실하게 되는 이주대책대상자들에게 종전 생활상태를 원상으로 회복시키면서 동시에 인간다운 생활을 보장하여 주기 위하여 마련된 제도이므로, 사업시행자의 이주대책 수립·실시의무를 정하고 있는 (구)공익사업법 제78조 제1항은 물론 이주대책의 내용에 관하여 규정하고 있는 같은 조 제4항 본문 역시 당사자의 합의 또는 사업시행자의 재량에 의하여 적용을 배제할 수 없는 강행법규이다(대판 2011.6.23. 2007다63089).

③ 농업손실보상청구권은 공익사업의 시행 등 적법한 공권력의 행사에 의한 재산상의 특별한 희생에 대하여 전체적인 공평부담의 견지에서 공익사업의 주체가 그 손해를 보상하여 주는 손실보상의 일종으로 공법상의 권리임이 분명하므로 그에 관한 쟁송은 민사소송이 아닌 행정소송절차에 의하여야 할 것이고, 위 규정들과 (구)공익사업법 제26조, 제28조, 제30조, 제34조, 제50조, 제61조, 제83조 내지 제85조의 규정 내용 및 입법 취지 등을 종합하여 보면, 공익사업으로 인하여 농업의 손실을 입게 된 자가 사업시행자로부터 (구)공익사업법 제77조 제2항에 따라 농업손실에 대한 보상을 받기 위해서는 (구)공익사업법 제34조, 제50조 등에 규정된 재결절차를 거친 다음 그 재결에 대하여 불복이 있는 때에 비로소 (구)공익사업법 제83조 내지 제85조에 따라 권리구제를 받을 수 있다(대판 2011.10.13. 2009다43461).

## 16 ③

법령+판례

**정보공개와 개인정보 > 정보공개제도 > 공공기관의 정보공개에 관한 법률** 중

**| 정답 해설 |**

ㄱ. 공공기관은 제10조에 따라 정보공개의 청구를 받으면 그 청구를 받은 날부터 10일 이내에 공개 여부를 결정하여야 한다(「공공기관의 정보공개에 관한 법률」 제11조 제1항).

ㄴ. 공개청구의 대상이 되는 정보가 이미 다른 사람에게 공개되어 널리 알려져 있다거나 인터넷 등을 통하여 공개되어 인터넷검색 등을 통하여 쉽게 알 수 있는 경우 소의 이익이 없다거나 비공개결정이 정당화될 수 없다(대판 2010.12.23. 2008두13101).

ㄹ. 「공공기관의 정보공개에 관한 법률」 제6조 제1항은 "모든 국민은 정보의 공개를 청구할 권리를 가진다."고 규정하고 있는데, 여기에서 말하는 국민에는 자연인은 물론 법인, 권리능력 없는 사단·재단도 포함되고, 법인, 권리능력 없는 사단·재단 등의 경우에는 설립목적을 불문하며, 한편 정보공개청구권은 법률상 보호되는 구체적인 권리이므로 청구인이 공공기관에 대하여 정보공개를 청구하였다가 거부처분을 받은 것 자체가 법률상 이익의 침해에 해당한다(대판 2003.12.12. 2003두8050).

**| 오답 해설 |**

ㄷ. 공공기관은 공개 청구된 공개 대상 정보의 전부 또는 일부가 제3자와 관련이 있다고 인정할 때에는 그 사실을 제3자에게 지체 없이 통지하여야 하며, 필요한 경우에는 그의 의견을 들을 수 있다(동법 제11조 제3항).

**| 같이 보는 법령 | 외국인의 정보공개청구권**

> **「공공기관의 정보공개에 관한 법률 시행령」 제3조 【외국인의 정보공개 청구】** 법 제5조 제2항에 따라 정보공개를 청구할 수 있는 외국인은 다음 각 호의 어느 하나에 해당하는 자로 한다.
> 1. 국내에 일정한 주소를 두고 거주하거나 학술·연구를 위하여 일시적으로 체류하는 사람
> 2. 국내에 사무소를 두고 있는 법인 또는 단체

## 17 ①

이론+판례

**행정법 통칙 > 행정법의 효력 > 행정법의 시간적, 장소적 효력** 중

**| 정답 해설 |**

① 행정법의 효력은 원칙적으로 속지주의(영토고권)이다. 예외적으로 속지주의에 적용되지 않는 일부 사람(치외법권자 등)이나 일부지역(외국대사관지역 등)이 있고, 보충적으로 대인고권인 속인주의를 취하는 경우도 있다.

**| 오답 해설 |**

② 행정법규의 소급입법은 일반적으로 법치주의의 원리에 반하고 개인의 권리 자유에 부당한 침해를 가하며, 법률생활의 안정을 위협하는 것이어서, 이를 인정하지 않는 것이 원칙이고, 다만 법령을 소급적용하더라도 일반 국민의 이해에 직접 관계가 없는 경우, 오히려 그 이익을 증진하는 경우, 불이익이나 고통을 제거하는 경우 등의 특별한 사정이 있는 경우에 한하여 예외적으로 법령의 소급적용이 허용된다(대판 2005.5.13. 2004다8630).

③ 법령이 변경된 경우 신 법령이 피적용자에게 유리하여 이를 적용하도록 하는 경과규정을 두는 등의 특별한 규정이 없는 한 헌법 제13조 등의 규정에 비추어 볼 때 그 변경 전에 발생한 사항에 대하여는 변경 후의 신 법령이 아니라 변경 전의 구 법령이 적용되어야 한다(대판 2002.12.10. 2001두3228).

④ 조세법률주의의 원칙상 조세의무는 각 세법에 정한 과세요건이 완성된 때에 성립된다고 할 것이나, 조세법령이 일단 효력을 발생하였다가 폐지 또는 개정된 경우 조세법령이 정한 과세요건 사실이 폐지 또는 개정된 당시까지 완료된 때에는 다른 경과규정이 없는 한 그 과세요건 사실에 대하여는 종전의 조세법령이 계속 효력을 가지며, 조세법령의 폐지 또는 개정 후에 발생된 행위사실에 대하여만 효력을 잃는 것이라고 보아야 할 것이므로, 조세법령의 폐지 또는 개정 전에 종결된 과세요건 사실에 대하여 폐지 또는 개정 전의 조세법령을 적용하는 것이 조세법률주의의 원칙에 위배된다고 할 수 없다(대판 1993.5.11. 92누18399).

**| 같이 보는 판례 | 부진정소급효에 대한 판례**

> 소급입법금지의 원칙은 각종 조세나 부담금 등을 납부할 의무가 이미 성립한 소득, 수익, 재산, 행위 또는 거래에 대하여 그 성립 후의 새로운 법령에 의하여 소급하여 부과하지 않는다는 원칙을 의미하는 것이므로, 계속된 사실이나 새로운 법령 시행 후에 발생한 부과요건 사실에 대하여 새로운 법령을 적용하는 것은 위 원칙에 저촉되지 않는다(대판 1995.4.25. 93누13728).

## 18 ②

법령

행정의 실효성 확보수단 > 행정벌 > 질서위반행위규제법 중

**| 정답 해설 |**

② 고의 또는 과실이 없는 질서위반행위는 과태료를 부과하지 아니한다(「질서위반행위규제법」 제7조).

**| 오답 해설 |**

① 행정청이 질서위반행위에 대하여 과태료를 부과하고자 하는 때에는 미리 당사자(제11조 제2항에 따른 고용주 등을 포함한다. 이하 같다)에게 대통령령으로 정하는 사항을 통지하고, 10일 이상의 기간을 정하여 의견을 제출할 기회를 주어야 한다. 이 경우 지정된 기일까지 의견 제출이 없는 경우에는 의견이 없는 것으로 본다(동법 제16조 제1항).

③ 행정청은 당사자가 제16조에 따른 의견 제출 기한 이내에 과태료를 자진하여 납부하고자 하는 경우에는 대통령령으로 정하는 바에 따라 과태료를 감경할 수 있다(동법 제18조 제1항).

④ 과태료는 당사자가 과태료 부과처분에 대하여 이의를 제기하지 아니한 채 제20조 제1항에 따른 기한이 종료한 후 사망한 경우에는 그 상속재산에 대하여 집행할 수 있다(동법 제24조의2 제1항).

## 19 ③

판례

행정구제 > 행정쟁송 > 행정소송 중

**| 정답 해설 |**

③ 과징금 부과처분에서 행정청이 납부의무자에 대하여 부과처분을 한 후 그 부과처분의 하자를 이유로 과징금의 액수를 감액하는 경우에 그 감액처분은 감액된 과징금 부분에 관하여만 법적 효과가 미치는 것으로서 처음의 부과처분과 별개 독립의 과징금 부과처분이 아니라 그 실질은 당초 부과처분의 변경이고, 그에 의하여 과징금의 일부취소라는 납부의무자에게 유리한 결과를 가져오는 처분이므로 처음의 부과처분이 전부 실효되는 것은 아니며, 그 감액처분으로도 아직 취소되지 않고 남아 있는 부분이 위법하다고 하여 다투는 경우 항고소송의 대상은 처음의 부과처분 중 감액처분에 의하여 취소되지 않고 남은 부분이고 감액처분이 항고소송의 대상이 되는 것은 아니다(대판 2008.2.15. 2006두3957).

**| 오답 해설 |**

① 공익근무요원 소집해제신청을 거부한 후에 원고가 계속하여 공익근무요원으로 복무함에 따라 복무기간 만료를 이유로 소집해제처분을 한 경우, 원고가 입게 되는 권리와 이익의 침해는 소집해제처분으로 해소되었으므로 위 거부처분의 취소를 구할 소의 이익이 없다(대판 2005.5.13. 2004두4369).

② 행정처분을 행할 적법한 권한 있는 상급행정청으로부터 내부위임을 받은 데 불과한 하급행정청이 권한 없이 행정처분을 한 경우에도 실제로 그 처분을 행한 하급행정청을 피고로 하여야 할 것이지 그 처분을 행할 적법한 권한 있는 상급행정청을 피고로 할 것은 아니다(대판 1994.8.12. 94누2763).

④ 행정처분의 당연무효를 선언하는 의미에서 그 취소를 구하는 행정소송을 제기하는 경우에는 전치절차와 그 제소기간의 준수 등 취소소송의 제소요건을 갖추어야 한다(대판 1987.6.9. 87누219).

## 20 ④

판례

종합문제(행정법의 일반원칙, 사인의 공법행위, 행정행위의 내용 등) 중

**| 정답 해설 |**

④ 일반적으로 행정상의 법률관계 있어서 행정청의 행위에 대하여 신뢰보호의 원칙이 적용되기 위하여는 행정청이 개인에 대하여 신뢰의 대상이 되는 공적인 견해표명을 하였다는 점이 전제되어야 한다. 그리고 평등의 원칙은 본질적으로 같은 것을 자의적으로 다르게 취급함을 금지하는 것이고, 위법한 행정처분이 수차례에 걸쳐 반복적으로 행하여졌다 하더라도 그러한 처분이 위법한 것인 때에는 행정청에 대하여 자기구속력을 갖게 된다고 할 수 없다(대판 2009.6.25. 2008두13132).

**| 오답 해설 |**

① (구)「건축법 시행규칙」 제11조의 규정은 단순히 행정관청의 사무집행의 편의를 위한 것이 아니라, 허가대상 건축물의 양수인에게 건축주의 명의변경을 신고할 수 있는 공법상의 권리를 인정함과 아울러 행정관청에게는 그 신고를 수리할 의무를 지게 한 것으로 봄이 타당하므로, 허가대상 건축물의 양수인이 (구)「건축법 시행규칙」에 규정되어 있는 형식적 요건을 갖추어 시장·군수 등 행정관청에 적법하게 건축주의 명의변경을 신고한 때에는 행정관청은 그 신고를 수리하여야지 실체적인 이유를 내세워 신고의 수리를 거부할 수는 없다(대판 2014.10.15. 2014두37658).

② 건설부장관이 (구)「주택건설촉진법」(1991.3.8. 법률 제4339호로 개정되기 전의 것) 제33조에 따라 관계기관의 장과의 협의를 거쳐 사업계획승인을 한 이상 같은 조 제4항의 허가·인가·결정·승인 등이 있는 것으로 볼 것이고, 그 절차와 별도로 「도시계획법」 제12조 등 소정의 중앙도시계획위원회의 의결이나 주민의 의견청취 등 절차를 거칠 필요는 없다(대판 1992.11.10. 92누1162).

③ 이른바 1980년의 공직자숙정계획의 일환으로 일괄사표의 제출과 선별수리의 형식으로 공무원에 대한 의원면직처분이 이루어진 경우, 사직원 제출행위가 강압에 의하여 의사결정의 자유를 박탈당한 상태에서 이루어진 것이라고 할 수 없고 「민법」상 비진의 의사표시의 무효에 관한 규정은 사인의 공법행위에 적용되지 않는다는 등의 이유로 그 의원면직처분을 당연무효라고 할 수 없다(대판 2001.8.24. 99두9971).

## 여러분의 작은 소리
## 에듀윌은 크게 듣겠습니다.

본 교재에 대한 여러분의 목소리를 들려주세요.
공부하시면서 어려웠던 점, 궁금한 점,
칭찬하고 싶은 점, 개선할 점, 어떤 것이라도 좋습니다.

에듀윌은 여러분께서 나누어 주신 의견을
통해 끊임없이 발전하고 있습니다.

**에듀윌 도서몰 book.eduwill.net**
- 부가학습자료 및 정오표: 에듀윌 도서몰 → 도서자료실
- 교재 문의: 에듀윌 도서몰 → 문의하기 → 교재(내용, 출간) / 주문 및 배송


**2022 에듀윌 소방공무원 4개년 연도별 기출문제집 행정법총론**

| | |
|---|---|
| 발 행 일 | 2021년 9월 2일 초판 |
| 편 저 자 | 김용철 |
| 펴 낸 이 | 박명규 |
| 펴 낸 곳 | (주)에듀윌 |
| 등록번호 | 제25100-2002-000052호 |
| 주 소 | 08378 서울특별시 구로구 디지털로34길 55<br>코오롱싸이언스밸리 2차 3층 |





ISBN 979-11-360-1203-6 (13350)



**www.eduwill.net**

대표전화 1600-6700

# 정답과 해설편

# 에듀윌 소방공무원

4개년 연도별 기출문제집 행정법총론

2017/2020 공무원 온라인 과정 환급자 수 비교

2021 대한민국 브랜드만족도 소방공무원 교육 1위 (한경비즈니스)
2020, 2019 한국브랜드만족지수 소방공무원 교육 1위 (주간동아, G밸리뉴스)

고객의 꿈, 직원의 꿈, 지역사회의 꿈을 실현한다

**펴낸곳** (주)에듀윌 **펴낸이** 박명규 **출판총괄** 김형석
**개발책임** 진현주 **개발** 고원, 박경선
**주소** 서울시 구로구 디지털로34길 55 코오롱싸이언스밸리 2차 3층
**대표번호** 1600-6700 **등록번호** 제25100-2002-000052호


**에듀윌 도서몰** book.eduwill.net
- 부가학습자료 및 정오표: 에듀윌 도서몰 → 도서자료실
- 교재 문의: 에듀윌 도서몰 → 문의하기 → 교재(내용, 출간) / 주문 및 배송